BIBLIOTECA DI CULTURA
MODERNA

PIETRO PANCRAZI

SCRITTORI D'OGGI

SERIE SECONDA

BARI
GIUS. LATERZA & FIGLI
TIPOGRAFI-EDITORI-LIBRAI
1946

BIBLIOTECA DI CULTURA MODERNA
N. 370

SCRITTORI D'OGGI

SERIE SECONDA

PIETRO PANCRAZI

SCRITTORI D'OGGI

SERIE SECONDA

BARI
GIUS. LATERZA & FIGLI
TIPOGRAFI-EDITORI-LIBRAI
1946

284
4V.

689-45 — Firenze, Tipografia Enrico Ariani, Via San Gallo, 33

I

GUIDO GOZZANO SENZA I CREPUSCOLARI. — L'IRREQUIETO PANZINI. — L'ALTRO PIRANDELLO. — LE COSE VISTE DA OJETTI. — « TEMPESTA NEL NULLA » DI G. A. BORGESE. — ROMANZI E RACCONTI DI CICOGNANI : I. LA VELIA E LE NOVELLE. II. VILLA BEATRICE. — FRANCESCO CHIESA NARRATORE : I. TEMPO DI MARZO. II. RACCONTI DEL MIO ORTO. — IL TEMPO FELICE DI MARINO MORETTI. — ARGOMENTI DI BONTEMPELLI. — CECCHI O L'ARTICOLO — BACCHELLI ROMANZIERE MORALE.

GUIDO GOZZANO

SENZA I CREPUSCOLARI

La prima sorpresa di chi oggi rilegga i *Colloqui* di Guido Gozzano, è questa: quante cose c'erano nella sua poesia, (cose vere: paesi, piante, animali, cieli, campagne, e donne, donne....), che non ce n'eravamo neppure accorti! Le cose vere della sua poesia per molto tempo rimasero nascoste o velate da quelle fittizie, e Gozzano, sòrte non rara, piacque soprattutto per la parte sua meno schietta. Fu dato gran credito all'*anima sazia*, alle *gioie defunte*, ai *disinganni*, alle *rose che non colse*, alle *cose che potevano essere e non sono state*. Il sentimento di Gozzano sembrò intonato quasi tutto lì; e la sua «natura» soltanto quella degli interni ottocenteschi retrodatati, degli esotismi sull'atlante, e delle campagne «come in una stampa»; paesaggi di maniera, un poco falsi «come piace a me». Dietro quello scenario, il poeta restava il «buono sentimentale giovane romantico», quello che (sono parole sue) «fingeva d'essere e non *era*». Ma fu creduto più facilmente alla sua controscena che alla verità. Anzi, dalla controscena nacque addirittura una scuola letteraria, i crepuscolari; e si finì per vedere anche Gozzano quasi soltanto attraverso quelle lenti un po' nebbiose.

La verità poetica sua, dietro il velo crepuscolare, fu però un po' diversa. Si diceva le donne.... Il ricordo ce le vorrebbe raffigurare adesso tutte nostalgiche, ipotetiche, lontane, atteggiate, anzi rapite «come in un cantico»; Virginia, Carlotta, Speranza, Felicita.... Ma se, lasciata giù quella fisima, rileggete ora i *Colloqui*, quante ve ne vengono incontro vive e reali, donne che, prima che nei versi, devono aver contato qualcosa, un giorno o una stagione, nella sua vita! Dal ricordo lontano di quella che lo baciò bambino (la «cocotte»), furtiva attraverso il cancello del giardino,

> ed ella si chinò como chi abbia
> fretta d'un bacio e fretta di ritrarre
> la bocca;

all'adolescente Graziella incontrata per la strada alpestre, sulla bicicletta «accesa d'un gran mazzo di rose»,

> nelle gonnelle corte
> eppur già donna: forte bella vivace bruna
> e balda nel solino dritto, nella cravatta,
> la gran chioma disfatta nel tòcco da fantino.

E presso Graziella, e ahimè a confronto con lei, sta l'amica non più giovane del poeta:

> Da troppo tempo bella, non più bella tra poco
> colei che vide al gioco la bimba Graziella.
> Belli i belli occhi strani della bellezza ancora
> d'un fiore che disfiora e non avrà domani.
> Sotto l'aperto cielo, presso l'adolescente
> come terribilmente m'apparve lo sfacelo....

Piaceri più brevi: viene al poeta «con novelle sue» l'agile fantesca «che segretaria antica è fra noi due».

> M'accende il riso della bocca fresca,
> l'attesa vana, il motto arguto, l'ora,
> e il profumo di storia boccaccesca.
>
> Ella m'irride, si dibatte, implora,
> invoca il nome della sua padrona:
> «Ah! Che vergogna! Povera signora!
>
> Ah! Povera signora!». E s'abbandona.

E l'agile fantesca non resta sola; più tardi il solitario e «morto al mondo» Toto Merumeni avrà per amante la cuoca diciottenne:

> Quando la casa dorme, la giovinetta scalza,
> fresca come una prugna al sole mattutino,
> giunge nella sua stanza, lo bacia in bocca, balza
> su lui che la possiede, beato e resupino....

(Quella prugna mattutina e la cuoca diciottenne piacquero molto a Renato Serra). Ma torniamo alle dame. Ecco, dopo una bella gita con l'amata, il ritorno climaterico:

> Ricordo — o sogno? — un cielo che s'annera,
> e il tuo sgomento e i lampi e la bufera
> livida sul paese sconosciuto....
>
> Poi la cascina rustica del colle
> e la corsa e le grida e la massaia
> e il rifugio notturno e l'ora folle
> e te giuliva come una crestaia,
> e l'aurora ed i canti in mezzo all'aia
> e il ritorno in un volo di corolle....
>
> — Parla! — Salivi per la bella strada
> primaverile, tra pescheti rosa,
> mandorli bianchi, molli di rugiada....
> — Parla! — Tacevi, rigida pensosa
> della cosa carpita, della cosa
> che accade e non si sa mai come accada.
>
> — Parla! — Seguivo l'odorosa traccia
> della tua gonna.... Tuttavia rivedo
> quel tuo sottile corpo di cinedo,
> quella tua muta corrugata faccia
> che par sogni l' inganno od il congedo
> e che piacere a me par che le spiaccia....
>
> E ancora mi negasti la tua voce
> in treno....

Disegnata come in un rabesco è la compagna di pattinaggio che il poeta, più prudente pattinatore, abbandonò sul ghiaccio che s' incrinava:

> Ella sola restò, sorda al suo nome,
> rotando a lungo nel suo regno solo.

Le piacque, alfine, ritoccare il suolo;
e ridendo approdò, sfatta le chiome,
e bella ardita palpitante come
la procellaria che raccoglie il volo.

Non curante l'affanno e le riprese
dello stuolo gaietto femminile,
mi cercò, mi raggiunse tra le file
degli amici con ridere cortese:
« Signor mio caro grazie! ». E mi protese
la mano breve sibilando: — Vile! —

Donne vere ritratte sempre in un atteggiamento, in un gesto, in un particolare che le rende verissime; e sembra portino con sè fino il luogo e la data. Siamo sul laghetto o per i viali del Valentino; queste sono le luci, le strade, i ritiri di Torino « città favorevole ai piaceri ». I vestiti, la moda, i gesti sono del bel principio del '900. L'amica di un tempo è venuta a cercare il poeta nel suo ritiro, — Son giunta! v' importuno?, — ed egli le racconta la sua vita ora solitaria, gli studi che conduce, la rinuncia....

Mi stava ad ascoltare
con le due mani al mento
maschio, lo sguardo intento
tra il vasto arco cigliare,

così svelta di forme
nella guaina rosa,
la nera chioma ondosa
chiusa nel casco enorme.

. . . .

Ma come una sua ciocca
mi vellicò sul viso,
mi volsi d' improvviso
e le baciai la bocca.

Sentii l'urtare sordo
del cuore, e nei capelli
le gemme degli anelli,
l'ebrezza del ricordo....

Vidi le nari fini,
riseppi le sagaci
labbra e commista ai baci
l'asprezza dei canini

e quel s'abbandonare
quel sogguardare blando
simile a chi sognando
desidera sognare....

Il mento maschio, il vasto arco cigliare.... Ci sono tratti e connotati che si ripetono in queste donne; e si potrebbe forse individuare il «tipo femminile» di Gozzano, tutt'altro che crepuscolare: piuttosto la *mulier fortis* (anche se non proprio nel senso della Scrittura). Un'altra amica, non più giovane, torna a lui, un'altra bella «risorta»:

Tacevo preso dalla grazia immensa
di quel profilo forte che mi adesca;
tra il cupo argento della chioma densa
ella appariva giovanile e fresca
come una deità settecentesca....

Quante, quante donne!, (e queste non sono tutte, e qualche altra ora vorrebbe venir fuori, per esempio la «bionda povera cosa» del primo libro,

nell'occhio azzurro pervinca,
nel piccolo corpo ricordi
la piccola attrice famosa....
Alzò la veletta. S'udì
ancora: «che male t' ho fatto
o Guido per farmi così?»

che è ancora fuor dell'arte, ma certo anche lei fu persona vera), tante donne, che non saprei a qual altro poeta erotico pensare degli ultimi, se non a Gaeta. Ma il napoletano era preso forte e Gozzano invece dice e ripete ogni momento che il suo non fu amore: «Amore no! Amore no! non seppi il vero amor per cui si ride e piange....; non posso amare, illuso, non ho amato mai....; e chiamo invano amore fuggitivo....;

ah, se potessi amare.... ; amanti miserere, miserere di questa mia giocosa aridità larvata di chimere....». Questo di non poter amare è un motivo (talvolta soltanto un ornamento) che torna sempre nella poesia di Gozzano che chiamava se stesso il freddo sognatore, l'esteta gelido, il sofista.

Ma dobbiamo credergli fino in fondo ? E veramente non fu amore ? Lessi una volta di un brav'uomo che anche lui asseriva a un amico di non essere stato mai innamorato. E l'amico gli chiese se davvero non avesse mai carezzato con la fantasia l' immagine di una donna, se non ne avesse cercato la presenza, se non si fosse industriato di piacerle, e via.... E quello rispose di sì, che aveva fatto quelle e altrettali cose, ma che quelle non erano l'amore. L'amico allora lo disingannò spiegandogli che appunto in quella «sequela di corbellerie», e non in altro, consiste ciò che si dice l'amore.

Che questo fosse il caso anche di Guido Gozzano, senza saperlo innamorato insieme e della donna e dell'amore ?

Quasi lo stesso gli accade con la natura. Sappiamo anche troppo bene che le nature di Gozzano, per essere davvero sue, dovrebbero apparire anche un po' malate o velate o «di maniera». Ma riaprite ora i *Colloqui*, ed ecco, fin dalle prime pagine,

Tra bande verdigialle d'innumeri ginestre
la bella strada alpestre scendeva nella valle...,

e sopra questa bella e decisa strada, sta un paesaggio alpino netto :

Erano folti intorno gli abeti nell'assalto
dei greppi fino all'alto nevaio disadorno.

I greggi sparsi a picco, in lenti beli e mugli,
brucavano ai cespugli di menta il latte ricco ;

e prossimi e lontani univan sonnolenti
al ritmo dei torrenti un ritmo di campani.

E via via, in tutte le poesie di Gozzano, fino all'ultima (fino agli animaletti soccorsi da Toto Merumeni :

Ma lasciava la pagina ribelle
  per seppellir le rondini insepolte,
  per dare un'erba alle zampine delle

disperate cetonie capovolte),

chi sappia scegliere o piuttosto fermarsi a tempo, ovunque può cogliere fiori e frutti schietti, specchiarsi in cieli e stagioni limpide. Volentieri campagnolo, entomologo, Gozzano ebbe il gusto delle anche piccole verità naturali : la sua botanica fu più estesa o più minuta che di solito non sia quella dei poeti. E come veri gli orti, le siepi, le vecchie ville del suo Canavese ! E l'aria invernale della sua Torino,

Dalle profondità dei cieli tetri
  scende la bella neve sonnolente....

E questo nostalgico, questo crepuscolare, ebbe anche intelligenza più critica, più acuta e risentita che i suoi argomenti non farebbero supporre. Se romantico fu, non fu certo della famiglia tenera. Egli si accostava agli argomenti romantici, spesso col gusto un po' sacrilego di uno scettico che sa trarre piacere da riti o temi di religione, (la religione di Anatole France). E s'egli disse spesso di essere indeciso, vago, sognante, ebbe scrupolosa cura di dirlo sempre con immagini ch'erano sicure, precise, destissime. Gli stati d'animo più negativi volle renderli con le figure più concrete....

Arido è il cuore, stridulo di scherno,
  come siliqua stridula d' inverno
  vôta di semi, pendula al rovaio.

Dunque il Guido Gozzano nostalgico, il rimatore delle buone cose di pessimo gusto, il cantore del 1830, il Gozzano crepuscolare sarebbe stato fin qui soltanto un' invenzione o una fisima?

No di certo: ci son belle poesie a dire che Gozzano fu anche quello. E lui è passato già alla storia come il poeta di Nonna Speranza.[1] Ma quello che parve il Gozzano più tipico, non sarebbe stato, se prima e insieme a lui non c'era il Gozzano delle donne vere e della vera natura. L'*humus* suo è qui; in un'esperienza che prima di diventare nostalgica fu veramente vissuta. I vecchi libri, le stampe, l'atlante, il bollettino delle missioni, gli interni riflessi nelle specchiere, da soli, bastano a poco; non si fabbrica molto con un materiale tutto di riporto. (I crepuscolari, intorno a lui, ebbero il torto di dimenticare proprio questa verità e di essere i nostalgici di una vita non mai vissuta).

Può succedergli una volta di sentire cose fittizie e averne spinta a poetare come da cose vere, e rinasce allora l'amica di Nonna Speranza. O viceversa, quasi socchiudendo gli occhi, può accadergli di allontanare da sè le cose vere, spingerle fuori del tempo, vestirle di fittizio e di favola, e in questa nebbia ecco vill'Amarena con la signorina Felicita. Ecco una «scena d'altri tempi» tutta inclinata alla nostalgia dal suono delle rime:

> Giunse il distacco, amaro senza fine,
> e fu il distacco d'altri tempi, quando
> le amate in bande lisce e in crinoline
> protese da un giardino venerando
> singhiozzavano forte, salutando
> diligenze che andavano al confine.....

Belle cose manierate, dove appunto la maniera è essa stessa oggetto o tono della poesia. Ma sono strade pericolose dalle quali bisogna uscire a tempo. In quei bozzetti e in altri, l' industria di Gozzano

---

[1] Benedetto Croce, *Storia d'Italia* ecc., p. 263.

stette nel dosare il vero e il fittizio, il ragionamento e l'ispirazione, la maniera e l'arte in modo che si compensassero tra loro e quasi si scambiassero i connotati. Da questo scambio nasceva spesso quel tono particolare che è il discorsivo poetico di Gozzano. Ecco un tramonto che comincia vero e piano; ma, poichè lo stanno mirando le due musicali amiche, Speranza e Carlotta, termina in aria di canzone:

Non vuole morire, non langue il giorno. S'accende più [ancora
di porpora; come un'aurora stigmatizzata di sangue;
si spegne infine, ma lento. I monti s'abbrunano in coro
il Sole si sveste dell'oro, la Luna si veste d'argento.

Ed ecco il passaggio inverso. Quando l'idillio di vill'Amarena e la signorina Felicita paiono già chiusi e definiti nella maniera, il poeta rompe....

«Piange?». E tentai di sollevarti il viso
inutilmente. Poi, colto un fuscello,
ti vellicai l'orecchio, il collo snello....
Già tutta luminosa nel sorriso
ti sollevasti vinta d'improvviso
trillando un trillo gaio di fringuello.

Donna: mistero senza fine bello!

Per questi versi, anche la signorina Felicita (nata un po' falsa) rientra tra le amiche vere che conosciamo. A volte i due Gozzano vengono ai ferri corti, il contrasto si propone e risolve in un solo distico:

ed uscii dall'odor d'ipecacuana
nel plenilunio settembrino al rezzo.

Per nascondere quei passaggi o soltanto truccarli e cavarne una grazia di più, l'abilissimo Gozzano (così bravo che nella finta trascuraggine del suo stile incorporò e disciolse versi del Petrarca e di Dante, più lui d'ogni altro poeta moderno), per appianare quell'antinomia Gozzano s'era venuto maturando una malizia apposta; e come lo servivano bene le rime interne all'ambio, e il senso portato via dalla cadenza del verso; e ora certe esclamazioni un po' vacue, ora certa unzione, ora il furbesco, ora il ridicolo....

E tanto non bastò. Chi rilegge oggi i *Colloqui* si accorge presto che una parte di questa poesia è pur caduta: a volte sono pochi versi in un poemetto, a volte seguenze intere di strofe che non reggono più; restano crude e fuori. Sentite che l'umore del poeta, il succo vitale non le ha raggiunte. E quello è sempre il Gozzano più crepuscolare; sono le cose del crepuscolo o è il programma, la teoria crepuscolare, che restano in secca; dove Gozzano si enuncia o si commenta di più, o dove le « buone cose » rimangono sole, si ripetono, si vezzeggiano; e allora nasce nel lettore un fastidio, un'uggia.... Quanto di Gozzano cade così?

Piuttosto gli diremo grazie. Da questo libro di vent'anni fa, che piacere attardarsi a ricopiare strofe e versi! (Vale soltanto per me, ma devo dire che Gozzano è l'ultimo poeta di cui so e ripeto volentieri intere poesie a memoria). Poi vennero poeti meglio impennati, o più vertiginosi, o a picco; e al confronto di loro Gozzano resta indietro nel tempo, un po' a sè, episodico. Ma chi vorrà negare a lui il premio del bel canto?

1933.

L' IRREQUIETO PANZINI

Tra i casi brutti — e non sòn pochi — che possono capitare a uno scrittore, c' è anche quello di cambiare animo e stile, le intenzioni e i modi dell'arte sua, mentre i lettori, non capacitati ancora dell'avvenuto cambiamento, seguitano nello scrittore nuovo a cercare, e quasi a esigere, quello vecchio. E poichè non ve lo trovano più, i lettori restano scontenti e disillusi, lo scrittore non compreso intanto s' impermalisce o addirittura esagera la sua novità per dispetto ; e nel frangente un povero critico non sempre trova il coraggio di imitare l'ottimo giudice manzoniano, e di dire, aperto, che tutt'e due, scrittore e lettore, hanno ugualmente ragione.

Presso i lettori suoi più saputi, che stia capitando una disgrazia del genere anche al nostro Panzini ?

Questo scrittore di certo ha cambiato : all' insegna onesta della sua bottega, da una madia di vecchio stampo si compravano un tempo pani casalinghi, oneste schiacciate, focaccette saporite. Oggi, invece, da cestini leggeri, Panzini, con una sua faccia tra lo sdegno e la burla, offre semi croccanti, salatini, trastulli più stimolanti che nutritivi. E qualcuno, (come intorno si sente), non è contento : qualcuno rimpiange la vecchia prosa della *Lanterna*, delle *Fiabe*, la prosa di Panzini fino a *Santippe* : quello scrivere umano e commosso, appena increspato dalla saggezza d'una umanistica ironia.

Eppure..., eppure giudicare il nuovo, l'ultimo Panzini col Panzini d'un tempo non è giusto : come ingiusto sarebbe il contrario: giudicare, per esempio, la serena amarezza della *Lanterna di Diogene* alla stregua della vivacità inquieta di questo nuovo romanzo: *Il padrone sono me.*

Senza dire che dall'ieri all'oggi, anche per gli artisti, o soprattutto per loro, c'è sempre un ponte o una passerella che li conduce. E poi gli scrittori e i loro libri, come tutte le altre fortune o disgrazie di questo mondo, van presi e considerati, di volta in volta, come sono.

Diremo piuttosto che è disperata impresa raccontare questo (e ogni altro) romanzo di Panzini. Per fortuna non è poi necessario. Nei suoi romanzi, i personaggi, i fatti, gli intrecci hanno scarso valore logico o narrativo: e neppure son tenuti a rispondere a strette norme di coerenza e di proporzione, o a regole di sviluppo. Se ci fosse ancora un critico di quelli che si avvicinavano a un libro col preconcetto del *genere letterario*, armati del decimetro fisso del romanzo e della novella *come devono essere*, di fronte a Panzini, non gli resterebbe che strapparsi gli ultimi cernecchi della parrucca.

I personaggi, nelle novelle e nei romanzi suoi, ci sono e non ci sono: pigliano per un attimo consistenza di realtà, e sfumano nel simbolo. Si vedono e non si vedono; ora qui e ora là; lucidi bui e leggieri, come lucciole tra il grano. Se per un attimo parlano in persona propria, subito dopo sentenziano, apostrofano, diventano poetici o ironici per conto dell'autore. Vi s'incidono a un tratto nella fantasia con un particolare realistico, con un gesto netto e magari urtante, e subito dopo svaniscono nel nulla. I suoi personaggi possono far pensare alle sogliole: c'è un diritto, c'è un rovescio, però di faccia non li vedi mai.

E i fatti, gli episodii, gli intrecci intorno a cui

questi larvati personaggi si muovono, hanno un po' la leggerezza della fiaba ; la quotidiana realtà qui mantiene, sì, forma piana, ma con cert'aria spesso di ammonimento (certe meraviglie e esclamazioni) da far pensare a una parabola. Tutto è molto semplice, però (attenti !) tutto potrebbe essere misteriosamente allegorico : se un personaggio di Panzini entra dal tabaccaio, nessuno può sapere se compri un sigaro o raccatti un simbolo. Dietro questo giuoco infido di personaggi e di fatti, Panzini resta però uguale a sè, alle sue passioni, alle sue ironie, alle sue commozioni, coerente alle sue incoerenze, addirittura fino alla mania. E le passioni, le ironie, i crucci sono essi i veri personaggi dell'arte sua : meglio che col racconto della trama e la presentazione delle persone, un suo romanzo si spiega perciò dichiarando quali siano gli affetti e le reazioni di Panzini ; e a quanti gradi, a quale rarefazione, sia salito il suo umore ironico.

Il padrone sono me riassume e esemplifica tutti, si può dire, i *motivi* noti dell'ultimo Panzini. Sappiamo che problema e simbolo di tutti i problemi panziniani da qualche tempo è la donna : ed ecco qui Dolly, Dolly fanciulla, Dolly fidanzata, Dolly sposa : di volta in volta, o tutt' insieme, tenera crudele appassionata ; sempre indecifrabile, enigmatica ; finchè.... « diventiamo tutti innamorati della Dolly ». Quanti ritratti, figurine e immagini della Dolly ! Eccola bambina :

Una mattina, di mezzo agosto, che lei andava alla messa, la vedo tutta vestita di bianco. Pareva di quelle pupine che si ritagliano con la carta ricamata. Il collo e le braccia le venivano fuori nude, d'un bianco come l'avena tenera, ma così delicate che facevan quasi paura. Camminava leggiera su quelle scarpettine che pareva una capretta. Era un gran caldo, ma avrei voluto toccarla per sentire se si poteva toccare. Avevo un' idea che fosse fredda come il gelo.

Ritratto da prima gentile, poi più irritato che gentile....

Un altro problema per Panzini fu sempre quel particolare aspetto della donna ch' è la moglie; e c' è anche in questo romanzo uno scienziato, un saggio, un filosofo, che sopporta saggiamente e filosoficamente sorridendo la sua Santippe.

E la guerra? Nessuno dei nostri scrittori si arrovellò intorno la guerra come Panzini. E qui Dolly, infermiera, muore per la guerra; muore alla guerra Robertino innamorato di Dolly; anche qui, insomma, la guerra sta sullo sfondo del racconto, è il colore del tempo; la guerra che risolve tutto e non spiega niente: «Anche quel filosofo abbiamo saputo che è morto. Una bomba gli portò via la testa con dentro il cervello, lui che ci teneva tanto!». Semplice fino a esser balordo; ma sintetico.

Ed ecco, ritratto benissimo, l'umore del popolo italiano durante la guerra: «mia madre (*una contadina*) era invelenita: un po' la ruggiva, un po' faceva le calze anche lei».

Poi viene il socialismo, il bolscevismo, l' internazionale, la patria negata e rivendicata, che è il problema proprio di quest'ora. E le figure, le ironie, le passioni di tutto il racconto si aggirano intorno a un passaggio di proprietà: la bella casa sul mare che fu dell'uomo saggio, del filosofo (così filosofo, così saggio, che seppe morire in tempo) diventa proprietà del contadino. Prima di vendergliela, la vedova del filosofo, minacciata, aveva dovuto abbassar dal tetto la bandiera: «Quando hanno avuto la soddisfazione di veder portar via la bandiera, han fatto una fischiata che l' han sentita anche i morti di là dal mare».

Questo è il romanzo del 1920 in Romagna: nuvoloni neri pesano sul nostro cielo: i *rossi* fanno folla, gridano, bestemmiano. Rivoluzione? La sa più lunga Mingon, il vecchio contadino infido che, dentro di sè, si ride del padrone e dei *rossi*. Combinando e sfruttando a favor suo la paura dell'uno e l'arroganza degli altri, alla fine Mingon (prodotto selezionato di un'astuzia secolare) compra lui casa e podere. E questo Mingon è un tipo, anzi una *moralità* nuova nei romanzi di Panzini; riuscito così bene perchè lo scrittore ha creato Mingon con la tecnica stessa di Mingon: ha socchiuso gli occhi e l'ha lasciato fare.

Questa del resto è la formula artistica di tutto il libro. Il romanzo si finge raccontato dal figlio di Mingon; e da questo artificio Panzini ha saputo dedurre uno stile anche più rapido, innervato com'è in iscorci e in costrutti dialettali. Si sa che in imprese simili, la coerenza psicologica e l'unità stilistica del personaggio che racconta sono esigenze difficili e forse assurde. E il figlio di Mingon a volte s'impiglia, persino con troppa compiacenza, nelle frasi e nei rigiri verbali e furbeschi al modo di Oronzo; a volte invece il suo parlare ha il timbro limpido, poetico, del vecchio Panzini. E diciamo anche che, nella continuità di Panzini, forse non ci sono (o ci sono solo per semplificazione) i due scrittori diversi e quasi opposti — da ieri ad oggi — che si è voluto vedere.... Un po' ovunque, ma specialmente nel capitolo sulle «Ciarle del padrone» e in quello delle «Rondanine», molti tratti, mosse e battute ci riportano alla *Lanterna* e ai primi libri. Leggendo, vien fatto di pensare: ecco, questa è un'annotazione, appena un rigo poetico, che allora sarebbe diventato una bella pagina.

Il suo difetto, o diciamo piuttosto il limite vero di Panzini, è un altro; e di libro in libro appare più evidente. Le abbreviazioni di Panzini, le sue sospensioni, i suoi salti, gli innumerevoli asterischi che interrompono le sue pagine, un tempo facevano supporre possibilità e ricchezze emotive e di pensiero che poi sono mancate. Sfaccettando un' impressione, un' idea, sembrava che Panzini ne sapesse sempre assai più di quanto diceva; e se preferiva di smettere e star zitto, credevamo ogni volta che ciò fosse appunto perchè lui ne sapeva troppo. Ripetendosi il giuoco, e quasi sempre su gli stessi temi, questa ricchezza, o piuttosto questa suggestione, un po' alla volta s' è disseccata.

Ormai sappiamo che l'arte di Panzini è intimamente friabile; destinata a raggiungere una figura, una intuizione, subito, con un balzo solo; e quando s' interrompe, non è che rinunzi volontariamente a un suo possibile sviluppo; è proprio che la molla s' è rotta.

Lo stesso può dirsi del suo pensiero. Non è vero che s'arresti o che evada nell' ironia per eccesso di sviluppo; perchè, avendo incontrato il proprio *contrario* agli antipodi, il pensiero e il *contrario* si siano scambievolmente divorati e nessuno dei due ritorni al padrone. Non è così: un' idea di Panzini si affaccia e si ritira, accenna la possibile traiettoria, e rientra; irritata, insiste e si riprova, sol perchè non riesce a veramente toccare il suo termine. È questa poi la ragione perchè Panzini ha certe sue idee fisse che non se ne libera più...

1922.

Il padrone sono me, Romanzo, Milano, Mondadori, 1922.

L'ALTRO PIRANDELLO

— Quanti Pirandello dunque ci sono? — La domanda non la pretende affatto a faceta, nè v'è al mondo chi voglia oggi insegnare, proprio a Pirandello, la divisione e la frattura delle persone. Ma per lo meno due Pirandello ci sono, e li conosciamo anche noi. L'ultimo, il Pirandello celebre, tutti sanno chi sia: in Italia e fuori, commedie a decine, e poi discorsi, interviste, polemiche, da un lustro e più, l'una sull'altra, hanno alzato la friabile statua di un Pirandello tutto dubbio e tormento, occupato e preoccupato a rigirarsi tra mano ogni verità, ogni certezza, ogni fede, per poi triturarle e buttarle via. Scettico integrale e (se non c'è contraddizione) scettico entusiasta, Pirandello non s'è fermato coi più a scoprire l'inganno delle apparenze, il giuoco dei contrari, i contrasti effimeri; egli ha intaccato anzi la pianta alla radice, ha lacerato il tessuto fin dalla prima cellula, l'uomo l'ha còlto e negato nell'atto stesso in cui esso prende coscienza, certezza di sè. Come chi dicesse, un asceta, un mistico, forse domani un martire dello scetticismo.

Ma queste cose e tante altre i lettori le sanno. Di nessuno scrittore nostro, gli ultimi anni, s'è scritto e parlato tanto, quanto di Pirandello. Ci fu davvero un momento che questo autore sembrò aver per sè tutto il favore di tutto il pubblico; anche chi non lo capiva (ce ne doveva essere pure qualcuno), fosse timore o stupefazione, applaudiva lo stesso. Breve stagione? È troppo presto per dirlo. Prima però che una certa stanchezza o diciamo saturazione si scopra, non è male ricordare che Pirandello non è tutto lì. C è un altro Pirandello.

Il caso aiuta oggi a parlarne: escono quasi a un tempo un suo libro nuovo, *Uno, nessuno, centomila*, e la ristampa del suo primo romanzo, *L'esclusa*; tra l'uno e l'altro corrono più di trent'anni, e molti romanzi, moltissime commedie, centinaia di novelle, una carriera letteraria tra le più nutrite del nostro tempo.

Il romanzo *L'esclusa* fu scritto nel '93, per vari anni non trovò editore, finchè l'accolse nelle sue appendici, (fu il primo romanzo italiano che pubblicasse), *La Tribuna* di Roma. La stampa in volume è di qualche anno dopo, e porta una lettera dedicatoria a Luigi Capuana. Il nome del patrono e le date contano per qualche cosa; *L'esclusa* è un romanzo naturalista: l'azione è tutta tra una cittadella minore della Sicilia e Palermo; protagonista (l'esclusa) ne è una giovane sposa che, a torto sospettata e scacciata dal marito, torna ai suoi, e ne vengono via via a lei e alla sua famiglia, scandalo miseria e rovina. Invano la poveretta tenta di rifarsi una vita, di aiutar la famiglia sua, invano vince concorsi di maestra e ottiene d'insegnare. Poichè ella ha anche il torto di essere bella e intelligente, il mondo che già l'ha condannata e definita, non le perdona; o l'oltraggia con le sue profferte, o la respinge da sè, l'esclude. Nella triste cronaca di questa famiglia e di questa giovinezza in rovina, ricorron frequenti i motivi le scene i tipi prediletti dall'arte naturalistica; nascite infauste e morti paurose, lunghe convalescenze e tetre agonie; e poi macchiette e tipi di maniaci, di buffi, di pazzi. In bei quadri d'insieme, in chiesa o a tutt'aria, la superstizione religiosa ancora una volta dà colore e crudele colore alle folle paesane. Quando però è a concludere, il romanzo sconfina dal naturalismo; diviene sarcastico, è già diremmo pirandelliano. Da tutti insidiata o respinta, l'Esclusa ha finito per commetter davvero, per disperazione, la colpa di cui la calunniavano; ecco che allora il marito pentito torna a lei, la riconosce innocente, la rivuole....

Un bel romanzo? Sarebbe forse dir troppo, benchè belle scene e figure non manchino....; ma a quegli anni, che l'autore non toccava ancora i trenta, *L'esclusa* dovette, e a ragione, sembrar più che una promessa. Così, con questo libro e con quelli che via via lo seguirono, il giovane Pirandello siciliano si trovò naturalmente cresciuto alla grande ombra del Verga, ed ebbe vicini Capuana, De Roberto, la prima Serao....: insomma quanti romanzieri, in quello scorcio di secolo, contò la scuola naturalista. Sana scuola, nonostante le aberrazioni; e che certo (oggi si vede) era meglio nell'arte, di tanti estetismi, simbolismi e altri *ismi* che vennero dopo.

Chi rimase fedele a quel credo? Capuana uscì dal naturalismo per la sua stessa acuta, dilettantesca curiosità di esperienze; De Roberto finì in uno psicologismo intellettuale di gusto francese; Matilde Serao si fece troppo presto mondana. Quanto a Pirandello, egli si affermò, e sempre più, umorista: venne su su crescendo il suo gusto ironico, e non l'applicò tanto ai particolari, agli ornamenti, agli accessorii della vita, come allora e poi fu il costume di molti umoristi nostrani; ma colorì anzi del suo pessimismo logico e compiaciuto il centro della vita e dell'arte, ne investì col suo umor nero la sostanza. L'umorismo di Pirandello non spumeggia ai margini del racconto, si esprime tutto nell'invenzione, nel caso, nella trovata: si direbbe che, sul suo tavolino, fin dal principio, ci sia stato qualche romanzo francese di meno, e qualche filosofo tedesco di più. Anche quel suo insistere in ambienti paesani o piccolo-borghesi, quel costante ricorrere ai reietti e ai senza fortuna, insomma la sua fedeltà, se non più allo spirito, al repertorio naturalista, gli conferirono sempre una serietà, un impegno che ai più degli umoristi mancava. Lo scrivere un po' sordo e quasi senza grazia, il lavorare fitto (ha scritto più novelle Pirandello da solo che il Boccaccio sommato al Bandello), mostravano che questo umorista aveva una pena vera da esprimere; in certi tratti sardonici o aspri, avreste detto una vendetta da prendersi.

Fu quella la bella stagione di Pirandello. Il romanzo *Il fu Mattia Pascal* e molti racconti e novelle che ai primi del '900 possono riportarsi a quello, segnano il momento felice dello scrittore: l'equilibrio raggiunto (per quanto era consentito a lui) tra la logica e la natura, tra la riflessione e l'arte. Culmina qui il primo Pirandello.

L'altro, quello che oggi è il più celebre, ritiratisi gli elementi naturalisti, scende legittimo per li rami concettosi e logici del primo. E qui s' innesta anche il teatro di Pirandello, con la sua concettosità prevalente e l'umanità soffocata. E già non è più arduo distinguere dove il dubbio, il tormento logico, insomma la dialettica dei personaggi diventa dolore e dove invece resta vacua; dove il dramma c' è e dove c' è soltanto un esagitato discorso. Certo, anche prima del teatro, Pirandello portava con sè il suo veleno: smessa l'esperienza nuova delle cose, troppo presto il suo pessimismo dovette esercitarsi su se stesso, per non finire in un'acredine nichilista; la sua logica, staccata dalla natura, dovette per forza cadere in sofistica. Questi i due tarli che rodono gran parte anche dell'opera recente. L'autore stesso sembra saperlo e soffrirne: da un dramma all'altro, quell' insistere per anni e anni in assunti o in situazioni simili o uguali (molte delle sue commedie sono facce appena diverse di uno stesso tema, traduzioni appena variate di un solo testo) non sta ad accusare l' insoddisfazione dello scrittore accanitosi da ogni lato contro un bersaglio che sempre l'attrae e pure gli sfugge ?

Si può aggiunger piuttosto (e torniamo così all'assunto) che anche nel nuovo Pirandello le parti più vitali, più schiette e che sempre hanno non soltanto stupito ma commosso gli spettatori, sono quelle meglio riferibili al primo Pirandello tristemente ironico e naturalista. Non dove i suoi personaggi ragionano e sillogizzano all' infinito e spaccano in quattro il solito capello ; ma anzi dove si afflosciano, si abbattono, e tornano ad essere i poveri diavoli, i piccoli borghesi, gli stentati professori del primo Pirandello. A quel punto, anche la troppa filosofia, la troppa logica rientrano dall'astrazione nell'umanità attraverso il dolore e la nausea che il personaggio prova per l' inumana violenza fatta a sè. Anche in arte, la salute si recupera a volte attraverso l'esasperazione del male.

Il libro *Uno, nessuno e centomila*, può forse considerarsi come il riassunto, il paradigma definitivo di questo secondo Pirandello. Romanzo ? Gli elementi logici o sofistici hanno invaso e riempito di sè tutta la tela, lasciando sì e no al romanzo qualche margine. Per duecentoventicinque pagine, Vitangelo Moscarda racconta come fu che dall'aver lui dubitato, per un'osservazione della moglie, sulla dirittura del proprio naso, finì, di conseguenza in conseguenza, per dubitare di tutto e di tutti. Non c' è un Moscarda solo, ma tanti Moscarda quanti sono i momenti della sua vita ; e non basta ; poichè egli a ogni momento è diverso per ciascuno di quelli che lo pensano e lo vedono, i quali a loro volta, ecc. — i Moscarda sono dunque centomila ; o diciamo (che è lo stesso) che non c' è più nessun Moscarda.

Voi dite che questa è la strada maestra del manicomio? E invece attraverso questi «abissi di riflessione» Moscarda approda in un contemplativo ospizio campestre, felice (assicura lui) «perchè muoio ogni attimo, io, e rinasco nuovo e senza ricordi». L'avventura di Moscarda sembra riassumere e sigillare tutti i casi clinici fin qui studiati da Pirandello.

Il lungo monologo in che consiste questo romanzo (ricco di scenici *signori miei*, *belli miei*, *cari miei*), sarebbe forse un mare sofistico non valicabile dal comune lettore, se per entro non vi s' incontrasse qua e là, come un' isola di salvezza cui subito ci s'aggrappa, qualche personaggio che non è il monologante Moscarda e contro il quale, anzi, la logica di Moscarda va a infrangersi; Marco di Dio, Maria Rosa, il monsignor Vescovo di Richieri, tutte persone che restan fedeli alle tre dimensioni (evviva la faccia loro!). E che respiro a quei passi dove Moscarda smette per un momento di ragionare e racconta un incontro, un caso davvero occorsogli, o descrive la sua città al principio di primavera, o fa un ritratto di suo padre, o sale alla deserta badia di Richieri; che sono belle pagine.

Questo esasperatissimo libro sta dunque a concludere la seconda e già tanto ricca fase di Pirandello? Non lo sappiamo; e a parer nostro, scuole e programmi son buoni tutti, se spingono e aiutano a fare; via via nel lavoro ci pensano poi gli scrittori, gli artisti, a raddrizzarli e a correggerli. Ma certo le scuole più effimere son sempre quelle che più contraddicono o sforzano certe leggi fondamentali all'uomo. Abbiamo, e con piacere, riletto ora *L'esclusa*, il romanzo naturalista di trent'anni fa; ma di qui a trent'anni potrà dire lo stesso chi leggerà *Uno, nessuno e centomila*, il romanzo relativista di oggi?

1927.

L'esclusa, Firenze, Bemporad, 1927. — *Uno, nessuno, centomila*, Romanzo, Firenze, Bemporad, 1927.

LE COSE VISTE DA OJETTI

— Perchè la letteratura italiana non è popolare in Italia ? —

Di mio c'è soltanto l'interrogativo ; le parole, come si sa, sono il titolo di un libro che Ruggero Bonghi scrisse sessantanove anni fa.

Nel secondo capitolo di quel libro, dove l'autore tocca il male nella sua ragione storica, è detto : « Sono tre secoli e più che lettori e autori, considerati tutti insieme come pubblico, non hanno dato segno di vita.... E così gli uomini di lettere italiani si trovaron di nessun uso e divisi dal resto, e la nostra letteratura diventò qualcosa d'estrinseco e di fittizio ». Nel capitolo successivo, il Bonghi scende a ragioni più concrete e a tratti più particolari : « Di fatto, per avere spirito, grazia e serietà vera, bisogna non già star rinchiusi in una casta, in una consorteria ed esagerarne e copiarne i gusti, ma vivere nel mondo e sentire con una continua esperienza cosa sia l'uomo nella vita reale, e quali le abitudini del suo cuore e della sua mente, e come intenda lo *spirito* e cosa gli paia la *grazia*, e che è quello che è *serio* per lui ».

Parole che oggi, così in assoluto, non sono più vere ; neppure il più pessimista di noi le ripeterebbe. Per spiegare il cambiamento dovremmo rifarci anche qui a ragioni e condizioni storiche generali (l'unità compiuta, e la società italiana, bene o male, costituita) ; e ci sono poi argomenti e ragioni particolari che rincalzano quelle e ne sono anzi la forma pratica e attiva. Il giornalismo, per esempio.

Quali sono stati, quali sono i rapporti tra il giornalismo e la nuova letteratura in Italia? E s' intenda « rapporti » nel senso più lato, di dare e d'avere, guadagno e perdita; partita doppia. Da trent'anni i giornali hanno cercato di fare da noi ciò che in Francia da secoli avevano operato il bel mondo, o la corte, o quell' istituzione più disprezzata in letteratura che sperimentata che è il *salotto*. I giornali un po' alla volta hanno anche da noi avvicinato la letteratura alla vita.

Leggendo, o piuttosto rileggendo, le prose di giornale che Ugo Ojetti raduna in una seconda serie di *Cose viste* mi sono proposto la domanda: — È letteratura o è giornalismo?

Ma la domanda (lo vede da sè il lettore) fa appena a tempo a formularsi che subito cade. In trent'anni di lavoro, Ugo Ojetti ha scritto romanzi, novelle, capricci, commedie e persino (non lo dice a nessuno) persino un libro di versi; tutte cose, insegnavano le rettoriche, che appartengono alla letteratura; eppure quasi di certo Ojetti non è mai stato così fine e discreto letterato come nelle pagine di *Cose viste*, nate tutte d' occasione e tutte per il giornale.

Segno che il giornalismo e la letteratura, la « verità effettuale della cosa » e « l' immaginazione di essa » (anche questo chiedeva il Bonghi), l'estro e il fatto, in alcuni scrittori si sono incontrati, producendo, e nella letteratura e nel giornalismo, un *quid novi*.

Ojetti, per conto suo, non ha nessun'aria di ambire a questi incarichi e cómpiti rappresentativi; si mostra anzi tutto discrezione. Egli ha stabilito di non offrirci che prose amabili; e non solo pezzo per pezzo; vuole che anche l' insieme del libro corrisponda alla grata impressione della pagina particolare; ed eccolo lì che cambia gli argomenti, li varia, prepara e dosa gli effetti. Nel libro nuovo incontrate ricordi lontani («Dodona», «Il pianto di Gino Allegri», «L'armistizio», «Il Re a Peschiera»), e impressioni immediate («La bibbia di Borso», «Il porto», «Le impiraresse»); ritratti e ricordi di uomini grandi, o soltanto illustri (Rodin, Loti, Panzacchi, Barrès, Puccini, Martini, D'Annunzio, Pascarella, France, Boito, Maeterlinck, Emilio Treves), e insieme pagine staccate dal libro più personale della memoria, come quelle molto belle dei «Due gatti».... ; quadri di spettacoli, di folle, di feste («Tra fedeli bonomelliani», «Spalla e Virgilio», «Il Principe a Verona»), e vere e proprie «moralità» dissimulate («La luna e le stelle», «Berlese e la mosca», «Bestie»).

Trent'anni di esperienze, d'incontri, di viaggi, di lavoro, il gusto sempre vivo per una vita sociale di vario contatto, hanno offerto e offrono al ricordo di Ojetti una tastiera ricca quale forse nessuno oggi può vantare. Il gusto particolare del lettore preferirà questa o quella pagina; è probabile tuttavia che le preferenze di molti s'incontrino sulle prose più personali, nate più lontane nella memoria, o sui ritratti di persona. Nelle pagine di colore, negli spettacoli, nelle nature, spesso si avverte troppa compiacenza letteraria, troppa scrittura, una rifinitezza di più che non giova e può stuccare.

E sempre il tono più giusto nasce in questi ricordi da un'indulgenza che si sente conquistata attraverso la vita. L'ironia di Ojetti che ieri sembrava un po' di testa, e sapeva d'obbligo e di programma e magari nei punti più vuoti sembrava nascere da un atteggiamento o vezzo soltanto di stile, col consumo della vita ora s'è fatta più comprensiva. C'è un momento di incrocio tra l'ironia e la cordialità, quando questa non ha la forza di vincere e quella non cede: il migliore Ojetti è sempre in quel punto. Il suo scetticismo, che cominciò stridulo (il conte Ottavio), vivendo si è fatto più umano.

E vedete come lo scettico Ojetti è rimasto poi fedele al ricordo e al sentimento della guerra. Alcune delle pagine più belle del libro (« Il Re a Peschiera », « Il pianto di Gino Allegri », « L'armistizio ») nascono da quel ricordare. Non solo; ma nei ritratti di Loti e di Barrès (Ojetti fu loro di guida nelle visite al nostro fronte), per ciò che di noi allora quegli scrittori videro o non videro, dissero o non dissero, voi sentite che è rimasto in Ojetti un distacco, un velo non simpatico, che glie ne guasta e allontana un po' la figura.

Si potrebbe anche dire che lo scettico iniziale, in Ojetti, ha ceduto al dilettante. Non è la stessa cosa. Lo scettico, a modo suo, ha trovato, e il dilettante cerca; lo scettico si rifiuta e il dilettante si prodiga; lo scettico spesso stride e il dilettante piuttosto sorride. Ancora e sempre il dilettante vorrà conoscere e sapere; nessuna forma, del pensiero, della vita, gli sarà indifferente; nessuna occasione umana lo troverà restìo. Come nell'aneddoto di Baudelaire, non c'è idoletto in bottega di antiquario, dinanzi al quale il dilettante non s'arresti, dubitoso che non sia quello il dio vero.

Ojetti ha un'altra caratteristica del dilettante: la costanza, la metodicità del lavoro. E non sembri contraddizione. Il vero dilettante è instancabile, non lascia cadere un incontro, non perde un'ora. L'ozio è il lusso che può concedersi l'uomo che ha una certezza, che ha già conseguito una fede: il dilettante è sempre in obbligo di cercare ancora.

1924.

Cose viste. Tomo secondo, Milano, Treves, 1924.

«TEMPESTA NEL NULLA» DI G. A. BORGESE

La «nota informativa» dell'editore, che accompagna *Tempesta nel nulla*, il nuovo romanzo di G. A. Borgese, conclude col dire che «esso è più che un libro: è un canto». Alcuni critici e recensori hanno ripreso il motivo del canto; e il libro è stato ormai presentato ai lettori come un'opera fuori quadro, che non è racconto o romanzo, non è autobiografia nè diario, non filosofia e non poesia, ma è un po' di tutto questo, espresso e «potenziato» in modo nuovo; qualcosa, insomma, di ineffabile. Confesso un' istintiva diffidenza per l' ineffabile in genere e in particolare nella critica: troppo spesso l' ineffabile della critica sta soltanto a nascondere la reticenza del critico e insieme il difetto dell'autore. Nel caso particolare, credo che si possa rendere onestamente conto del nuovo romanzo di Borgese, senza proprio ricorrere alla disciplina dell'arcano.

La scena del romanzo è tra le montagne dell' Engadina, a Sils Maria e nelle vicinanze; paesaggio che Borgese sente a sè tonico e anzi esaltante, oltre che per le virtù sue proprie, per il presente vivo ricordo di Nietzsche. L'Anticristo tedesco è una specie di nume, anzi di dèmone del luogo (e del romanzo); e concorre lui a trarre Borgese in quella tentazione, anzi in quel peccato che sta all'origine del suo racconto: un peccato di superbia.

In una mattina felice, durante un'escursione solitaria in Val di Fedoz, verso uno sprone della Margna, Borgese tanto si esaltò di sè e dei luoghi, così s' intonò al demoniaco spirito di Nietzsche, si sentì talmente fuori del frale e del contingente, da poter credere di « capire l' identità di tempo e di eternità, di riconoscere in essa *sè* salvato. Come nessun'altra volta mai, *provò* il sentimento di aver lasciato dietro a *sè* la morte ». Peggio, stette a tu per tu con Dio :

> Avrei voluto abbracciare le larve, avrei voluto che il tempo mi restituisse i giorni e le sue dolci notti, che mi lasciasse ancora viva la sua preda, il passato. Con una stolta preghiera chiamai il nome di Dio ; — Dio, uccidi il tempo.

Da quella mattina superba, è passato esattamente un anno. Borgese è tornato ora in Engadina, ma non più solo ; ha con sè la sua giovane figliola « la Nanni » ; e prima che la stagione estiva finisca, vuole ritentare con lei l'esaltante escursione in Val di Fedoz, verso quello sprone della Margna dove un anno prima egli si sentì liberato e più che uomo, e che nel suo quaderno segreto battezzò « chiave dell'eternità ». Ma proprio qui, in questa seconda, più proterva prova, l'aspettava l'espiazione. Giunto a quel passo del monte dove più l'anno prima egli si era insuperbito, si avvede del pericolo mortale che ora sovrasta alla Nanni, la sua figliola. A filo di una rupe, l' inesperta deve percorrere un sentieruolo che è appena una « spanna di terra » sull'abisso. Ignara e quasi trasognata, la Nanni si avvia. E allora nel cuore del padre si scatena la « tempesta ». L'esaltazione superba dell'anno prima, il rimorso di adesso, l' improvvisa interpretazione di sogni e presagi infausti, l'alto paese che intorno gli si rivela a un tratto tragico, il religioso terrore di avere offeso un Dio di giustizia, la trepidazione presente, l' incombente espiazione della figlia, — questa è la tempesta di affetti, di speranze, di orrori, che tumultua nel cuore del padre. Se ne avvede la figlia ? Non si sa ; ma la prova mortale è superata senza che tra loro ne corra parola. Padre e figlia ritrovano poi il sentiero sicuro; nel cuore del padre la tempesta si acquieta; torna la fiducia in un Dio che non è solo di giustizia ma di bontà, e l'accordo sereno con la natura, il piacere pieno della vita. Dissipata la « tempesta nel nulla », padre e figlia per mano scendono a valle.

Questo è lo schema del racconto. Naturalmente allo schema concorrono altri elementi che qui non si dicono: accordi di paese, esaltazioni e avvilimenti intimi, ricordi, speranze della sua vita che il protagonista modula con vario tono, a seconda l'accendersi, lo scatenarsi e il sedarsi della « tempesta ». E tutto il racconto è retto da una risentita volontà di riuscire non soltanto rapido, ma addirittura quintessenziale. Nella palestra di Borgese, questo romanzo sta evidentemente a rappresentare il salto in altezza. Le sue 145 radissime paginette han tutta l'aria di voler attingere vette che sono rare nella nostra e in tutte le letterature.

Ma quali sono poi i resultati davvero raggiunti? Può darsi che il molto ingegno di Borgese e la sua molta esperienza di letterato, questa volta abbiano presunto troppo di sè; e che egli abbia astrattamente disegnato un così arduo schema, che poi l'arte sua solo in parte poteva riempire. Il racconto ha quote medie e quote altissime; ma certamente ogni lettore avveduto preferirà le prime, come quelle che sono state realmente raggiunte e non soltanto ambite e indicate.

Piacciono quelle stanche figure « ibseniane » nelle prime strade fuori dell'albergo, la scalata a Fuercla Surlej e altre belle « nature » dell' Engadina; un gregge, una fonte, un arcobaleno, una marmotta, uno scoiattolo, i myosotis; e sempre quella facoltà di intonare in sè il paesaggio distante. Ogni volta che Borgese tocca gli aspetti veri della Nanni, la figliuola che ha con sè, un po' svogliata e stanca della strada, trova delicati toni:

Voltandomi verso di lei, incontrando i suoi occhi scolorati dalla fatica del cammino.... Stanca come una bambina svogliata, cadeva spesso a sedere dove capitava, chinando gli occhi sulle mani abbandonate.... Eccola lì la Nanni con gli occhi verdi come i ramoscelli, nel suo costume di montanara, con le mani un po' grandi, un po' rosse per l'aria ruvida, abbandonate lungo i fianchi magri. Lasciava strisciare per terra il suo bastoncello appeso per il manico al polso.... Nell'aria aspra sentii vicino a me l'odore dei suoi capelli: odore debole, di pane, d'erba. Come mi parve piccola! Riconobbi il suo viso di bambina.

Questi e simili sono i passi felici del racconto; dove parola e sentimento si accordano, e Borgese esprime tristezze, gioie e timori che davvero lo toccano. Ma egli mira più su: nell'intenzione sua e nello schema del racconto, queste pagine restano secondarie e quasi strumentali. Queste verità umane vogliono essere trasfigurate in un dramma, in una «tempesta» dell'anima. E noi crediamo, sì, alla esaltazione di Borgese e al suo peccato di superbia prima; come crederemo poi all'espiazione, al suo paterno timore e al rimorso; ma purtroppo vediamo che, invece di rendere questi sentimenti per quello che sono, Borgese ci si impanca su con drammaticità vuota e con un'eloquenza sconcertante. Pochi scrittori, come lui in queste pagine, scoprirono così apertamente la volontà di mescolare al vero il falso, di fingere un sentimento dove c'è soltanto un'astrazione, un concetto.

E perchè la nostra affermazione non sembri arbitraria, non ci resta che citare qualche passo. Ho detto che nel libro sono molte e belle «nature»; ma vi sono anche forzose interpretazioni di natura, come questa:

Ho sempre avuto davanti alle grandi scene della natura straordinarie impressioni di suono. Come Pitagora sentiva l'armonia delle sfere, così a me pare di udire le voci del silenzio ; e mi pare incredibile che gli altri non le odano con me. I tramonti hanno squilli attutiti di ottoni, note basse, vellutate, di trombe ; la vista d'un ghiacciaio empie l'aria di un fragore di timpani, di un canto terribilmente acuto e tuttavia terribilmente dolce come dev'essere quello dei cigni moribondi udito dai poeti sul limite dell' ineffabile.

Questi cigni moribondi sciupano tutto, e di tanti presunti suoni e rumori noi riusciamo a sentire ben poco, o forse soltanto un'eco (frequente del resto in tutto il libro) di certi modi dannunziani. La gioia superba dell'ascensione sul monte, a un certo punto l'autore la esprime così : « di costa in costa, di balza in balza..., correre, volare, chiamato rapito come s' io fossi Mosè ascendente sul Sinai, Elia in cammino per Horeb » ; e sarà vero, ma noi si stenta a credere. E quando Borgese più inorgoglisce di sè e si trasfigura, ecco che il monte solitario diventa :

il punto dove lo spazio afferra il tempo e non lo lascia più fuggire ; dove lo spazio, superficie dell'essere, ascolta battere il suo proprio cuore, battere il tempo, e non ne impallidisce ; questo orrendo nascosto cuore, assurdo e certo, questo enigma mostruoso che è la Vita e a ogni battito è Morte, il presente che allo stesso suo nascere è passato ; il Mondo natomorto, mortonato ; io credevo di aver toccato il luogo Non-luogo, dove la Vita, emersa tutta in luce, ha reciso dai suoi piedi la macchia nera, il vuoto d'ombra dove torrenzialmente, inesauribilmente, si precipita e affonda ; il luogo Non-luogo dove tutto quello che è sta ; dove ogni cosa è viva e sola, *La Morte è morta,* il trono !

E dice di aver «*intuito* Dio ! e che cos' è intuire se non vedere — e possedere ? Io che avevo compreso Dio ! e che cos' è comprendere se non prendere in sè, imprigionare nel cerchio della propria mente, ripensare il Creatore ? crearlo ? ». Dove in verità noi non vediamo nè un invaso dal dèmone, nè un superbo, nè un peccatore ; non Capaneo, non

Faust e neppure Zarathustra; ma soltanto un avvocato che gesticola davanti al Padreterno. E il peccato superbo di Borgese sul monte sarà stato grande, ma non certo quanto lui dice, se nel momento della suprema esaltazione, tra versetti di squillo biblico, nel suo quaderno segreto potè scrivere citazioni come queste, proprio da turista: « hic manebimus optime »; e « quel giorno più non vi *scrivemmo* avante ».

L'altro momento solennissimo, l'altro vertice del racconto è quello dell'espiazione: quando per il sentiero a picco nella roccia, il padre teme per la vita della figlia, che non debba esser lei a espiare il suo peccato di superbia. E ho già detto che tra le pagine migliori del libro, sono quelle affettuose che dicono della Nanni; ma anche qui viene il momento che l'uomo e l'artista tacciono, e l'altro Borgese continua. La Nanni percorre il sentiero sull'abisso che potrebbe esserle mortale; e il padre che trepidando la precede, pensa così:

Giungevo, quasi quietandomi, a riconoscere che accanto alle probabilità di bene, quelle di male erano poche; minime forse, volendo contarle per quantità: accanto a un cumulo immenso, appena un pugnello di polvere. Ma polvere esplosiva! Alla quale giunto che fosse il fuoco della miccia, il chicco di fuoco invisibile che camminava lungo un filo grigio invisibile tra vette ed abissi, ecco la vampa, il rombo; in un atomo d'attimo sconvolte le proporzioni: quella massa inerte di probabilità favorevoli lacerata, scagliata ai quattro venti in un unico urlo. Questo chicco di fuoco, questa bruciatura, che veniva dall'infinito ed era ancora nota a me solo, questo seme di vampa, favilla di destino *ecc.*

Possibile che un padre a quei passi, pensi e dica così? E dappertutto nel racconto, quante mitologie chiamate al soccorso, per sostituire quell'intima concitazione che non c'è: le Fedriadi di Apollo, la Fonte Castalia, Giove, Isacco, la Valchiria, le Menadi, Prometeo, il Maelstrom, Giuseppe e il Faraone; e quel continuo pestare sulle maiuscole, quel procedere biblicamente a versetti....

Senza fatica, potremmo continuare a citare. Ma a che scopo ? I difetti che Borgese svela in questo romanzo non sono nuovi in lui, anche se questa volta riescono più evidenti per la stessa linearità e scarnezza del racconto e per l'altezza dell'assunto. Ma la sua prepotente volontà di dire anche dove il sentimento effettivo non gli arriva, l'abilità di eludere con l' ingegno o con l'eloquenza le difficoltà vere del pensiero e dell'arte, infine quello ch'egli stesso confessa « spirito di prevaricazione », di fronte a Dio, (e noi vorremmo aggiungere, di fronte all'arte), sono caratteri che già si conoscevano suoi. Si fosse contentato di toni minori, avesse evitato gli ultimi a-tu-per-tu con Dio, con l' Eternità, col Tempo e con lo Spazio, questo racconto (che pure ha al suo centro un motivo sincero, e spesso, nei toni minori, belle pagine di sentimento e di paese) poteva sortire altro effetto : molto meno spettacoloso, e tanto più convincente.

1931.

Tempesta nel nulla, Milano, Mondadori, 1931.

ROMANZI E RACCONTI DI CICOGNANI

In un libro suo, Bruno Cicognani disegna un veritiero ritratto di sè: «un omiciattolo con la barba alla cappuccina e con gli occhi piccoli e fondi che brillano: a momenti è dolce, a momenti invece è rapinoso: certamente, in certi trasporti e in certe avversioni a uomini e a idee, intransigente, esclusivo e pressochè irragionevole: egli è colui con cui ho da fare ogni giorno da mattina a sera, chè non mi dà bene, e con cui contendo le più serrate battaglie del mondo per venire a capo di finalmente conoscerlo, pure sapendo che codesto momento sarà quando muoio».

Cicognani, insomma, è un uomo scontento. L'essere lui diventato da tempo uno degli scrittori che importano, che il pubblico legge, che la critica loda, e la stima, l'amicizia dei migliori, a Cicognani non bastano. C' è in lui, nell'uomo e nello scrittore, un'ombra, uno scontento, un sospetto che non sanno cedere. Perchè ? A chiederlo a lui o ai suoi libri, i perchè sono tanti. Intanto, la professione. Cicognani aspira, lo dice e lo scrive, alla libertà lirica del vagabondo, e la sorte lo vuole invece legato ai codici. Se ribattete che fu sempre così per tanti, e che per uno scrittore il «mestiere» è meglio averlo altrove che nelle lettere, questa è una consolatoria che non gli basta. In quel suo studio a Firenze, in via dei Servi, appena entrate, la prima preoccupazione sua, coi gesti e con le parole, è quella di farvi dimenticare gli scaffali scuri, i libracci, gli inserti dell'avvocato. Seduto o in piedi, la sua mossa, il suo scatto più naturale, è sempre quello di chi salta su, afferra cappelluccio e bastone, scuote la barba ed evade. Dove? Dove non importa: andar via.

Provate a dirgli allora che anche questa è un' illusione; che le costrizioni, le insufficienze della realtà, la professione esosa, e quell' intimo, quell'eterno cercarsi, a chi più duole più giova; lievito del pensiero, vita dell'anima.... La barba si rabbuffa, Cicognani non l' intende. Bisogna lasciargli quell' intimo nodo, quell'ombra: sono, è vero, il suo cruccio, e se ne aduggia talora l'arte sua; ma sono anche la sua forza segreta.

I.

LA VELIA E LE NOVELLE

Stiamo ai libri. Il primo che gli dette fama, le *Sei storielle* (1917), lo presentò scrittore quasi regionale; rioni popolari di Firenze, figure quadri e feste di popolo, corse di biciclette, la vita e miracoli di una pestifera cavalla, la Zaira: chiarissime pagine dove tutto è visto e tutto è detto con un piglio certo, un fare franco, una lingua saporosa, aderente come una buccia. Poichè s'era a Firenze, il pensiero andò subito al Collodi, a Yorik, al Fucini.... Ma in Cicognani c'era meno e di più. Minore felicità o varietà; ma un animo più complesso, più sottile ricerca, mira più lontana. Ingannato dagli argomenti, dai tèmi, qualcuno può anche aver salutato in lui un nuovo scrittore popolare spontaneo; ed è vero, semmai, che pochi scrittori hanno oggi i loro classici in regola, e scrivono con tanto studio quanto Cicognani.

Le *Sei storielle* erano tutte volte al mondo esterno, ai profili degli uomini, alle sagome delle cose, contente se riuscivano a ritrarle esatte, con un'ombra talvolta di caricatura. Pagine che schioccavano. Tutti applaudirono, ma il volto di Cicognani non si spianò. Lo scrittore si sentiva dentro una pietà per quelle figure che pur allora aveva ritratte quasi in caricatura, una passione per le miserie sue e degli uomini; e queste voleva dire, queste voleva esprimere. Figurine e bozzetti non bastavano più; quel trito ma dolente mondo a lui familiare voleva ora ritrarlo dall' intimo e non dall'esterno; che fossero anime e non macchiette. Così dal primo bozzolo verista uscì un po' alla volta un altro scrittore: *Gente di conoscenza* (1918); *Il figurinaio e le figurine* (1920). Fu il suo primo progresso.

Vero è che, in quei libri, i due elementi dello scrittore, la fedeltà alle cose, e l' intimo, lirico desiderio d'evadere dalle cose nella poesia, non sempre si conciliavano. Spesso i due motivi si svolgevano accosto, ma senza compenetrarsi; in una pagina c'era il bozzettista contento di sè, nell' altra l'uomo pietoso, il poeta. E spesso il poeta restava scoperto, a vuoto, si sfogava in invocazioni, in moralità ingenue, e un po' astratte. Questa dualità fu il pericolo ed è tuttora il travaglio di Cicognani. Se già in alcune delle novelle (ricorderemo, « L'ospite », « Bechesce », « Culincenere ») l' intimo contrasto è risolto e il bozzettista e il poeta fan tutt'uno, la vera vittoria di Cicognani fu *La Velia* (1923). Di macchiette, tipi, figurine che erano, gli uomini di Cicognani lì diventano persone intere: quelle creature che avevamo cominciato a conoscere di profilo, alla sfuggita, ora ci stanno davanti in tutta la complessa verità e idealità loro.

In quel romanzo, Cicognani studia la devastazione che la Velia (« creatura di quelle che ben per l'uomo non incontrar mai nella vita ») fa in una casa di operai arricchiti, nuovi borghesi, nella Firenze di oltre trent'anni fa. La Velia senza cattiveria sua, ma quasi solo per istinto, porta a perdizione il marito, l'amante, e tutta la casa in rovina. Gli altri, intorno a lei, son tutte creature in decadenza (come l'ingegnere, l'amante che invecchia), o già disfatte (come Beppino, il marito svanito, alcoolizzato e che non riesce ad esser marito). Romanzo, come un tempo si diceva, sperimentale : i capitoli che narrano la decadenza dell'ingegnere, il suo diventar vecchio vicino all'amante giovane, in certe pagine hanno la crudezza di un referto medico. E romanzo di costumi : non a caso vi si rappresenta la Firenze di trent'anni fa, e, attraverso la rovina causata da una donna, la storia di un'intera famiglia *nuova* : i Biagini. E romanzo d'analisi : per qualche parte, la donna, la Velia discende dal ceppo della Bovary. Vi sono poi anche tentativi, — e non li direi i più riusciti, — di dare un'interpretazione mistica, superiore, alle miserie morali e fisiche di Beppino, il marito : con una cert'aria di Dostoievsky.

Ma con tali riferimenti contraddittorii (romanzo « di costume » « d'analisi » « sperimentale », ecc.), non si pretende di definire *La Velia* ; si vuole soltanto indicare che questa volta siamo di fronte a un racconto nella apparente semplicità molto riflesso e composito ; a un romanzo, anche artisticamente, inquieto. Soltanto nei capitoli migliori lo scrittore riesce a conciliare i diversi stimoli sul piano di un'arte molto attenta e coraggiosa. E il libro è gremito, pieno, tutte le sue pagine sono *scritte*, come di rado accade nei romanzi d'oggi. L'uomo poi vi è sin troppo presente ; si sente che egli vive le situazioni, gli stati d'animo anche mentre li rappresenta ; c'è come avvitato dentro. Si desidererebbe a volte che, dopo aver così vissuti i suoi tèmi, lo scrittore riuscisse a trasferirli in una luce d'intelligenza più staccata, regolandone più a distanza gli effetti ; che tratto tratto alzasse il capo dalla sua pagina. Il color livido di certe scene, di certe analisi, sembra spandersi un po' in tutto il libro. E a lettura finita, si resta come con un desiderio d'aria. Ma i capitoli della gita sul Mugnone, della morte dell'ingegnere, degli interni dell'ospedale, del fallimento — pongono certamente la *Velia* tra i migliori romanzi che si scrissero in Italia dopo la guerra.

Le novelle che seguirono, *Museo delle figure viventi* (1928), *Strada facendo* (1930), non ci fecero conoscere un Cicognani nuovo; ma piuttosto esempi del Cicognani già noto. Anche in quelle raccolte, sono storie di tristezze, di sacrifici, di povertà: ecco «Fanny», «I miei cugini Adimari», «Gigetta», «Le gemelline»; o scorci di vita, moralità amare, «La zia di Doralice», «Il primogenito». Anche qui, ambienti e figure per lo più di trent'anni fa; e non certo per un piacere crepuscolare, chè anzi Cicognani rappresenta sempre in modo immediato e realistico; i suoi «trent'anni fa» vogliono dire se mai una nostalgia morale: ci richiamano a un tempo in cui gli affetti, la vita, i dolori (così almeno egli sembra credere) valevano e dolevano di più.

Sacrificato amore della Fanny, la giovane figliuola di una maestra di ballo di trent'anni fa:

Addosso a lei nessun vestito era parso mai nuovo; sempre portato di già un'altra volta, da lei o da altri e poi ridotto per lei, vestiti secondo nessuna moda.... In sala serviva a sostituire, al pianoforte, il «maestro» quando per una ragione o per l'altra questi mancava: ma abitualmente l'ufficio proprio di lei era far coppia col cavaliere che non trovava dama, con la dama che non trovava cavaliere.... coi negati, coi goffi, coi repugnanti, coi disgraziati del ballo....

Un altro ritratto, breve ma perfetto:

La Clelia, la maggiore, era d'una bruttezza più unica che rara; nera come una tinca; i capelli untuosi, con la divisa in mezzo, scendevano di qua e di là sulle tempie, appiccicati.

Nelle novelle di Cicognani c'è tutta una galleria, pietosa e tuttavia causticamente pungente, di queste «infelici vergini a vita».

Talvolta l'impegno e la serietà dello scrittore, il suo restar sempre agli argomenti *suoi*, ai tèmi *suoi*, (sempre quegli interni, quelle strade, quei tipi), questa fedeltà rischia di finire in monotonia. Alcune prose di Cicognani sembrano specchiarsi l'una nell'altra. Lo scrittore lavora in profondità, ma il succhiello che sceglie ha talora il passo troppo stretto, e la fatica del dire è più che la cosa detta. In qualche pagina sua, la folla dei particolari, e quel finire e rifinire ogni periodo, ogni frase, toglie luce. Si vorrebbe anche qui più libertà, più aria!

E talvolta Cicognani aggiunge poesia o profondità morale ai suoi racconti, dall'esterno. Certe sue esclamazioni, certi sospiri: «Perchè? Oh, se si sapessero certi perchè....». «Ora non sanno perchè. Lo sapranno il giorno se mai....». «Cercar d'esser sè!...». «La necessità d'esser se stessi e non altri.... Lo sforzo continuo per essere quello che avrei dovuto essere....».

Questi dubbi, questi propositi, com'è facile capire, non servono; in un'arte, come la sua, tutta ispirata a realtà e concretezza, queste astrazioni galleggiano come relitti.

II.

VILLA BEATRICE

Il secondo romanzo di Cicognani, *Villa Beatrice*, nelle pagine della rivista «Pègaso» dove prima apparve, portava un sottotitolo: «Storia di una donna». Nel volume, il sottotitolo scomparve. Eppure ci stava bene: dava subito all'opera l'aria ch'è più sua, richiamandosi a quei romanzi che trenta o cinquant'anni fa si definivano da sè «una vita», «costumi di provincia», «storia di una famiglia». (E ho ricordato forse tre capolavori).

Tra i romanzieri nuovi, Cicognani, più di tutti, è rimasto fedele a quelli che furono il metodo e il gusto del romanzo naturalista. Di lì gli vengono, abbiamo visto, molti pregi e qualche difetto. Tra i pregi, metterei subito la sua fedeltà o religione (quando non è scrupolo) del vero, il costruire solido, e quel coraggioso cercare il senso e la poesia della vita nella vita com'è. Oltre a questa sostanziale onestà, un altro stimolo Cicognani ha derivato dai migliori naturalisti: quello di provarsi con figure e tèmi che, senza sembrarlo, siano difficili. S'è visto che la Velia era donna da dare filo da torcere nella vita e nell'arte. Beatrice, la protagonista del secondo romanzo, è così difficoltosa creatura che non solo appassiona, ma fa anche un po' disperare il lettore. Beatrice provoca in noi affetto e insieme dispetto; ammirazione, pietà, e a tratti un distacco che rasenta la repugnanza. Per due terzi almeno del libro, questa tormentata Beatrice resta combattuta e divisa anche nell'animo del lettore.

Il vocabolario di tutti i giorni direbbe che Beatrice è donna frigida; e fermi lì. L'impegno del romanziere sta nel dimostrare quali affetti e pudori, che intimi slanci e repressioni, che segreto tormento, e quale imperfezione anche fisica si nasconda sotto quella frigidezza. (Lo stesso assunto, ma con un'arte già un po' floreale, s'era proposto Matilde Serao in *Cuore infermo*).

Beatrice entra nel racconto, fidanzata, alla vigilia del matrimonio. E già sappiamo che l'infanzia e la prima giovinezza di lei, nata per essere bella e bellissima donna, passarono senza dolore e senza gioia, in una strana indifferenza. «Chi vuoi che ti voglia bene?», era stato il ritornello dei genitori a quella loro unica figliuola senza commozioni e senza trasporti; «il babbo e la mamma te lo vogliono lo stesso, ma gli altri!...». Anche le compagne d'età la lasciavano da parte. Più tardi, giovinetta, Beatrice «aveva della dea, quando passava, anche nel modo d'incedere». Questo, sin dall'infanzia era stato il volto di Beatrice. O piuttosto la maschera di Beatrice: chè, nel suo segreto, anche lei amava, soffriva e desiderava come le altre fanciulle; conosceva anche lei, benchè raro, il pianto segreto; ma un morboso pudore, uno strano orgoglio, una seconda più forte natura le aveva sempre impedito di aprirsi, di comunicare, di mostrarsi qual era. «Condannata a rimanere inespressa e inerte dentro quella falsa spoglia»; «quel suo sorriso che agli altri diceva sempre la medesima cosa, cioè nulla, per lei soltanto aveva un valore ogni volta diverso». Il suo piacere prediletto: «fantasticare lavorando d'ago». Questa era stata Beatrice, prima di sposarsi.

Ci sono donne così, nate quasi estranee e lontane, che il matrimonio poi guarisce: le concilia con se stesse e con gli altri, le porta nella comunione della vita. Beatrice no. Il matrimonio subìto per acquiescenza (e senza che nessuno neppure si avveda del suo doloroso subire) rende più grave, irrimediabile, il male segreto di Beatrice. Il marito, l'ingegnere Romualdo che l'ha portata via dalla sua piccola casa d'impiegati a Firenze e l'ha fatta signora d'una grande e bella villa presso San Miniato dove lui è attivo padrone di concerie, è, sì, uomo brutto, ma giovane ancora e intelligente, gioviale, delicato come pochi sono. Uno di quegli uomini amabili e amati che sembrano possedere il segreto della felicità altrui. «— Io, devi avermi capito, ho bisogno di vedere dintorno a me la gente felice». E più ne soffre, più si sente sola Beatrice. Nel contrasto che sùbito si palesa tra la natura sua e quella del marito, tutti parteggiano per lui, per Romualdo. Neppure quando diviene madre, Beatrice si sente salva; la gestazione difficile, il parto pericoloso rivelano che lei non era nata per essere madre. L'ostetrico scopre in Beatrice un'imperfezione organica che forse è il rispondente fisico, il segreto di quel suo carattere. Non desiderata, non voluta dalla madre, nasce così Barberina: e «il primo moto di Beatrice quando le presentarono la creaturina fu d'avversione». Qui il dramma negativo di Beatrice tocca le note ultime; e difficile sarebbe andare più in là....

Ma qui comincia anche la rinascita di Beatrice: rinascita dapprima lenta, dolorosa, attraversata da sconforti e da abbattimenti, persino da immagini di suicidio; ma rinascita. Quell'impietramento, quel ghiaccio s'è rotto. Ed è stata Barberina, la non desiderata e non voluta Barberina a compiere il miracolo. L'esempio della bambina che impara a vivere, i suoi primi affetti agli uomini e alle cose, un po' alla volta incoraggiano anche Beatrice alla vita. La madre e la bambina fanno ora, da punti così diversi, lo stesso cammino. E altre forze agiscono sùbito, nella rinascita di Beatrice: la speranza in Dio ravvivata in lei da don Andrea, il parroco che la conforta, e soprattutto la carità attiva, il rischio mortale affrontato una notte, all'insaputa di tutti, per salvare la sua bambina. Ne esce una donna nuova: e Beatrice prodiga ora il suo affetto intorno a sè come chi, già sentendosi al limite, voglia riparare a una vita perduta.

Giornate piene, vita piena: e quello stato sereno della coscienza per cui, se le avessero detto: — Hai dieci minuti prima di morire, profittane!, — ella avrebbe continuato a fare tranquillamente quello che in quel momento faceva.

E quando davvero la morte improvvisa sopraggiunse (il cuore malato di Beatrice non resse alla improvvisa piena dei nuovi affetti), « Eccomi !, fu la parola ultima della sua coscienza terrena ».

La vita di Beatrice, pur restando essa il centro e quasi la resultante del romanzo, non è poi tutto il romanzo. Fin dalle prime pagine, molte figure, molti episodi interferiscono in lei : e direi, in genere, che se lo studio diretto di Beatrice trova in Cicognani un analitico strenuo (e talora eccessivo), l'arte del romanziere ha più calore, è più viva ogni volta che Beatrice resta meno sola nel piano del libro. Così tutta la prima metà del racconto ; Beatrice e Romualdo ; e Beatrice e Pierino (il servitorello adolescente che s' innamora tragicamente di lei) ; e Beatrice e la mamma (quella povera signora Isabella che non sa darsi pace d'una figliuola così) ; e Beatrice e Maurilla (l'amica, donna tutta materna, che è l'opposto di lei) ; Beatrice e la vecchia « Tata » della villa, diffidente ; Beatrice chiusa nel suo cruccio, e intorno a lei la vita fervida della campagna, la bella villa, le stagioni, la terra, tutta quella natura che quasi riceve un'ombra dal gelo doloroso di lei. Cose e creature, ad una ad una, vivissime e intonate tra loro da un'arte limpida. Poche volte ci è sembrato di star così bene in villa e tra gente di villa, come in certe pagine di questo romanzo ; (spunta qua e là appena un certo bozzettismo di più, — quegli uggiosi ragazzi....). Il realismo poetico di Cicognani, intonando uomini e cose, non era mai stato ardito e felice come qui.

Ma c' è un punto del romanzo (sulla metà) in cui questa felicità e quella intonazione vengono meno. È quasi un improvviso cader delle vele. E ciò avviene dove Cicognani vuol sapere tutto, proprio tutto, e anche a noi vuol dircene troppo, di Beatrice : « come s' intrecciano là, nel segreto profondo, le cause prime del modo di essere fisico e delle disposizioni spirituali ». Grande compito, dei più difficili che un romanziere possa proporsi; ma da intuirlo di volo. Invece, a questo punto, la verità di Cicognani diventa verismo; l'analisi, fisiologia. Le malattie sono nella vita e dunque possono essere nell'arte: il medico, la levatrice, l'ostetrico, l'oculista, il pediatra, la balia possono intervenire in un romanzo, come qui infatti intervengono uno dopo l'altro in pochi capitoli; ma lo scrittore ha da restar sopra a loro, non può cedere a loro il tono del libro. Direste, invece, che a quei capitoli «l'occhio medico» si sia appreso anche a Cicognani, e non solo nei riguardi di Beatrice, ma quasi per ogni altro personaggio. È lì che il naturalismo resta metodo, mostra la corda; e il romanzo si ferma, fa sacco. E più si scopre quello che è spesso il difetto di Cicognani: il suo dire tutto, dire troppo. E «l'on n'écrit pas bien sans sauter les idées intermédiaires.... ».

Ma la ripresa, non tarda troppo. Con la rinascita di Beatrice, anche nel romanzo spira un'altr'aria: dopo quel sinistro balenare in lei dell' idea del suicidio, ecco il conforto di don Andrea, e la tragica notte di Barberina. Poi, quando Beatrice riesce davvero ad amare e a donarsi, intorno a lei anche lo scrittore di nuovo intona le cose e la natura con gli uomini. Nelle ultime pagine tornano molti dei motivi che avevano avviato il romanzo: la villa e la sua gente, la stagione, il parco, i campi; ma tornano in un modo nuovo: quelle nature che prima restavano asciutte e magre, ora hanno un calore, un'anima, una felicità nuova. «C'era nell'aria, nel cielo, negli aspetti di tutte le cose quello che c' è soltanto nelle giornate vicine a Pasqua.... ». Questo caldo lievitare chiude il romanzo e accompagna Beatrice alla sua fine.

E noi non dimenticheremo Beatrice: perchè questa figura di romanzo è una di quelle persone d'arte singolari e inquietanti che aiutano poi a meglio intendere figure e fatti della vita.

1928, 1932.

Sei storielle di nòvo conio, Firenze, Libreria della Voce, 1917. — *Gente di conoscenza*, Firenze, Libreria della Voce, 1918. (*Le sei storielle e Gente di conoscenza*, Milano, Treves, 1924). — *Il figurinaio e le figurine*, Firenze, Vallecchi, 1920. (*Il figurinaio*, Firenze, Vallecchi, 1933). — *La Velia*, Milano, Treves, 1923. — *Il museo delle figure viventi*, Milano, Treves, 1928. — *Strada facendo*, Edizioni Pègaso, Firenze, 1929. (*Strada facendo*, Milano, Treves, 1930). — *Villa Beatrice*, Milano, Treves, 1932.

FRANCESCO CHIESA NARRATORE

I.
TEMPO DI MARZO

Quale sia stato il cammino percorso da Francesco Chiesa, prima di mettersi anche lui per la via delle memorie d' infanzia in questo romanzo *Tempo di marzo*, molti lettori sanno. Tra i letterati contemporanei, Francesco Chiesa gode (come si suol dire) di una fama non rumorosa, ma degna. La sua poesia, se pure non fruì mai di consensi diffusi, ottenne però sempre il rispetto anche dei lettori più difficili. Certe intime durezze e volontarietà formali dei versi, se contribuirono a tenere in disparte la figura di lui, le mantennero però una dignità, un decoro, rari e persino un po' anacronistici, nei primi anni del '900. Il poeta appariva, sì, a chi bene guardasse, un impressionista e sentimentale anche lui, ma un impressionista in modi e metri logici, esatti; un romantico e forse un decadente, ma in forme di classicismo. Varii volumi di versi e qualche prosa son lì a testimoniare uno scrittore più serio che gradevole, più ammirevole che amato. Le cronache letterarie di uno dei nostri critici più difficili, il Cecchi, di anno in anno, di volume in volume, gli restaron fedeli. È da aggiungere che al Chiesa ticinese (egli dimora e insegna a Lugano) e dunque italiano, per dire così, *in partibus*, quel decoro, quel riserbo di poeta moderno e tuttavia di buona tradizione e senza chiassi, si addicevano anche meglio.

Varcata dunque la cinquantina, anche il Chiesa

ha voluto scrivere il romanzo della sua infanzia, e ha trovato questa volta forme più piane, dolci e correnti che di solito non fosser le sue. N' è uscito uno dei libri più delicati e suggestivi tra quanti, in questi ultimi anni, hanno raccontato in Italia infanzie e ricordi di scrittori.

Il Chiesa s' è rivisto bimbo nella sua vallata montana, scolaro alla prima scoletta, fratellino maggiore tra i piccoli; s' è rivisto nella vecchia casa dei genitori, a Vico; in quella d'un ricco zio, a Castelletto; poi, ragazzo in collegio; e, intorno a sè, le consuete figure paesane, e i liberi aspetti dei cieli, dei torrenti, dei boschi, della montagna. Lo scrittore però ha fissato la sua attenzione e la sua memoria sopra il momento forse più difficile della fanciullezza, quando per un ragazzo la vita comincia ad avere un senso, e il pianto e il riso traboccano per un nulla dalla prima misteriosa malinconia. Pianto e riso; o, come il titolo dice, tempo di marzo. «.... Un momento titubante, poi mi sentii afferrato da una furia di allegria che mi scrollò dagli occhi le lagrime sospese e mi scosse nel petto tutto il buon ridere che c'era dentro. Qualche singhiozzo in ritardo si mescolava con quel ridere matto, chè ridere e piangere non sono poi cose tanto diverse».

Il carattere particolare e la bellezza di questo libro nascon proprio dall'aver còlto, di tutta l' infanzia, quel momento primo e ancor misterioso, quel preludio d' inquietudini spirituali, tutto impulsi e ritegni, rossori e pallidezze che solo più tardi troverà la sua forma fisiologica, nel tormento della pubertà: «Mi sentivo una specie di turbamento senza ragione; voglio dire senza una ragione che si lasciasse afferrare, una specie di tenerezza accorata che avrei voluto dedicare a qualcuno, a qualche cosa, e non mi riusciva di trovare chi, come». Non è ancora la pubertà coi suoi istinti precisi e non è più la fanciullezza ; è per ora una inquietudine, se si può dire, una pubertà dello spirito. Anche dei grandi poeti dell' infanzia, rari, o soltanto Dostoievski, seppero posar l'occhio su quel momento ; e alcune poche righe di Jean-Jacques, anche qui, restano illuminatrici.

Nel libro del Chiesa assistiamo un po' alla volta al formarsi di questa coscienza sensitiva del fanciullo : quelle che erano birichinate, scappate, burle senza conseguenza e che, appena fatte, il piccolo Nino se ne liberava scrollando le spalle, un po' alla volta trovano in lui un'eco insospettata, una riflessione che le deforma, un occhio intimo che, posandovisi sopra, le ingigantisce. E tuttavia i gesti, le parole, le scappate restano quelle del ragazzo di un tempo. In questo squilibrio tra gli atti ancora impulsivi e la coscienza che vi si forma sopra, nascono le prime piccole cattiverie e i primi rimorsi, le improvvise esaltazioni, gli scrupoli, le malinconie. Caso raro nei racconti d' infanzia, «il Nino» lo vediamo crescere non perchè, di tanto in tanto, ad apertura di capitolo, l'autore c' informi ch'egli è passato alla classe superiore o ha allungato i calzoni ; ma è proprio la sua coscienza, la sua riflessione, la sua piccola anima che noi vediamo aprirsi gradatamente sugli uomini, sulla natura, sui fatti della vita.

Quali, nel corso del libro, siano questi fatti, importa poco di dire. «A me riesce assai meglio di rivedere le piccole cose della vita quotidiana che non le avventure straordinarie» ; e in questo libro vero, di avventure straordinarie non ve n' è, e non ve ne dovevano essere. Ma c' è la casa paterna a Vico e quella dello zio a Castelletto, la serva Tecla, la signora Lucia che fa da mamma quando la mamma è assente, l'amico Adamo ; e castagneti, pascoli, torrenti. Tempo di marzo : ma il mal tempo la può sul sole : le più di queste pagine rispecchiano una tristezza. Sulla vita del babbo pesa il dolore della Paolina, una figliuola di prime nozze che adesso è tanto, tanto mai lontana, che il pover'uomo ha insegnato ai fratellini a crederla morta. La vita della famigliola, col poco lavoro del babbo geometra, è povera; e la mamma ne soffre. Peggio, c'è intorno l'odio di tali che a torto si credettero danneggiati e offesi. I parenti: lo zio Roma, avaro ed egoista, non restituisce il mal tolto neppure in punto di morte; lo zio Ristico, zio d'America, scioperato, si ricorda dei suoi solo per chieder denaro.

Di qui, le tristezze della famiglia e del ragazzo. E anche i motivi più idillici del racconto un po' alla volta se ne colorano; anche i giuochi del ragazzo, le libere nature che lo circondano, recano, e sempre più, via via che il racconto prosegue, il riflesso di un indefinibile dolore. (Cerchi il lettore la scena delle api; il racconto del Nino con la Pia scappati dentro il castagno a dimenticare le tristezze di casa loro; il primo idillio del Nino con la pastorella; la gita al santuario di Montetoro; e, in fine del libro, i giorni amari del collegio, il rimorso della capanna bruciata). Ci sono aspetti di natura ritratti con un'attenzione e quasi un'apprensione nuova: come questo bosco d'inverno:

Le voci degli uomini, delle bestie, il crosciare delle foglie sotto i miei piedi mi davano un'impressione quasi di cosa vera e non vera, un po' come quando si è a letto di giorno, non tanto ammalati e, dalla finestra socchiusa, ci giungono i toni attutiti della strada e della campagna. Entrando nella selva, il dolce solicello distaccava dai tronchi e dai rami un'infinita varietà di ombre, d'un celestino sereno, e le stendeva delicatamente sul musco e sui fogliami, come si fa delle cose gracili e preziose, sicchè mi veniva naturale di cansar da esse i piedi. Il Fido invece si precipitava innanzi, scotendo le sue orecchione molli e ricce, senza riguardo di non sdrucire la mirabile rete azzurrina che per fortuna, appena passato lui, si ricomponeva.

Il Chiesa è venuto così raccontando, l'infanzia del Nino e i casi di lui; ma, in tutto il racconto, la sua saggezza d'uomo accompagna in sordina le impressioni del ragazzo; senza parere, le aiuta a ordinarsi, le spiega. I sentimenti, le commozioni, vogliono esser quelle che allora il Nino dovette provare; eppure voi sentite che quella esattezza e vivacità sono illusorie, che quella luce, che pare sì viva, è soltanto il ricupero d'un tempo perduto. Talora anche lo scrittore commenta la meraviglia del ragazzo in modo scoperto, e un po' col tono della sorridente bonomia manzoniana.

Così quando il Nino scappa al bosco per non andare in collegio:

Giunsi così in cima al Dosso bello, e lì mi lasciai cadere sfiatato ai piedi di un castagno. No, non voglio io! Ma standomene così disteso con la faccia nascosta nei fogliami secchi, cominciai a sentir dentro di me una vocina debole, ma neanche! una persuasione, dirò, che si faceva intendere a meraviglia, sebbene non avesse lingua; e diceva: ma va' là, che andrai!

I capannucci di frasca pieni di bottiglie e di bicchieri, che s'incontrano per la strada del santuario:

Poichè l'uomo è molto disposto ad anticipare i rimedi che siano piacevoli; e volentieri premette un po' di riposo alla fatica, e beve nella previsione della sete che verrà o non verrà.

Gli scrupoli del Nino:

Qualche volta, alle magagne di casa mia aggiungevo misfatti miei personali; i quali pure mi affliggevano assai, benchè in modo più pacato e onesto, e non mandavano quell'odore antipatico che è proprio delle brutture altrui.

Dietro la serenità apparente dello scrivere, e il nitore spesso un po' rigido della frase, (quasi d'uno che traduca dentro di sè un linguaggio perduto, e si dia da fare via via a renderlo tutto vivo e lucente) c'è in questo libro come un'ombra stanca e appannata di lontananza. Nella lettura più di una volta ci è sembrato di sorprendere, per i viottoli dei ricordi, l'uomo stanco di oggi che, appena sorridendo, accompagna per mano il bambino ignaro d'un tempo.

II.

RACCONTI DEL MIO ORTO

Non per regalare una data di più ai celebratori di anniversari, ma cadono adesso (1929) venti anni giusti da che Alfredo Panzini stampò la prima volta *La lanterna di Diogene* (1909). Un titolo che da allora sta su tutta l'opera sua come un ombrello.

Quel 1909 fu un gran bell'anno per Panzini; e gira gira, può darsi che la *Lanterna* resti il suo libro d'oro. Ma anche per un altro verso la data è memorabile: la *Lanterna*, da allora, ha fatto lume, è servita di richiamo a tanti; molti libri e libretti, e articoli poi!, son venuti di lì; dal 1909 al 1929, per vent'anni, molte lucciole che vagarono tra il grano della patria letteratura rubarono il fuoco alla *Lanterna*.

Note di viaggio, diarii, moralità, *reisebilder* c'erano anche prima, c'erano, si può dire, da sempre; eppure la *Lanterna* sembrò cosa nuova, fragrante. È che tra il classicismo e l'impressionismo, tra l'ironia e il sentimento, tra il vecchio e il nuovo, tra il Carducci e noi, Panzini trovò quella fusione che si cercava, azzeccò un tono, dette un «la». E molti, che ancora dubitavano e stavano zitti, trassero dalla *Lanterna* coraggio a farsi avanti, a dir la loro. Non dico che sia stato sempre un bene: di quanti viaggi e taccuini intimi, diarii, fatti personali e fatti di casa, che da allora fiorirono e fioriscono in letteratura, non faremmo volentieri a meno! Sarebbe però ingiusto addebitare al papà Panzini i corrotti figli. Resta vero che la *Lanterna*, vent'anni fa, fu una chiara e nuova finestra aperta sul cielo della letteratura....

Ma il discorso ora voleva essere un altro: quanti che leggeranno questo nuovo libro di Francesco Chiesa, *Racconti del mio orto*, non saranno ricondotti al ricordo della panziniana *Lanterna*?

Panzini e Chiesa sono abbastanza diversi tra loro; l'uno è ironico e svagato, l'altro è logico e fermo; l'uno romagnolo tosco, l'altro ticinese lombardo; dietro Panzini, un po' come un maestro abbandonato, resta il Carducci; dietro Chiesa c'è, se mai, il Manzoni. Eppure, se tra il libro nuovo di Chiesa e quello vecchio di Panzini non corre vera dipendenza, non c'è somiglianza scoperta, quell'indefinibile cosa che si chiama «l'aria di famiglia» c'è.

Il motivo, il tèma di questo libro è presto detto. Vedovo e con una sola figliuola («la mia gran figliuola Mira, amica fanatica delle cose nette e nuove»), lo scrittore abita in una vecchia casa abbandonata, fuori della città. Città di provincia, favorevole alla noia e ai pensieri. Lo scrittore ha media età, media condizione, sarebbe per natura reattivo, pronto, ma, per esperienza, è filosofo rassegnato. (Quanto di autobiografico sia nei «dati» di questo libro, non so; e importa poco sapere. Certamente autobiografiche, vissute dall'autore, ne sono la poesia e la morale). Sotto casa, in un terreno incolto, un po' alla volta il nostro uomo si è ritagliato il suo orto, e vi ha piantato con le sue mani le buone erbe, i cari fiori, gli utili legumi, i frutti.

Avete già inteso come questo piantare e ripulire e inaffiare e sarchiare e rastrellare e potare l'orto, e le vicende delle stagioni, e le fortune e le sfortune vegetali, saranno l'incentivo poetico, il pungolo morale dello scrittore. L'orto e i suoi casi, senza perdere di concretezza e di verità, un po' alla volta si trasformano dentro di lui in allegoria ; e lo scrittore è intento (avrebbe detto il padre Bartoli) a trasportare l'orto al morale. E coi loro commenti e contrasti, con le loro riflessioni e sgridate, l'aiutano nella bisogna la «gran figliuola Mira», e la Dirce, una vecchietta arguta e scontrosa, vicina di casa : « — Non potrebbe dire le cose naturalmente ? Dove ha imparato lei a parlare così ? Nelle sue grammatiche ? ». (Che è appunto una battuta quasi panziniana).

Tutto il libro procede su questo segreto accordo o disaccordo, su questo contrappunto fitto del moralista con l'ortolano. «Che cosa crede, signor Calcaterra ? i piselli per sua norma non sono come le parole della sciocchezza umana che basta buttarle là e subito germogliano e fanno pianta. I piselli, occorre un certo tempo». «Hai mai badato ai semi di sambuco ? Minuti come i pensieri di una massaia». «Un merlo. Un poeta. Benedetto Croce troverebbe che il suo lirismo non è puro e degenera di tanto in tanto in eloquenza. Difatti, se ascolti bene, quel suo cantare ha qualche cosa che rammenta i grandi oratori». Lo scrittore ortolano appronta nell'orto trappole contro i topi ; e invece ci finiscono dentro raganelle, lucertole. «Necessario punire i rei. Ma vedi, così negli orti come nei regni, si congegnano le migliori trappole e chi ci cade ? Il delinquente, qualche volta, ma per lo più l'inesperto». Quando non si sviluppa in moralità, l'analogia resta nell'immagine. «Pioveva lento, di quel piovere miserabile che è come la caparbietà di un certo mezzo piangere». L'attenzione può rinnovare anche figure e immagini trite, come in questo romantico temporale : «Gli uragani hanno questo di buono : che a udirli standocene quatti in casa producono in noi una specie d'ebbrezza, lugubre ma piacevole, che s' insinua tra pensiero e pensiero e ci dà come *un'illusione di bellis-*

sima infelicità». In questo libro, che ha un titolo e una cornice agresti, non c'è capitolo, si può dire non c'è pagina, senza un aforisma, un'acutezza. «L'occhio dei disattenti, quando, qualche rara volta, si fa attento, vede meglio di cento paia d'occhiali». «L'ira, quando non è troppa, può far da cote all'intelligenza». E questo sunto di ogni vita: «Perchè devi sapere, figlia mia, che a questo mondo il vivere costa sempre una certa spesa di lavoro e d'ingegno: o affondare le proprie radici nel duro, nel sassoso, nel tenebroso; o proteggere la superficie, se alla superficie vogliamo rimanere».

Qui è il momento di chiedersi: chi prevale, nel Chiesa, l'ortolano o il moralista? È più vivo in lui il senso georgico, o quello logico e riflessivo? E l'equilibrio tra questi due motivi, il resultante umorismo, gli riesce sempre armonico, sempre spontaneo, suadente? Il fatto di proporsi questi interrogativi è già un poco rispondere. Quando l'impasto è riuscito e un unico tono è raggiunto, insomma di fronte al vero e grande umorismo, queste domande neppure si affacciano. E gli umoristi classici davano soltanto il risultato del loro umore, la figura finita; quelli d'oggi, per aggiungergli una grazia, vi fanno assistere ai segreti del giuoco, tiran su la cortina del laboratorio a che vediate sul banco del lavoro le pozioni, le dosi, i lambicchi. Un umorismo dentro l'altro, come scatole cinesi.

Credo davvero che nel Chiesa l'elemento logico, riflessivo, spesso sia troppo; che sia più il reagente che la *base*, più il commento del testo. Il moralista incalza troppo da presso l'ortolano; questi non ha piantato un'insalata, che l'altro già vuol cavarne una parabola. E sì che il senso poetico che il Chiesa ha della campagna, delle piante, della terra, è ben vivo; egli scrive pagine agresti dove niente è convenzionale o vaporoso. Anzi, s'incontra qua e là in lui certa manzoniana esattezza o minuzia botanica che piace. Ma se in Chiesa il georgico è sempre buono, il commentatore a volte si fa prepotente, gli pesa sopra, aduggia un po'. Sono i punti morti del libro.

Fate invece che il Chiesa si dimentichi o piuttosto che si riposi, che il poeta si goda la sua poesia senza fretta di correggerla, che lasci la morale del racconto venirsene a lui e non corra lui alla morale, e che i due motivi del tèma, l'agreste e l'allegorico, scendan liberi, come due acque per una china, che cantano ognuna per sè e non si vedono, e soltanto in fondo s' incontreranno; insomma, fate che il Chiesa sia poeta, e allora scrive capitoli come « Da seminare in marzo », « La ragnatela », « La bambola di celluloide », « Come Adamo ed Eva », « Quella mia povera Mira », che sono il vivo piacere di questo libro.

Chi ora volesse riprendere il discorso al principio, altro potrebbe dire. Sono dunque questi i nostri libri agresti, le nostre georgiche, le nostre oasi serene? Se n' è fatta della strada! I moderni hanno stabilito che il « bello di natura » non c' è, che senza il colore dell'uomo la natura non dice nulla, che la famiglia delle piante, la campagna, l'orto, sono soltanto e appena pretesti e appuntamenti poetici; e sarà vero di certo, a noi nulla piace che non sia colorito di noi.

Vent'anni fa, quando il libro di Panzini aprì quella finestra serena sugli orti e sulle marine di Romagna, che lieta frescura, che novità! Eppure, anche allora, ciò che piacque di più, fu proprio quel mollare e riprendersi, quel nascondersi dell'uomo nelle cose, per poi riaffacciarsi e tornar presente all' improvviso, saltar su, son qua io. L'uomo, sempre l'uomo. Adesso Chiesa ha serrato ancora i tempi, ha stretto la regola; e nel suo ordinato orto lombardo, ogni pianta puntualmente nasconde un tropo morale.

Può venir fatto infine di chiedersi: che cosa è ormai la natura per un moderno? Una parete su cui egli lancia, perchè rimbalzi a lui più forte, la palla del suo io. « Ciò che faccia lieti i campi, sotto quali stelle sia da rivoltare la terra, e sotto quali convenga maritare agli olmi le viti, che cura si debba avere dei buoi, quanta esperienza per le parche api.... di qui prenderò a cantare ». Ma non sembra nemmeno più vero che Virgilio abbia cantato per noi.

1925, 1929.

Tempo di marzo (romanzo), Milano, Treves, 1925. — *Racconti del mio orto*, Milano, Mondadori, 1929.

IL TEMPO FELICE DI MARINO MORETTI

Se si potesse paragonare l'arte d'uno scrittore a quella di chi dosa un chiaroscuro, diremmo che, negli ultimi libri di Marino Moretti, il chiaro cresce, e lo scuro via via scema. Crescono l'umiltà, la bontà, l'acquiescenza; diminuiscono il contrasto e la resistenza. Non dico con ciò che la morale di Marino Moretti sia cambiata. Nei suoi primi romanzi, come negli ultimi, è chiaro che l'animo dello scrittore, la sua simpatia, e insomma il suo affetto va tutto ai personaggi sacrificati, ai puri di cuore, ai pesci fuor d'acqua; ma nei primi romanzi questi personaggi lottano ancora per la loro giustizia, per la loro felicità, si divincolano dalla sorte, si ribellano al loro destino: c'è chiaroscuro, c'è dramma. Non si ricorda forse abbastanza che vicino alle creature miti, ai reietti, ai sacrificati, in molti libri Moretti ha disegnato tipi di egoisti, di violenti, di volgari, di lestofanti, anche lui come uno scrittore verista. I suoi innocenti, per restar tali, avevano da lottare con fior di farabutti. Soccombevano, ne finivano vittime; ma il loro sacrificio era tutto caldo, attivo, per la lotta sostenuta. Questa è l'intima vita, la morale del *Sole del sabato*, di *Guenda*, di *Nè bella nè brutta*, dei *Due fanciulli*. E il più bel romanzo di Moretti è forse *La Voce di Dio*, dove il contrasto tra il sacrificio e il piacere, tra l'egoismo e il dolore non si svolge più tra personaggi diversi e opposti; ma nell'intimo di una stessa figura, Cristina.

Questo gusto del contrasto e del dramma, negli

ultimi libri di Moretti è andato via via scemando. Da tempo e sempre più egli sembra mirare a una bontà disarmata, a un sacrificio fin dal principio rassegnato, sembra attenersi sempre più stretto alla regola della non resistenza. Ecco i nuovi romanzi, *I puri di cuore*, *Il segno della croce*, *Il trono dei poveri*, dove fin dalle prime pagine la vittima si presenta già con le mani legate; e gli atti che seguono sono piuttosto le stazioni di una «via crucis», i quadri di un pietoso «mistero», che i capitoli di un romanzo. L'esempio umano, il valore morale dell'arte di Moretti s'è così accresciuto? Se morale è volere il bene e agire per il bene che si vuole, se ne può dubitare. La conclusione sua e dei suoi personaggi, troppo spesso è una sola: non c'è niente da fare. E poichè l'interesse artistico, drammatico, romanzesco, nasce piuttosto dal contrasto, dall'urto, da un che di nuovo che si «fa», con la morale anche il piacere del lettore viene calando.

A questo punto, Moretti opporrà un nome vivo che vale un'estetica: Dostoievski. Ma i personaggi più spogliati, più derelitti del russo, ingranano in macchine romanzesche di grande potenza; meno forza vitale è in loro, più violento è il turbine che li porta; più gli umiliati, gli offesi di Dostoievski tacciono, e più a noi sembra che gridino; più loro si piegano a terra, e più chi legge scatta, insorge. Come ciò poi avvenga, non so. Forse è vero che in Dostoievski c'è anche del mago e che le sue parole a tratti sono fosforiche. Nessuno scrittore è imitabile, ma Dostoievski lo è meno di tutti.

Si diceva dunque di Moretti che da qualche tempo i suoi personaggi son venuti perdendo quella voglia di vivere, pur soffrendo, quella forza di contrastare, quell'intimo reagente, senza cui mal si fa dramma o romanzo. Lo stesso scrittore, quando ha da parlar di sè, in persona prima, troppo volentieri, e per poca ragione, prende il tono acquiescente, fustigato, remissivo del Cireneo; tutte le croci, tutti i sospiri, tutte le pene son le sue. E in quel soffrire e vedersi soffrire, c'è talora un che di dilettantesco, di compiaciuto, che a suo modo potrebbe essere un estetismo. Diceva Voltaire che, subito dopo il carnefice, la figura meno simpatica, è la vittima. Non vorrei sottoscrivere, ma è certo che negli ultimi libri di Moretti, la rassegnazione e la querimonia hanno insistito troppo.

Queste cose le pensavo da un pezzo, ma forse non avrei trovato il coraggio di dirle, se Moretti, proprio lui, non mi veniva incontro. Pensavo io in segreto: — Marino, da' ossa più dure ai tuoi personaggi! Marino, quando occorre, mostra i denti! di' la tua! — Ecco ora ciò che Marino dice di sè:

.... sempre con questa specie di maschera della bontà e della mitezza che rende sterili i miei rapporti con gli uomini e così annulla ciò che avrei di più vivo: le mie ribellioni, il mio orgoglio. Non sono mite, non sono benigno! Talvolta ho l'impressione che i fatti umani non abbiano un giudice più intelligente e più audace, sebbene protetto dalla viltà del silenzio.... Nulla è più illusorio di questa apparente debolezza e la cortesia, la dolcezza, l'indulgenza, la clemenza non son che sagacia. Credete proprio che questi «buoni», questa gente ingannevole, non abbia anch'essa un'arma da taglio sol perchè ricusa di battersi? Credete che non sappia interpretare il vangelo nel senso pesante? Credete che abbia rinunziato a entrare nei labirinti delle questioni sottili solo perchè rifugge dalla disputa e dalla polemica?... Chi ha detto vedendomi, compiacendosi del mio sorriso, ascoltando il mio discorso velato, chi ha detto ch'io son «poco romagnolo»?... No, no, Romagna! Rozza, incolta, villana, grossolana, scorbutica e zotica Romagna!

Viva la faccia! *Il tempo felice* è un bel libro; ma arrivato a questo punto, per la luce di questa volontà m'è parso anche più bello.

Sono ricordi dell'infanzia e della prima giovinezza; dall'asilo infantile, al primo libro di versi. E si sa che i ricordi, almeno quelli sentimentali dei poeti e dei letterati, valgono soprattutto per il tono e secondo la disposizione, l'animo di chi ricorda. Questa volta Moretti non è rimasto a una nota sola; ha scorso tutta la gamma, ha tentato felicemente tutta la sua tastiera. Se nelle pagine dell'asilo, della scoletta, del panierino (e forse son troppe), prevale ancora il tono sentimentale, nei capitoli subito dopo del collegio, comincia l'allegretto, in quelli della vita a pensione si affaccia lo scherzoso, e nelle scene fiorentine, alla scuola di recitazione e nella casa del maestro Rasi, ci si mescola addirittura il satirico, il buffo. Tutti i reagenti sentimentali di Moretti, dal pianto al riso, sono in giuoco; il filo dei suoi ricordi egli lo sdipana con un gesto arioso, libero; le figure, i tipi si affacciano nel libro con quella vivacità nervosa di chi sa che dovrà restar poco sulla scena, e cedere poi il posto a un altro, scomparire. Ecco il poeta dialettale (Barbarani?), l'attore di passaggio, la cantante novellina; e vivissimi, tra gli altri, il nonno, un vecchietto al tramonto cui pur piace la vita, e lo zio Ciro, vetturino.

Com'è giusto, sono molti i ritratti che in questo libro Marino Moretti disegna di sè. Più degli altri, per certa sottile ironia, piacerà il Marino ragazzo, occulto commediante, che inveisce, si storce, sviene dinanzi allo specchio, «dichiarazioni d'amore recitate in ginocchio, strazianti addii a una sedia, a una cassa, a una valigia», finchè un giorno irrompe in salotto, cade ai piedi della padrona di casa, le bacia un lembo della veste e fugge. E la prima lezione di Marino alla scuola di Rasi, tra quella fiorita di artisti in erba:

Avevamo tutti l'aria un po' di falliti, a quindici, a sedici, a diciotto, a vent'anni.... — Lei ha già recitato? — mi chiese il Maestro dal basso. — No, mai. —

Montai alla ribalta, così tutto esposto, offeso dalla luce dei lumi, scontroso, ridicolo, appoggiato tutto a una gamba come una cicogna. — Saprà qualche cosa a memoria. Dica quel che sa. Una poesia del Leopardi ? — Nossignore. — Una poesia del Carducci ? — Nossignore. — Sa il *Pater noster* ? Dica il *Pater noster* ! — Pater noster qui es in coelis sanctificetur nomen tuum.... — I maschi ridevano, le femmine ridevano. Il maestro stesso rideva. Io avrei voluto cader di schianto sul margine della ribalta, e morire.

Marino divenne invece il prediletto del Maestro, fu incaricato di riordinare la sua biblioteca, fu accolto alla sua mensa come un *figliuolo*. E qui lasciamo che parli lui.

C'erano altri due bravi ragazzi promossi a *figliuoli*, un po' per affetto, un po' per toglier di mezzo l'antipatica idea del mensile.... Perchè poi un personaggio come quello, che aveva una moglie degna di lui, sopportava la presenza d'estranei nella gelosa intimità della mensa ? Lo seppi più tardi. Perchè non aveva avuto figliuoli, perchè gli piaceva la compagnia, perchè da soli, moglie e marito, pure amandosi molto si beccavano.... Ritratti di personaggi illustri con dedica autografa ornavano le pareti con una semplicità strabiliante, da ritratti di parenti e amici comuni : Tommaso Salvini, Fattori, De Amicis, D'Annunzio, « la Duse ».... Era come se l' Olimpo ci guardasse mangiare.

E i pasti ? Cosa importante, i pasti a quella età !

I manicaretti, sì, venivano in tavola, ma non toccavano a noi. Per noi c'era sempre qualche altra cosa.... Il padron di casa aveva l'aria d' invidiarcela, certamente per darsi un contegno, perchè ci voleva bene davvero. Che cos' è quello ? Baccalà ? oh, il baccalà com' è buono ! E si leccava i baffi il furbacchione che si gustava le pernici e le trote. E la signora si succhiava a occhi bassi, i suoi *consommés*, le sue gelatine.

Alla mensa del Maestro, ospite e re, compare un giorno Edmondo de Amicis. Ed ecco il ritratto del De Amicis :

.... un omone vestito di nero con una certa garbata trascuratezza, collo largo, fiocco nero, baffi bianchi, gran naso, gran fronte, una testa aureolata di canizie abbaglianti, qualcosa che faceva pensare a Umberto I, alla festa dello Statuto, al primo maggio. E ci sedemmo a mensa tranquilli come una famigliola onesta e lieta.... Volle veder la terrina della minestra e se la fece portare al suo posto. E con un gesto patriarcale che mi fece molta impressione si mise a scodellar la minestra (ricordo che il mio piatto fu l'ultimo) e non con la semplicità quotidiana con cui faceva la stessa cosa mia madre, ma sì come un rito....

Quale critico del De Amicis avrebbe saputo dir meglio? E spesso è così, in questo libro; Marino carezza e sotto la carezza si sente l'incrinatura dell'unghia. Chi sappia leggerlo, in questo libro trova più che non vi sia detto. Ci sono scrittori che le loro polemiche, le loro poetiche, i loro programmi, tratto tratto nella vita sentono il bisogno di dirli chiari. Altri, i sentimentali, i ritrosi, li nascondono; e qualche volta li nascondono sotto un libro di ricordi.

1929.

Il tempo felice. Ricordi d'infanzia e d'altre stagioni, Milano, Treves, 1929.

ARGOMENTI DI BONTEMPELLI

« Niente da dire » : ecco tre parole che, con un'in-
onazione o inclinazione diversa, servirono di im-
resa a molti cattivi e a qualche buono scrittore
l'oggi e d'ogni tempo.

Le storie letterarie su questo punto sono sbriga-
ive. Dicono le storie : in ogni letteratura, e sempre,
i furono scrittori di cose e, vicino a questi, scrittori
li parole. Scrittori di cose sono gli storici, gli scien-
iati, i moralisti, i politici, e anche i narratori, i
oeti, i fantastici se riescono a render cose e realtà
loro sentimenti e fantasmi. Scrittori di parole sono
utti gli altri : i versificatori e gli immaginifici a
uoto, i prosatori che si nutrono soltanto del voca-
olario, i retori di ogni colore, gli imbalsamatori del
ulla : e per quattro secoli potete raccoglierne a vo-
ontà, dai petrarchisti scendendo ai burleschi, agli
rcadi, ai rigidi classicisti, agli svaniti romantici,
no a bussare alla vacua porta del futurismo. Così
storie letterarie sogliono dire e così dividere con
acile disinvoltura.

Ma, come spesso avviene, anche questa volta la
ealtà è più intricata e difficile degli schemi che se
e danno. E succede spesso che i veri retori, i veri
crittori a vuoto, quelli che effettivamente non hanno
iente da dire, sian da cercare di preferenza tra i
resunti scrittori di cose, politici, storici e oratori ;
tra quei narratori e poeti che si presentano come
boccanti di fantasia e sentimento, e si propongono

da sè impetuosi, travolgenti e irresistibili. E all' inverso ci sono scrittori che si presentano all' inizio come sprovveduti, gracili, e con «niente da dire», e poi proprio per questa delicata e sofferta coscienza del loro «niente da dire» — sia che intimamente reagiscano, sia che vi si rassegnino dolenti — qualche cosa (e talora qualche squisita cosa) finiscono per dire. Tra i poeti, Gozzano, Saba, Palazzeschi, Ungaretti, e tra i prosatori, qualche fine ironista dell'ultima stagione letteraria, non sono cresciuti all'ombra del «niente da dire»?

Nato alle lettere con «niente da dire», Massimo Bontempelli ha tentata l'una strada e l'altra: di volta in volta, ha cercato di darsi un contenuto, di assumersi una parte; oppure si è ironicamente ripiegato sul suo niente, sulla sua indigenza. E questa strada doveva riuscire a lui più propizia.

Letterato di buona scuola, venuto su al tempo del fervore carducciano, professore qualche anno per i ginnasi, curatore di classici e d'antologie, le sue prime prove, critica e versi, furon di classicista. Nelle recenti bibliografie, Bontempelli rifiuta le opere o le fatiche sue di quel tempo, respinge da sè egloghe, sonetti, odi, tragedie, e i dotti commenti. Forse pecca di severità con se stesso, certo d' ingratitudine. Perchè proprio su quelle carte e a quegli anni egli venne formandosi gusto e stile, e apprese allora quell'amore e consuetudine della logica e delle buone lettere che, attraverso le mode e le variazioni, dovevan restare la sua nota costante, quasi seconda natura dello scrittore.

Certamente l'armatura classicista del primo tempo era insieme e da più e da meno delle sue forze. Infatti, appena potè, nei versi e nelle prose, Bontempelli affacciò un umore più libero, tra la burla e il sardonico. Agli anni della *polemica carducciana* (se ancora qualcuno se la ricorda) tra Romagnoli, Borsi e gli altri, Bontempelli apparve sùbito il più libero e intelligente di tutti. Di quel tempo o di poco prima, è anche un volume di novelle, *Il Socrate moderno*, dove Bontempelli narra avventure e disavventure di professori; un po' sul gusto scettico e leggiero di moda allora. Ma insomma, nonostante questa ed altre piacevoli parentesi, la esperienza classicista non finì di soddisfare nè Bontempelli nè i suoi lettori.

Lo stesso, o peggio, si può dire della avventura futuristica che Bontempelli tentò in ritardo, sul finire della guerra, ed alla quale, e per natura e per educazione, egli era singolarmente negato. Bontempelli portava con sè troppo bagaglio di logica e di cultura, per poter reggere al confronto di quegli invasati spesso da burla, ma ignoranti quasi sempre verissimi, che furono i futuristi. Anche l'impressionismo sensuale e visionario, che fu la risorsa dei futuristi migliori, non era per lui.

Queste, le due avventure mancate di Bontempelli; e che forse furono meno eterogenee e distanti tra di loro che non sembri: nell'una e nell'altra, lo scrittore s'illuse di potersi dare un contenuto di sentimento, una sostanza, un tono, con le parole.

Ma tra le due esperienze mancate, tra classicismo e futurismo, egli era pur riuscito una volta a riconoscer se stesso, ad accostarsi alla sua vera maniera, in un volumetto che, sotto il titolo di *Sette savi* (1912), narrava, manco a dirlo, l'avventura di sette pazzi. Pazzi della specie peggiore, logici e consequenziarii; inteso ciascuno a sviluppare un suo sofisma iniziale fino a raggiungere un'illusoria e catastrofica verità. Eutichio, il primo della serie, dopo aver convinto se stesso, a fil di logica, di esser felice, a riprova di questa felicità si precipita da una guglia del duomo.

Tredici anni fa, con quel volumetto Bontempelli mise la premessa che più tardi egli stesso doveva sviluppare in novelle, apologhi, moralità (*La vita in-*

tensa, La vita operosa, Viaggi e scoperte; 1920-22), in un romanzo (*Eva ultima*; 1923), fino alle recenti novelle: *La donna dei miei sogni.*

Senza più illusioni, senza maschere sentimentali qui lo scrittore ha accettato la sua sorte: ora inventa, scrive e descrive sul piano lucido di un'aridità perfetta, tutto inteso a giuocar di logica con l'assurdo a render conseguente e necessario ciò che è arbitrario e pazzo, a far chiaro l'impossibile. Il suo scetticismo è così intero ormai, che l'autore lo dà sottinteso; il suo umorismo si esercitò già su se stesso fino a consumare ogni sorriso; serissimo e vuoto Bontempelli tiene ora, per morale e per estetica, un trattato di logica formale. Sola cura dello scrittore è adesso quella di orlare questo vuoto coi geroglifici di una fantasia esatta. Scaltro nel trar partito da tutti gli inganni delle cose e delle parole, nello scoprire interpretazioni inedite alle più comuni apparenze della vita, lo scrittore tira soltanto a meravigliare. L'arte di Bontempelli qui è giuoco nel senso più leggiero ed alitante della parola. Ma nel giuoco lo scrittore impegna seriamente e con metodo i suoi doni migliori: stile, logica, inventiva. Non gli si può chieder di più.

Se nei primi libri della nuova maniera (*La vita intensa, La vita operosa, Viaggi e scoperte*), restava ancora il dubbio di una volontà coordinatrice e di un'intenzione simbolica tra una figura e l'altra, gli ultimi scritti scoprono più felicemente la loro natura soltanto fantastica e giocosa. Se in *Eva ultima* il contrasto fra l'impossibile e la realtà è più d'una volta avvertibile e stride, ne *La donna dei miei sogni* (ad eccezione forse di qualche novella, come «Giovine anima credula» che ancora risente la *contaminazione*), l'unità tra i due dati è raggiunta con piena felicità.

Bontempelli è ormai maestro nel commutare gli attributi fra l'astratto e il reale, nel dosare gli effetti di quell'atmosfera traslucida, dove i personaggi, senza peso e senza respiro, non più uomini e non ancora burattini, si spostano esatti e geometrici. Quali casi avvengano nei brevi racconti, quali strane interpretazioni vi si diano dello spazio e del tempo, su quanti specchi si arrampichi l' ingegno di Bontempelli, non occorre ricordarlo ai lettori. Chi lesse prima queste novelle sui giornali e le rilegge ora in volume troverà forse che qualche effetto, qualche «trovata» passando nel libro scolora; e lo schema logico che, con poca variazione, le regge tutte, accusa qualche monotonia. In compenso, a un'analisi più vicina, la scrittura e lo stile avanzan di pregio. Meglio che nelle trovate e nei passi discorsivi, l'arte di Bontempelli oggi vuole essere ammirata nei paesaggi e negli ambienti: qui egli vi dà in atto, con espressioni originali e rigorose, quello che là vi promette in enunciato. Si ricordi la landa sterminata e deserta, quasi fuori dello spazio, descritta nella novella «Sopra una locomotiva», e l'interpretazione metafisica di un bar in «Un'anima in un bar». S' è visto che Bontempelli intimamente repugnava alle dispersioni del futurismo; la sua logica rigorosa e vuota, il suo classicismo schematico, il suo filosofico o sofistico speculare dovevan far di lui (come qui si vede) piuttosto un maestro e fratello dei cubisti.

Ma se, dopo aver letto, e avere ammirato ed esserci divertiti, cercassimo di più, e volessimo cioè scoprire l'animo dell'uomo dietro i simmetrici paraventi delle sue finzioni e fantasie, ci converrebbe allora tornare a quella prima immagine del letterato e del logico, intento e ripiegato sulla sua logica, sulla sua letteratura, fino ad averne un senso acuto e, per così dire, medianico. C' è un odore acuto d' ingegno e di buoni inchiostri per queste pagine. Quale sia per essere l'arte sua domani, certo è che Bontempelli possiede ora la logica più astrattamente diritta e consequenziaria, e la più lucida penna della nuova letteratura.

1925.

La donna dei miei sogni, Milano, Mondadori, 1925.

CECCHI O L'ARTICOLO

Fortuna che la vecchia rettorica è proscritta e la nuova non ha avuto ancora il tempo di stabilire i suoi canoni; chè davvero sarebbe ogni giorno più difficile definire l'inafferrabile « genere letterario » che è l'articolo di giornale. Non c'è tema ormai, non argomento o motivo che non possa diventare un articolo. Il sillogismo e la poesia, l'eloquenza e la satira, la dottrina e (perchè no?) la bella ignoranza, con tutti i sentimenti come con tutte le rettoriche, sol che si sappia, si può fare l'articolo. Il terribile Tommaseo, e che articolista anche lui!, aveva tutto preveduto: « gli articoli possono vagare per tutto lo scibile ed il nescibile ». Gli anni tuttavia, il tempo, contano per qualche cosa. Aprite ora i giornali di dieci anni fa e confrontate. D'anno in anno si vede crescere e variare l'articolo e su su ornarsi, arricchirsi, con le virtù, le contaminazioni, le spoglie d'ogni altra letteratura. Qui un pennacchio, là un coturno, una bautta, un par d'occhiali, un tirso. una lira, un po' alla volta l'articolo ha spogliato la commedia, il trattato, la satira, la novella e fin la divina poesia. La metamorfosi, si sa, non sempre riesce; tra l'uovo di ieri e la rana di domani ci sono articoli che restano girini. Ma certo, (a testimonianza anche di stranieri), in nessun paese come in Italia i giornali offrono oggi campionari di così variata e ricca letteratura.

Si voleva dire intanto che Emilio Cecchi, scrittore e saggista, è da ormai vent'anni uno dei più strenui campioni di questa letteratura. Ha scritto articoli a centinaia, e fin qui c'è magari chi n'ha scritti di più; ma pochi come lui hanno sull'articolo addensato tante doti e fatiche; nessuno forse ci ha puntato e giocato su poste così fitte. Attraverso la cruna dell'articolo per vent'anni Cecchi ha fatto passare tutti i versi, le novelle, i trattati, le morali, i caratteri che non ha scritto. Se ogni articolo suo è un vivaio, figuriamoci un libro! Nelle duecentoventotto pagine di questa raccolta, *L'osteria del cattivo tempo*, attraverso i vetri di carta di questa romantica e balenante osteria, le idee, le figure, le immagini, tra nubi e spere di sole, si vedono scendere giù a raffiche. Non c'è che da scegliere.

Il libretto è diviso a regola d'arte. Precedono norme e precetti di buona rettorica; seguono saggi, articoli, fantasie che traducono in atto, in esempio, i buoni precetti. Qual'è dunque in Cecchi l'estetica, la teoria?

Scrittore sui giornali (come vuole la sorte) egli ama il suo mestiere; lo prende tanto sul serio, lo serve così a puntino che con affettuosa confidenza può anche scherzarci su. Dice di sè e dei suoi colleghi: «Questi stiliti che una volta la settimana o più spesso s'arrampicano a parlare alle turbe in cima a una colonna di giornale». Come è antica la loro missione! Orazio satiro, — Cecchi insinua —, fu *essayist*; Pindaro «inventore dell'articolo entusiasta o, come si dice, soffietto»; l'Aretino, e questa va da sè, «precursore della stampa gialla, pioniere del *canard*, battista del serpente di mare». Patrono dei grandi viaggiatori, degli *inviati*, fu un sedentario, «il gran Bartoli»; e i capitoli del Berni non son già *elzeviri*, *varietà* in rima? Messi per questa strada, si può continuare: «San Girolamo nella spelonca non ha un redattore capo che l'assista, ma accanto, che sonnecchia con la lingua fuori, la testa intronata dal perpetuo rombo della polemica, un vecchio leone. Siamo nella terra degli scorpioni e delle eresie ». Credete che basti? Già che c' è, Cecchi continua: « Di rado e sempre più di rado il giornalista ha qualche cosa d'un apostolo. Ma ciò non toglie che gli apostoli siano stati tra i primi giornalisti ».

C' è chi accusa gli scrittori di giornale, e specie i più costanti, i più bravi, di ridursi presto a una cifra, a una maniera. « È un'idea piuttosto vaga dello scrivere credere ci sia una maniera di scrivere senza maniera.... Tutte le maniere più o meno son buone e con tutte si può scrivere. Ma non senza una maniera ». Gli scrittori che Cecchi meno sopporta (e ha ragione) sono gli innocentini: « Che Dio ci guardi dagli scrittori candidi, col cuore in mano, che giurano di non aver maniera.... Fanno finta di scrivere, e si posano la penna sull'orecchio, e si dànno una fregatina alle mani; ma in realtà non scrivono affatto, si lasciano scrivere, sono scritti ». Insomma, perchè scrittore sia, han da esserci stile e volontà. Questa non è soltanto un'estetica, è una morale. « È questa la bandiera sotto la quale vorrei morire. La bandiera del ritorno alle cose concrete; l'abbicì nella babele letteraria; il 6 nella babele economica; la casa e il campo nella babele delle Nazioni ». Così dice Cecchi e dice molto bene.

Questo critico in sostanza è un uomo d'ordine; c' è anzi in lui, ed è il meglio di lui, un nòcciolo popolaresco che non sa scomparire. Quando anche giuoca liberamente di fantasia, fuor di critica e di polemica (com' è qui nella seconda parte del libro), i momenti suoi più felici son quelli dov'egli raggiunge immagini e figure candide: « Dario che ascolta musica », « Sul ritratto d'una bambina dormente ». Sono ancora i motivi tradizionali quelli che più intimamente lo toccano; il « Tranvai a cavalli » che, attraverso la memoria, lo riconduce ai poveri suburbi dell' infanzia.... A volte, un' immagine gli basta a dar ordine a un paese: «Un barcone veniva pel canale specchiante, con un moto così lento che pareva comunicarsi a tutto il paesaggio». Anche dove meno si aspetterebbe, il suo desiderio sa scoprire una figura di poesia..., magari un angiolo in un fattorino della stampa a Montecitorio:

> il nostro bambino era dunque scivolato là dentro forse col pretesto di prendere le cartelle del resoconto o fare un'ambasciata al cronista di qualche giornale. E mentre nell'aula si discuteva e i resocontisti scrivevano e tutti gli altri, torno torno, dormicchiavano o speculavano giù col binocolo, egli stava alla balconata, simile proprio a uno di quegli angeli ricciuti che, nelle antiche pitture, contemplano il mondo, appoggiati al parapetto di una nuvola, il viso nella palma di una mano....

E Cecchi ha un gusto preciso, quasi calligrafico, dell'economia e del buon lavoro; negli orologi delle vetrine, secondo lui, «un tempo anonimo e bianco dorme in attesa di diventare il tempo di qualcuno....». Dall'estetica, alla morale, all'economia, il circolo dell'ordine puntualmente si chiude.

Questa la sostanza, questi i valori intimi, che Cecchi afferma: ma spesso com' è difficile e ritorta la strada per raggiungerli! Se ci si mette, l'autore riesce anche a farvene perder la traccia. Non c' è prova, non c' è avventura ch'egli si risparmi: tutte le culture lo attraggono, tutti i contrasti, gli umorismi lo tentano: le idee, le immagini egli le prova e riprova, le traduce su tutte le scale. Ogni giuoco di contrari l' incanta; conservatore, vi dirà che il solo modo di conservare è quello di passare attraverso tutte le rivoluzioni; uomo probo, vi dice che ottimo mezzo di attingere la santità è quello di peccare con coraggio; e che nessuno afferma con tanta efficacia come colui che sempre dice di no.

E qui conviene dire che Cecchi talvolta abusa un po' di questa dialettica dei contrari, di questo buscar l'oriente per l'occidente. È un gioco che ha anch'esso i suoi rischi. Com'è che questo scrittore tanto bravo e che piace e interessa sempre, non sempre però finisce di convincere? Spesso nel suo articolo c'è tutto; manca però, o non si vede, il perchè dell'articolo. Tra tante figure che ammiccano, succede che l'oggetto primo, quello che più importava, non si ritrovi. L'interesse di Cecchi alle cose dello spirito è schietto, la sua informazione è ricca e anche rara, il suo linguaggio aderente e dove occorra poetico, tutto il suo lavoro sa magari di scrupolo, eppure spesso voi sentite di poggiare il piede su una zattera ben travata, sì, e fiorita e avventurosa, ma a cui resta incerto l'approdo. Nel giuoco dei contrari, il suo umorismo è tagliente (i suoi inglesi), le sue allusioni sono tra le più fantasiose e le più fini; ma quando v'accorgete che Cecchi non soltanto ride, ma poi ride d'aver riso e che le sue allusioni possono rifrangersi l'una nell'altra all'infinito, in un'aria quasi astratta, allora vi prende lo sgomento di un pericolo, e sentite il bisogno di riprender terra.

Sono queste le ombre, le nuvole del suo cielo. Ma quando poi è sereno, ne viene a lui e al lettore un azzurro anche più schietto. Il suo pensiero critico per riuscire (come spesso è) tra i più acuti del nostro tempo; la sua poesia per esprimersi (come spesso avviene) così nitida, vibrata e così sua...., hanno bisogno di passare anche attraverso quei rischi. E quanti sono poi gli scrittori dei quali si può dire che, come le meridiane, non segnano che le ore serene?

1927.

L'osteria del cattivo tempo, Milano, Corbaccio, 1927.

BACCHELLI ROMANZIERE MORALE

La vocazione di Riccardo Bacchelli al romanzo, è cosa antica. Giovanissimo egli cominciò proprio con un racconto, *Il filo meraviglioso di Ludovico Clò*, che pochi han potuto leggere perchè uscì, così dicono le bibliografie, in «edizione privata». Ed è certo che, dei tre o quattro buoni romanzi che sono apparsi gli ultimi anni, uno almeno è il suo. Ma è altrettanto certo che nei romanzi di Bacchelli quello che lascia spesso un po' dubitoso il lettore è proprio l'elemento più romanzesco. Così anche in questa *Città degli amanti*. Che è così bel libro che alcuni dei suoi capitoli, (per esempio il terzo, il sesto, il settimo, l'ottavo) dopo letti si torna volentieri a rileggerli. Ma è anche un bel «romanzo»? La parte debole del libro sta proprio lì.

Il quadro rappresenta un' ipotetica città del sole o città d'utopia, di quelle che si trovano soltanto «nell'atlante dei sogni e degli errori»; una città «dove l'amore sarà libera legge, dove gli amanti potranno cercare la felicità, dove Abelardo non sarà mutilato e Virginia non perderà Paolo....». In un angolo dell'America selvaggia, questa città l' hanno fondata Titus, un miliardario scontento, Eustachius, un pittore fallito, americani entrambi, con l'aiuto di tal Pisciavino, lucchese. «Nella città della libertà d'amore nulla doveva essere impedito»; c'erano anche i «punti franchi» per gli erotomani e i pazzi. Quanto alla religione, «l'assistenza ufficiale della città, fu decretato dover essere psicanalitica. Era logico. Un distinto collegio di seguaci di Freud e di Joyce fu solennemente insediato con begli stipendi». Come funzioni, o piuttosto come ironicamente fallisca questa città sperimentale, l'avete già capito : i due soli amanti veri, amanti d'amore, che vi capitano, non possono viverci, scappano. Bacchelli trova molti tipi, spunti, motivi alla sua satira ; ma proprio la satira, quel pungente, quel sale, di rado crepita nelle sue pagine. Il piano di questa *Città degli amanti* è ingegnoso, ma è grave, ma pesa ; dentro non vi circola quell' invenzione leggera, quell' imprevisto, quel che di sorpresa, di inedito, che in occasioni simili sono la gioia, mettiamo, di uno Shaw ; anche Bacchelli accenna, sì, a tipi e a tèmi umoristici, ma l'umorismo raramente si accende.

E se il suo libro consistesse tutto qui, tutto nell' invenzione e nella satira della fantastica città, sarebbe poca cosa. Ma è chiaro che il gusto vero dello scrittore sta altrove. Ecco che Bacchelli riposatamente ci racconta l' idillio amoroso del pittore Eustachius e di Jannette, e l'ottobre da loro trascorso, in mezzo alle vendemmie, in una terra di Francia. O, in terra nostra, durante la guerra, nella piana veneta, ci descrive l' incontro e l'amore di Cecchina Gritti e del tenente Enrico De Nada, nei giorni fortunosi della ritirata. I due episodi sono premesse, antefatti del romanzo (Eustachius e De Nada andranno poi tra gli abitanti della favolosa città); ma ci vuol poco a sentire che questo è il Bacchelli vero, che soltanto qui lo scrittore è davvero ne' suoi panni.

Son duecento pagine di cui Bacchelli può andar fiero. Lo scrittore accorda le figure umane al paesaggio, e il paesaggio alla storia e ne trae giudizi e moralità con un gusto riposato, un equilibrio sano, una maturità di giudizio che è sempre di pochi. C' è oggi chi descrive e chi fa ritratti, chi dà giudizi e chi fa poesia ; si dà anche che uno stesso scrittore adempia a questi diversi uffici, — ma in sedi separate, e qui è pittore, lì è critico, là è poeta. Bacchelli ha ritrovato invece il gusto di una prosa morale, ricca e piena, insieme alacre e lenta, capace di investire d'ogni lato la vita e di portarla. Un critico, il Titta Rosa, per la pienezza di certe pagine venete ha ricordato e ben ricordato qui il Nievo. Il Bacchelli resta però più letterato, più moralista e storico, del romanziere veneto. Nel suo libro, gli uomini, le cose, le idee, i paesaggi sono in reciproco equilibrio l'uno a complemento dell'altro, per cui alle figure, alle persone è vietato assumere statura e rilievo oltre quel segno. Nel capitolo più bello, Cecchina Gritti e il tenente De Nada non fanno soltanto all'amore, ma col loro amore e in quell'ora sono lì a rappresentare, senza dirlo, il desiderio, la malinconia, la fedeltà italiana alla terra italiana. Volentieri aforistico, spesso sentenzioso o motteggevole, l'autore tratteggia i suoi personaggi, meglio che come figure autonome e passionali, come simboli o come caratteri. Le persone per lui sono elementi del gusto, della storia, del mutevole dramma della loro terra. In questa dipendenza e soggezione trova i suoi succhi migliori lo scrittor morale, — e trova i suoi limiti il romanziere.

È dunque probabile che con *La città degli amanti* Riccardo Bacchelli ci abbia dato un romanzo mediocre ; tutta quell' impalcatura americana si sente tirata su a forza e di contraggenio ; e si può anche dire che in questo romanzo vale più l'antefatto del fatto, che è meglio la cornice del quadro. Ma è certo che i capitoli che narrano la ritirata, la riscossa di Codroipo e l'amore del tenente De Nada per Cecchina Gritti, in quella campagna del Veneto, son quanto di meglio, di più maturo, di più umano, sia nato nella letteratura fantastica dall'esperienza della guerra.

1929.

La città degli amanti, Romanzo, Milano, Ceschina, 1929.

II

IL CLIMA E IL TEMPO DI ALESSANDRO BONSANTI. — L'« ADAMO » DI EURIALO DE MICHELIS. — RACCONTI DI PIERO GADDA. — GIOVANNI COMISSO, SCRITTOR GIOVANE. — GIANI STUPARICH TRIESTINO: I. RACCONTI. II. GUERRA DEL '15. — IL REALISMO DI MORAVIA. — L'OPERA DI ETTORE CANTONI. — L'ARTE DI CORRADO ALVARO. — ENRICO PEA SCRITTORE D'ECCEZIONE. — L'UMORISMO DI CESARE ZAVATTINI. — « I TETTI ROSSI » DI CORRADO TUMIATI. — IL RISO SCEMO DI CAMPANILE. — RENZO MARTINELLI FIORENTINO IN ERITREA.

IL CLIMA E IL TEMPO

DI ALESSANDRO BONSANTI

Chi ascolta i discorsi dei giovani letterati, oggi sente nominati molto spesso il *tempo* e la *durata*, lo *spazio* e la *temperie*, la *stagione* e il *clima*; sembra di essere su per le scale dell'osservatorio di Arcetri, e invece siamo nel bel mezzo dell'estetica odiernissima. Se dicessi d'intendere sempre le ragioni o gli arcani di questo gergo, direi un'inutile bugia. Ma se dicessi che la colpa di questo mio non intendere è tutta degli altri, cadrei in presunzione. Ogni nuova generazione di scrittori adotta fatalmente il suo cifrario, il suo gergo: è un modo di far lega più stretta, di distinguersi dal volgo, di darsi coraggio. Si aggiunga, gran cosa!, che i gerghi e le formule, senza sembrare, favoriscono segretamente la pigrizia mentale di chi li usa, e ne aumentano l'autorità. Non è, in fine, un gran male; quando poi gli anni si arrotondano, il gergo cade da sè, e chi ha qualcosa da dire, finisce per dirla con le parole di tutti.

Oggi dunque in letteratura si parla molto di *tempo*, di *durata*. Se ne cominciò a parlare tra noi, sull'esempio francese, dopo che il *tempo* perduto e ritrovato di Proust ebbe in qualche modo fornito una riprova alla *memoria* di Bergson. Riconosciamo subito che sotto la formula ripetuta c'è qualcosa di concreto, un fatto vero. Che cosa? Vent'anni fa, gli scrittori giovani avevano passo di bersagliere, si avventavano sulle cose. L'impressionismo, il verismo, il futurismo e altri *ismi* erano scuole del minimo mezzo, del tempo più breve, del «fatti sotto», dello «sparecchia tu». Oggi invece, tra i giovanissimi, il motto d'ordine è «adagio Biagio». Ieri piaceva l'impetuoso, il brillante, l'impulsivo; oggi piace il riflessivo, l'assennato, lo stanco. Crepuscolari e neoclassici, quelli con la malinconia ironica, questi con lo studio dello stile, ci hanno portato a questa pace; e poichè frutti buoni ne sono venuti e ne vengono, non saremo noi a dolercene. Vent'anni fa uno scrittore giovane si raccomandava tutto ai suoi occhi; oggi anche un giovanissimo si affida tutto alla sua memoria. E come frappone tempo tra sè e l'arte sua, così nell'arte, nel racconto cura le successioni, i tempi, le *durate*. Regina oggi è la memoria. Spesso, (e per forza), si tratta di una finta memoria allegorica, un giuoco interno di specchi per allontanare da sè le cose. Arte e maniera; e già i più bravi temperano così bene l'una con l'altra da toglierci financo la voglia di distinguere. Bravissimo fra tutti pare a me Alessandro Bonsanti: scrittore così giovane che senz'altro lo diremo di leva.

Riposato, sereno, il giovanissimo Bonsanti narra i sette lunghi racconti de *La serva amorosa* proprio come chi ricordi; abbandona figure e paesaggi nella corrente lenta del tempo. Pone la scena di tutt'e sette i suoi racconti ai primi dell'Ottocento in Toscana, e più spesso in Maremma; e così guadagna un secolo. Non basta. Quasi sempre nel suo racconto interviene un vecchio signore o un guardiacaccia o un servo o un brigante, e si mette lui a raccontare casi e fatti della sua gioventù; e così si cambia secolo, sono altri cinquanta o ottanta anni recuperati alla rovescia. (Mi viene in mente adesso Papini. Dopo aver ascoltato a lungo Ferdinando Martini che, vecchissimo, ricordava cose di gioventù, e, come avviene, allacciava i ricordi suoi con quelli di chi, lui giovane, era già vecchio, — e se ne faceva della strada all' indietro ! — Papini alla fine osservò al Martini : — Con dieci uomini come lei, messi in fila, si arriva a veder Gesù !).

Bisogna riconoscere che il Bonsanti fa buon uso del tempo che recupera ; ne ricava ai suoi racconti una patina, una velatura che piace. In lui lo sforzo antiquario non è troppo avvertibile ; le armi, le vesti, le carrozze, le suppellettili del tempo lontano s' incontrano nella sua prosa, senza urto o sorpresa. Solo quando i suoi personaggi, invece che del *lei*, si dànno troppo fitto dell'*ella*, ne viene un certo sorriso.... « Rinasco, rinasco del mille ottocento cinquanta ! ».

Che cosa racconta il Bonsanti ? Benchè nel libro si parli spesso o sempre di briganti, di belle donne, di amori, di cacce, di viaggi, non aspettatevi fatti o nodi drammatici. L'acqua di questi racconti cola quieta senza vortici e senza cascate. Due bande di briganti s' incontrano in una valle deserta e fanno rancio in comune ; aiutando il vino, i capi si raccontano le loro prodezze, e intanto gli uomini delle due bande stanno per azzuffarsi ; poi non accade nulla, e ciascuno riprende la sua strada (« Viaggio »). Tre masnadieri e una loro bella donna arrivano una notte a una fattoria : il garzone della fattoria s' innamora della brigantessa ; la mattina la brigata riparte, e Bardozzo il garzone la lascia andare : finirà poi per concludere : *una donna vale l'altra* (« Briganti in Maremma »). Altri briganti appostati o a spasso s' incontrano in « Una partenza contrastata », in « Partita di caccia ». Maria Luisa di Parma invia la cantante Adriana al Granduca per una serie di spettacoli ; per via la donna trova il modo di far girare la testa a certo abate (« L'Adriana »). Un giovine signore viene di provincia a Firenze per conoscervi il bel mondo e impararvi le maniere: s'innamora qui della cugina e s'avvede infine che il viaggio, la dimora fiorentina, l'amore della cugina, tutto era stato in precedenza ordito dai parenti («Un matrimonio combinato»). Una vecchia serva è così innamorata del padroncino che vorrebbe indurre alle voglie di lui una onesta ragazza; ma un vecchio di casa, Zi Meco, impedisce lo scandalo («La serva amorosa»).

Il lettore avrà già esclamato: quanti briganti! Niente paura: sono i migliori briganti del mondo; conversevoli, umani, fantasiosi, veri poeti travestiti. Anche le altre figure di questi racconti, gli zii, i servi, i pedagoghi, la nonna, le damigelle, i giovani del bel mondo, dal più al meno, tutti stanno nel racconto, e l'autore vuole che ci stiano, «come in un quadro». È anche destino che, in queste novelle, i fatti annunciati o preparati non avvengano mai; e lo scrittore ripara alla delusione con un suo commento morale in sordina, d'un tono che ora arieggia il Nievo, ora il Manzoni. (Se si nascondesse nel Bonsanti una vena di moralista? Lo vedremo domani). Per oggi, più che le morali, più che i fatti e le persone del racconto, all'autore importano la stagione, il paese, e l'ambiente: i monti, le marine, le albe, i tramonti, i cieli, i meriggi che si aprono placidi su queste pagine, fioriscono, e poi ci si fermano su, lasciando che il tempo coli. L'artista li ritrae a tratti larghi, come chi vede di lontano o ricorda; e armonizza più spesso in grigio, ma con felice ariosità. Per ora qui, e non nei fatti, non nelle figure, è rivolto il migliore ingegno del Bonsanti, e qui tutti gli battiamo le mani. I suoi amici scrittori, per parlare di lui, si sono richiamati appunto alla pittura, a Corot, a Millet....

Sono citazioni ad onore. Ma quando, per giustificare un'arte, si ricorre con insistenza a un'arte diversa, spesso senza volere se ne indica e se ne accusa un difetto.

E il difetto è chiaro: in molte pagine del Bonsanti il decorativo resta fine a se stesso. Se, leggendo, saltate un periodo o una pagina, troverete poi variato il cielo, il paese sarà un altro; ma è facile che, alla nuova pagina, il racconto lo ritroviate al punto di prima. In questo libro il tempo è così lento che par fermo: «Del tempo passò, punteggiato soltanto dal ronzìo degli insetti»; sono parole di Bonsanti che sembrano l'epigrafe dell'arte sua.

Sarebbe forse nel giusto chi dicesse che al centro dell'arte del Bonsanti, come di tanti altri, non sta l'uomo, nè il fatto e neanche il *tempo* o il paese; centro e protagonista vero ne è la stessa voglia, l'arte stessa di scrivere. Arte pura o narcisismo?

Ci basta avere accennato a quello che oggi è il pericolo del Bonsanti; nel quale è più facile sorprendere un sorriso di stanchezza, che uno di quegli scatti, di quegli improvvisi errori dei giovani. Il Bonsanti da natura ha sortito un dono pericoloso: quello di poter apparire sùbito molto composto e bravo. Se domani, nel perseguire interessi più umani, questa apparente compostezza o bravura si scomporrà alquanto, sarà un bene. Due novelle, la prima e l'ultima del volume; due figure, Bardozzo, il ragazzo che per un'ora sospira d'amore, e Zi Meco, il vecchio che vuole il bene; sono forse, per il domani, e per un'arte più umana, le figure più promettenti di questo libro.

1930.

La serva amorosa, Firenze, Solaria, 1930.

L' « ADAMO » DI EURIALO DE MICHELIS

Dopo il *Vecchio* di Svevo, pubblicato postumo qualche anno fa, credo che non si fosse letto ancora tra noi un racconto di tanta intimità e di così stretto rigore analitico come questo *Adamo* di Eurialo De Michelis.

Benchè giovanissimo e anzi appartenente alla sempre più ricca schiera degli scrittori sotto i trent'anni, il De Michelis non è nuovo alle lettere. Nel 1927 pubblicò un volumetto di versi, *Aver vent'anni*.

> Aver vent'anni è come dire al mondo :
> « sono venuto e questo è il mio giardino ».

Il distico dava il titolo e il tono al volume. Vi si cantavano gioie di vita e di natura, amori, orizzonti marini, paesaggi lagunari. Sulle prime, l'avreste detto un'ennesima incarnazione del dannunziano *Canto Novo*. E d'altronde pare giusto in ogni tempo che un giovane debba cominciare così. Guardando meglio, ci si avvedeva però che quella apparente baldanza, quella gioia di vivere erano cose effimere, non radicate nella natura vera del poeta ; nascevano dalla fisiologica felicità di una stagione, non dal carattere. E il poeta fin d'allora si rivelava meglio nei toni minori, nei tèmi ripiegati, dove, fuor della natura, egli si trovava a faccia a faccia con sè. Il De Michelis dimorava allora a Venezia, e nelle sue pagine si alternavano marine solari e pallide lagune ; meglio che nei liberi orizzonti del mare, la sua poesia si rifletteva nelle brume e negli specchi lagunari interpretati come malinconiche allegorie di se stesso. Più ombra che sole, più sogno che vita.

> Così uniti, così per mano,
> noi andiamo come in un sogno.
> O forse non sono io che sogno
> di andare ?

Uno dei tèmi ritornanti e più sentiti nella poesia del De Michelis è quello della solitudine : « poi che son solo » ; « me con me solo ». E ciò che più meravigliava nel poeta giovanissimo era il dominio di sè, il gusto riflessivo esercitato fino all'amarezza ; e, anche nelle ispirazioni più labili, una fermezza di parola, una forma cosciente e quasi mortificata, non da giovane.

> S' io potessi soltanto essere uguale
> a me stesso, nell'urto delle cose....

Decisamente sono due versi brutti ; ma ci mostrano bene il poeta rivolto su sè, a definirsi. Nonostante qualche contraria apparenza, il poeta non si muoveva dunque nella scia del *Canto Novo* ; apparteneva anzi alla famiglia degli autocritici, dei moralisti. Avessimo dovuto acclimatarlo tra gli immediati predecessori, avremmo nominato forse Boine, Slataper, Jahier.

Il racconto ora uscito, *Adamo*, ribadisce la parentela ; e più particolarmente qui si pensa a Jahier. Anche il De Michelis è figlio d'un pastore protestante, soffrì anch'egli le strettezze della famiglia numerosa ; e il libero esame, l'abito di render quotidiano conto di sè a se stesso hanno stabilito intorno a lui un'ombra isolante, quasi un cerchio egocentrico. Si aggiunga che i tre anni che corrono tra i due libri furono gravi per il De Michelis : la salute parve abbandonarlo, il poeta conobbe la *via crucis* dei sanatorii. Soltanto ora egli riprende il suo lavoro ; e della lontana infanzia, della giovinezza minacciata, della crisi sofferta, ci dà un racconto vero-fantastico, un romanzo che prende posto tra i migliori esempi della letteratura analitica odierna.

Adamo è il racconto di uno sfiduciato, un'autobiografia fallimentare. Motivo romantico infinite volte ripetuto dalle letterature moderne, ma, come si vede, sempre verde. Quale sia il male che ha attossicato questa giovinezza, e fermato in erba questa vita, è detto chiaro al principio del libro:

tutto il tempo passato è disteso davanti a me come in un quaderno: uno sforzo di adeguare la vita pratica alla vita dell'anima, e prima la gioia di trovarlo semplice e naturale, e poi lo smarrimento di non riuscirvi più; e poi a uno a uno i compromessi a cui l'anima non avrebbe mai acconsentito, a cui tuttavia si piega tacendo.

Il libro narra le tappe di questo male, le intime stazioni di questa via dolorosa. Il ragazzo ha vissuto i primi anni nell'aria provinciale di Vicenza, felice nell'accordo familiare; anche la noia domestica gli piaceva: «la nostra noia non ha niente di penoso tanto è una cosa sola con la tranquilla felicità che è in noi di vivere e di essere insieme». Poi l'accordo si rompe; crescendo, il ragazzo si avvede di esser diverso, e tra i coetanei quasi di un'altra razza: «pensavano che mi dessi arie, e non era vero; ma, preoccupato che non sembrasse, avevo in me qualcosa di poco spontaneo che mi allontanava da tutti». Questa intima lontananza, questa diversità dagli altri van crescendo con la vita: non solo l'ambiente familiare gli diviene lontano e quasi estraneo; ma anche quando, compiuti i primi studi, il ragazzo abbandonerà Vicenza e andrà a Venezia impiegato, i nuovi contatti, gli amici, le donne, lo deluderanno. Dopo i primi approcci, egli sperimenta in ciascuno un'incomprensione, spesso una volgarità che l'offendono. E peggio lo disgusta una donna bella che gli consente, diventa la sua amante, ma non lo capisce. Si allontana allora anche da lei, e, per sè, non ha più nessuno. Peggio, la solitudine esterna gli si converte un po' alla volta in un vuoto intimo: «i giorni si aggiungono ai giorni e diventano mesi; i mesi ai mesi e son anni: questa diventa a un certo punto la storia della vita». «Ma che cosa è di vivo in me se non la fatica di vivere?». Così, prima dei trent'anni già gli pare di esser finito. Tornato a Vicenza per salutare un fratello che sta per partire per l'America, una sera, mentre sul poggiolo aspetta l'ora di cena, «un colpo di tosse mi riempie la bocca, mi soffoca in gola. — Mamma! — È sangue. Ella accorre a reggermi il capo, mentre la tosse continua. Pallida mi fa cenno che non ha paura». Comincia la triste vita dei sanatorii. L'ultima pagina del libro descrive il tacito entrar dell'alba nella corsia.

Dal letto vicino al mio, le coperte sono scivolate a terra. Due spalle magre vestite della sola camicia si muovono nel respiro difficile e l'aria del mattino è fredda. Mi alzo. Proprio come se fosse uno dei miei fratelli, sollevo adagio le coperte cadute e quello, continuando il sonno, non se ne avvede.

L'atto pietoso sta forse a dire che finalmente l' intimo gelo si rompe; e con quel calore appena di carità, ricomincia la vita.

I casi, i fatti di questa autobiografia romanzesca possono esser comuni; ma non è comune l'occhio che li osserva, il rigore che li lega e la chiaroveggenza analitica.

Il libro segue da vicino le fasi di una duplice malattia. L'uomo del De Michelis o, come il titolo dice, il suo Adamo, prima che da un male fisico, è affetto da un male morale. Adamo appartiene alla famiglia degli egoisti dolenti; quelli che per amore di sè, per difendere la propria integrità spirituale, si rifiutano agli altri, si inaridiscono, si fanno il vuoto intorno. Ne fu data sentenza nel Vangelo: « chi vorrà salvare la propria anima, colui la perderà; la salverà chi vorrà perderla ». Lo scrittore è cosciente sino in fondo della malattia morale del suo Adamo? O sussiste una intima solidarietà sua con la psicologia del personaggio? Non so; e agli effetti dell'arte non importa molto sapere. Certo egli segue le fasi di questo male con una vigilanza acuta. Non teorizza, non discute, non dà nell'astratto mai; il suo Adamo è concretissimo, tutto cose, fatti e sentimenti. Di capitolo in capitolo noi lo vediamo crescere, staccarsi dalla famiglia, prendere a varie riprese contatto col mondo, con gli amici, con gli amori, con le donne; e poi ogni volta, offeso, ritrarsi, isolarsi nella difesa e quasi nel culto di sè. Il dialogo di quest'uomo con gli uomini finisce sempre in soliloquio; anche questo Adamo, come tanti altri, è un religioso senza Dio; uomo buono, ma senza intima carità. E più il sentimento e la materia del racconto si fan sottili e mobili, e più l'occhio dello scrittore è fermo, e la sua mano sicura.

Lo so, dire oggi d'uno scrittore che egli sa leggere nell'anima umana, e sa fissarne alcuni moti, sa ritrarne qualche aspetto, sono lodi che commuovono poco. E non escono ogni anno, da noi e dappertutto, romanzi a decine e novelle a migliaia in cui l'uomo e le sue poche virtù e i suoi molti vizi a ogni pagina ci si squadernano? Infatti, sembra così. Eppure con tanta psicologia e introspezione, tanta analisi e psicanalisi, non fu mai raro come in questi anni, dopo letto un racconto o un romanzo, ricordare un carattere, una passione, un uomo. L'abuso dell'analisi è facilmente micidiale; analizzar tutto equivale facilmente a non veder più niente. E nei racconti per definizione analitici più spesso l'analisi resta cosa

sè, astratta. Gli scrittori naturalisti di ieri facevan
ensare spesso a una clinica; gli analitici di oggi
on di rado ricordano gli esami di gabinetto; il loro
rotagonista potrebbe essere indicato astrattamente
on un X, o esser detto, senz'altro nome, « il pa-
iente ». E anche i buoni scrittori, anche i giusti,
ggi peccano spesso di questo peccato.

Il De Michelis ne è immune; ha saputo adoprare
uesto fuoco, senza scottarsi. Anche perciò il suo
ibro è da indicare: nell'*Adamo* voi risentite a un
ratto, con meraviglia, l'accento inconfondibile della
erità singola, dell' individuo (che è quello e non
n altro) intuito e ritratto.

Se ci fosse poi consentito, un consiglio no, ma un
ugurio al giovane scrittore, vorremmo che l'auto-
iografia dell'*Adamo* concludesse davvero la sua gio-
inezza. E che la sua arte si riallacciasse domani a
uei capitoli del libro che si staccano dall'egotismo
iovanile e sono più umani, più ricchi di persone e
impatici. Oltre che in se stesso, con raro acume,
l De Michelis sa anche guardare negli altri. I capi-
oli della vita familiare a Vicenza, quelli degli in-
ontri con l'amante a Venezia e a Padova, la par-
enza del fratello per l'America, la rivelazione della
isi, il sanatorio, e insomma tutti i passi del libro
he, rotto il cerchio analitico e autobiografico, si me-
colano alla vita degli uomini, nel troppo esclusivo
nalitico di oggi sembrano annunciare un narratore.

1930.

Aver vent'anni, Versi, Milano, Alpes, 1927. — *Adamo*, Ro-
nanzo, Vicenza, Jacchia, 1931.

RACCONTI DI PIERO GADDA

Basta leggere anche poche pagine sue, per ren dersi conto subito di quali sono le qualità di Pier Gadda: un piacere della natura nitido, se non pro fondo, occhio analitico e chiaro su di sè e sulle cose gusto istintivo per la scrittura pulita: molto ordine Non basta invece aver letto anche molte pagine su e magari tutti i suoi libri (che del resto son pochi e pia cevoli a leggere) per dire di aver capito bene qual proprio è lo scopo di questo scrittore, dove mira qualo intima molla lo muove. Al fondo di ciò ch Gadda dice, resta spesso un che di ozioso e di inu tile; che non è certo l'oziosità volgare di chi parl assente o a vuoto, ma non è neppure quella inutilit superiore e catartica dell'arte sovranamente raggiunta per cui lo scrittore « guarda e gode e più non vuole » Diremo, se mai, che l'ozio di Gadda resta tra i due...

Dei tre racconti che compongono il libro, *A gonfi vele*, il più vecchio è « Liuba » (edito già nel 1926 che segnò, al suo apparire, il primo successo dell scrittore. Piacque allora e piace anche oggi a rileg gerlo. Ci si sente un artista in succhio che sa trarr partito da climi e paesaggi esotici (il fatto si svolg a Tiflis, nel Caucaso), da casi straordinari e avven turosi (c'è sullo sfondo la rivoluzione bolscevica, al centro del racconto una rovinosa giornata di ter remoto); e insieme c'è, in tutta questa storia dell giovinetta Liuba, cercata e amata nella morte, un fresco gusto idillico, una tradizionale e nuova genti

lezza di amore e morte, che rasserena e commuove. Il quadro non si può dire sciupato neppure da un certo diletto estetizzante nella composizione delle scene, neppure da qualche tono chiaramente dannunziano; «fiamma che oltre Liuba e la morte per un attimo fosti mia gioia, prendimi tu sempre, o Irrequieta, nei giorni dello sconforto troppo umano....». Negli appuntamenti esotici del racconto (quel Caucaso, quel viaggio in Persia via Bacù, quei bagliori di rivoluzioni e di terremoti) qualcuno risentì anche un'eco del Conrad, che proprio allora tra noi si veniva scoprendo. Ma sono accostamenti e piaceri che si concedono volentieri a un giovane; e «Liuba» resta una delle più felici prove di un'arte (fu, questo, lo sforzo meritorio di Gadda e di altri a quegli anni) decisa a passare dal frammento estetizzante a un più umano racconto. E quanto a disciplinarsi, Gadda ci ha poi pensato, e anche troppo, da sè.

Ne sono prova gli altri due e più recenti racconti del libro: «Ulisse e i Ciclopi» e «A gonfie vele» che dà il titolo al volume. I casi che si narrano in questi due racconti, Gadda non li ha inventati lui; li ha ri-inventati, gli vengono dalla letteratura. D'altronde, entrare nelle invenzioni altrui per trarne un senso nuovo, una nuova morale per sè, fu sempre e resta ancora un legittimo modo dell'arte. Ma a quale scopo e con che animo Gadda ha tentato la prova?

Nel racconto di «Ulisse e i Ciclopi», Gadda entra nel libro nono dell'*Odissea* (al tempo suo, lo fece anche Euripide, e con scopi non molto diversi) e rifà a suo modo, cioè smonta con certo gusto ironico e borghese il celebre duello tra la forza bestiale di Polifemo e l'astuzia di Ulisse. Ristabilisce le proporzioni, trova le verosimiglianze: i Ciclopi? Non erano che un popolo di pastori, diciamo pure, di eccezionale statura; Polifemo? «Polifemo stava ferrando un cavallo nel cortile della fattoria, aiutato dal garzone maniscalco.... »; Ulisse? « Non era il primo venuto, aveva occhi furbi e luminosi. Parlava fantasioso e colorito, un vero commesso viaggiatore » E tutto quell'episodio eroico, si riduce in fondo a un contrastato furto di capre. Dopo aver così smontato il mito, lo scrittore lo rimonta: e ci mostra come attraverso la fantasia di Ulisse e dell'Aedo, quella modesta avventura venisse a prendere le fantastiche proporzioni che tutti sanno. Poteva uscirne una specie di « moralità leggendaria » alla Laforgue. Ma in Gadda il reagente logico è scarso e il gusto ironico poco e nell'invocazione finale dell'Aedo, quando cioè lo scrittore dopo lo scempio fattone, vorrebbe ristabilire i diritti e la superiore verità del mito, si affaccia anche una certa rettorica.... È chiaro insomma che Gadda, pur non trascurando del tutto gli spunti intellettuali e ironici del suo tema, non si è tanto impegnato nella morale del racconto, quanto si è vivia compiaciuto nelle scene idilliche, agresti, pastorali, che la trama gli offriva. Il suo vero gusto è qui in queste limpide, fresche, e un po' levigate « nature

Questo piacere riduttore è altrettanto chiaro nell'altro racconto, « A gonfie vele ». Qui Gadda rifà parte del gran viaggio che sulla fine del '500 il mercante fiorentino Francesco Carletti compì e descrisse intorno al mondo. Dal Messico, attraverso l'arcipelago delle Marianne, Gadda si accompagna col Carletti fino alle Filippine. Mette cioè a profitto il « Ragionamento sesto » del fiorentino, riportandovi episodi e fatti anche dai precedenti « Ragionamenti

Il confronto tra i due scrittori, meglio che con un discorso nostro, riuscirà vivo attraverso un esempio. Episodio saliente del « Ragionamento sesto » del Carletti e di tutto il racconto di Gadda, è quel frtino di San Francesco che, alle isole Marianne, mentre le barchette degli indigeni sciamavano intorno alla nave, spinto dalla fede e dalla sete del martir saltò in una barchetta e sparì con quei selvaggi. Scrisse dunque il Carletti:

Il buon frate.... prendè un suo breviario e una crocetta di legno dove era dipinto un crocifisso; e messosi l'uno e l'altro nelle maniche dell'abito s'accostò simulatamente ad una delle bande della nave dove stavano di molte di quelle barchette barattando le loro robe col nostro ferro; e mentre parlando con me diceva: *o che lastima d'estar pobres hombres,* si lasciò cascare a piombo in una di quelle barchette che stavano più presso alla nave, del che que' barbari che v'erano dentro, meravigliati e quasi spaventati, subito cercarono di scostarsi dalla nave, dubitando forse che altri non volesse fare il simile, *e cominciarono ad alzar l'abito al frate, a toccarlo per tutto il corpo, quasi non conoscessero che sorte di uomo fosse. Egli poste le mani nella sua manica, cavò fuori la sua croce, e baciandola egli, la passava a loro, che la baciassero; ma quelli non intendendo nè sapendo questo misterio, la presero in mano e senza baciarla altrimenti, la posero in altro luogo; e s'addirizzarono con la loro barchetta verso una di quell'isole, verso le quali il padre dava ad intendere coi segni che faceva colle mani che lo conducessero, siccome fecero in un baleno.*

La stessa scena, nel racconto rifatto da Gadda, si trasforma così:

Frate Albino nel frattempo, preso il suo breviario ed un piccolo crocifisso di legno, s'era fatto nella corsìa più bassa per saltare in una di quelle barchette. Nessuno era intorno a lui. *In questo momento sentì come un dolce rimpianto della vita, che gli appariva intorno tanto lieta di colori e di voci. Piegò un ginocchio e: «Signore», mormorò con picciol moto di labbro, «vedi quanto sono misero e solo, non abbandonarmi anche tu!».* Avendo così pregato, strinse il suo volere, raccolse tutte le forze del corpo e spiccato un salto tanto agile che parve un miracolo, si trovò in una di quelle barchette. Gli indiani, spaventati, dato di piglio ai remi si scostarono dal galeone, e, seguiti da altre giunche, se ne fuggivano verso la costa.

Chi confronti i due brani (e i due *corsivi*) si avvede che in Gadda quel che era più vivo del racconto del Carletti si è perso: certo vi si è sostituito un passo di accento più intimo e moderno: ma io credo che nel cambio noi ci si scapiti.

Eppure anche questo racconto di Gadda è ottimamente condotto; la navigazione non potrebbe essere sceneggiata meglio; il mare, il bastimento, le figure e gli incidenti di bordo, la carestia, i fortunali, le tempeste, la novità delle isole, i selvaggi, i missionari, tutto è ben legato, tutto cade a tempo. E ci sono tante belle « marine », da riempire una intera sala di esposizione. Quel che manca qui e in altre recenti prose di Gadda (e c'era invece in « Liuba ») è, al punto giusto, quell'improvviso tremito, quel guizzo vivo per cui un buon lettore, (come il pescatore di lenza) drizza gli orecchi e dice a sè: ora ci siamo!

1931.

A gonfie vele, Milano, Ceschina, 1931.

GIOVANNI COMISSO, SCRITTOR GIOVANE

A che cosa si riconosce uno scrittore nuovo? Chiunque ha l'abitudine della lettura e di quando in quando l'esercita, come la giornata o il caso vuole, su libri nuovi e d'ignoti, deve essersi posta, una volta almeno, questa domanda. Ma la risposta non è facile e si direbbe che non è lecita. È un po' come sorprendere un segreto, notomizzare un germe che, nell'atto, rischia d'essere ucciso; come sofisticare l'istinto. Non si può e non si deve. Ma perchè alla prima apertura di quel libro, alla lettura di quel capitolo, a quel passo, a quella pagina abbiamo avvertito un urto simpatico, un contatto di corrente nuova? Tanto varrebbe chiedersi perchè nella monotona fila di giorni uguali, d'un tratto, e sarà stato lo spruzzo di una fontana, il riso di un ragazzo, un suono, un colore, sarà stato niente, ma è nata la primavera. E qual è il momento, il punto preciso in cui uom s'innamora? C'è di certo, ma nessun innamorato, anche di quelli che dicono di saperlo, nessuno lo sa.

Nè i paragoni sembrino troppo terrestri. La novità prima, la novità germinale di uno scrittore è anch'essa un fatto tutto istintivo, una spinta del sangue. È per sangue, prima e meglio che per arte, che le parole nella pagina si muovono per quel verso, hanno quel tono, prendono quel colore. Ma questo germe che sboccia, questa prima spinta naturale è poi di tutti gli scrittori? Non lo credo.

Ci sono scrittori cui, sin dal principio, si deve

riconoscere una sorta di privilegio, una naturale primogenitura; e li diciamo apposta «scrittori nati». Potranno poi diventare anche cattivi, anche pessimi scrittori, e mantenere meno, molto meno, che gli scrittori di ingegno, che gli scrittori di volontà; ma quel che di nuovo, quella sorpresa, quel gusto d'inedito solo lo «scrittore nato» può darlo.

Chiunque abbia letto, questi anni, per qualche rivista o giornale una prosa di Giovanni Comisso, (e meglio se ora ha avuto tra mano questo suo primo libretto, *Al vento dell'Adriatico*), potrà consentire o dissentire da lui, ma difficilmente potrà negare che Comisso, come pochi oggi, è nato scrittore.

Lo stato di servizio suo è presto detto. Nato a Treviso nel 1893, militò tutti gli anni della guerra, fu a Fiume con D'Annunzio e navigò poi, isola per isola, porto per porto, tutto l'Adriatico. Sbarcato, fu visto a Milano libraio, a Siena studente di legge e avvocato, e poi a Parigi commerciante di oggetti d'arte cinesi. Tornò al mare: ancora a Zara, a Pola e per i piccoli porti adriatici. Ama i bragozzi, i chioggiotti e il piccolo cabotaggio. In un almanacco letterario dell'anno, una fotografia lo mostra tra il sartiame di un veliero, appoggiato all'albero di maestra, in maglia e berretto; ma nessun'aria d'avventura, nessun gesto da ulisside, (per fortuna). Se è vero che molti lettori oggi sono stanchi degli scrittori da scrittoio, ecco qui uno scrittore da vela.

Già il titolo del libro riassume l'autore: *Al vento dell'Adriatico*. È in qualche modo il diario della sua vita fiumana, tra i legionari di D'Annunzio, sino alla trista capitolazione.

Avevamo combattuto per difendere la città, ma anche qualche cosa d'altro che a nessun costo si sarebbe potuto riacquistare.... — Tutto è finito! Tutto è finito! — E sentivo il sapore delle lacrime nella bocca.

Qualche cosa d'altro: è la libertà, la vita libera e accesa, la giovinezza.

Ma nessuno pensi di trovare nel diario motivi di politica o di polemica o di storia fiumana; non vi si nominano mai nè «la causa», nè «il Comandante». Comisso li dà per detti. Il miglior modo di testimoniare un principio, una missione, un' idea è quello di viverci in mezzo, di agirci dentro, come per natura, per forza d' istinto; diffidiamo della fede di coloro che ripetono troppo: *Signore, Signore*. Il valore testimoniale, documentario di uno scrittore di fantasia, di un poeta, è nel suo accento lirico. Chi poi ama far confronti e riprove, riveda il bel libro, *La quinta stagione*, di Leone Kochnitzky, che fu con D'Annunzio, a Fiume, segretario degli Affari Esteri; il belga-polacco e il trevisano con argomenti diversi testimoniano la stessa vicenda.

Che cosa ci racconta Comisso nei suoi nove capitoli? Se proprio badiamo ai dati, ai fatti, il suo libro consiste di poco. L'arrivo tra i compagni di un giovinetto legionario, l'amore della danzatrice nordica, la piccola pianista Sida e le sue api, l' improvvisa fuga con un amico a un' isola di Morlacchi, le beffe di un gobbo, il gallo rubato, giornate convalescenti all'ospedale, e — come finale — un capitolo a piena orchestra, la battaglia di Fiume. Intorno a questi temi lo scrittore raggruppa liberamente le sensazioni, le impressioni, le immagini che i suoi sensi colgono nella vita. E le cose sono piuttosto colorite che disegnate, i fatti più rievocati che detti; nell'ordinare la pagina e il quadro, l' istinto lo guida più che la logica. La sintassi è tutta addizionale e montante, i capitoli si annunciano, lievitano, decadono, si smorzano più per un ritmo sensuale che per ordine logico o necessità delle cose dette. Comisso si guarda vivere; e non certo in un riposo nirvanico, anzi nello stimolo di sè: e più gli piace sorprendersi nei momenti difficili, quando l' istinto e la coscienza s' incontrano: e non si sa, nell' incontro, quale dei due debba completarsi o corrompersi.

Ma quanti liberi sonni al sole o alla luna, nei boschi, sui murelli assolati del meriggio, nel fondo delle barche, quanti sonni e risvegli in queste pagine!

Un sonno pesante, del tutto simile a uno di quei sonni mandati da Dio dopo una consunzione amorosa, per ricostruirci senza dolori.... Mi risvegliai dopo un nuovo sonno. Disteso sul divano di cuoio come sopra la groppa di un cetaceo, m'ero sentito trasportare per non so quali azzurri profondi e il risvegliarmi in quella stanza fu come emergere accanto un' isola fatta d'alghe e d'avanzi di naufragio.... Mi risvegliai alla prima ombra della sera, e subito mi prese una gioia immensa per un certo stupore del luogo.

Le donne, i ragazzi, gli uomini, il suo istinto li sorprende nella loro animalità prima, e li gusta e assapora quasi come frutti terrestri:

Il mio amico aveva impiastricciato di miele ogni cosa.... e le api insistevano intorno a lui fino a posarsi sulle dita e a impigliarsi fra la sua barba. Assopito nella dolcezza, egli le lasciava fare, tanto che pareva imminente in lui un mutamento da uomo in un fiore mostruoso.

Percezioni rapide, baleni: il volto di un bell'uomo, di un *ardito*: «la vacuità del volto somigliava a quello di una capra che alzi il muso dall'erba»; i marinai intenti a ballare con le ragazze contadine: «oh, le voci dei marinai forzati a una delicatezza infantile! E una certa impazienza nelle schiene solide sotto la tela bianca». Incontro di sera: «all'angolo del muro una donna conversava con un ardito, e questi col suo sguardo la teneva come difesa dal nostro». E l'ariosa pittura di questi ragazzi e uomini al bagno:

Ci avvicinammo. Nel camminare erano leggeri; come saltimbanchi. Alcuni presero a rincorrersi e ci passarono accanto coi loro corpi bagnati lasciandone l' impronta nell'aria. I cani abbaiavano e pareva volessero imparare colle loro corse e coi loro salti qualcosa della contentezza degli uomini.

Strano libro questo di Comisso! A volerlo criticamente riassumere, a volerne cavare un' immagine, un ritratto morale, si resta perplessi. Vi si respira odor di catrame, di sole, di resina, di bosco, di vela, a tratti il salso lo rode, l'ardimento e il coraggio ne sono lo sfondo, eppure qua e là è già avvertibile un gusto quasi corrotto, un odor grave di frutto mézzo, uno screzio cangiante come di muffa. I sensi hanno in sè il loro limite o il loro castigo; oltre un certo limite, non c' è più grazia, non c' è gioventù che li salvi. E anche se Comisso ostenta d'applicare un'attenzione uguale e diciamo disinteressata così agli aspetti più vergini della vita come a quelli più decaduti e corrotti, il lettore reagisce per lui. Di qualche spregiudicatezza e immagine alcibiadea, faremmo a meno volentieri. In compenso, il capitolo più intonato, il più bello del libro è quello anche più animoso e più sano, dove si racconta il viaggio all' isola dei Morlacchi:

Partimmo senza denari, senza viveri, senza cannocchiale.... entro a un palischermo armato d'una vela, d'un fiocco, d'un timone dalla barra posticcia e di due remi dalle spatole corrose. Non eravamo neanche del tutto vestiti.... E tutte le nostre provviste consistevano in una bottiglietta di olio di lauro per difenderci la pelle dalla violenza del sole. Qualcuno ci aveva detto che nella terra morlacca viveva una gente bellissima, dolce e generosa, e volevamo conoscerla.

In questa naturalezza dell'avventura, è il migliore accento di Comisso.

Se qualcuno dicesse che Comisso è un dannunziano dell'ultimo D'Annunzio, un dannunziano delle *Faville*, della *Leda*, del *Notturno*, (così come altri, venti o trent'anni fa, lo fu del *Fuoco*, o delle *Laudi* o del *Piacere*) costui non direbbe cosa molto lontana dal vero. In questo libro fiumano dove D'Annunzio non è nominato una volta, egli vi è poi presente nel modo che solo è vero e vivo per un poeta; nel gusto di vivere, e nel piacere di dirlo. Ma in Comisso questo dannunzianesimo non è molto più d'un'ombra, una grazia.

Il pericolo vero di Comisso, scrittore nativo, scrittore di vena, non sta nella influenza altrui, nella costrizione; sta tutto anzi nella sua libertà, è proprio nel libito. La curiosità di Comisso è viva, il suo dilettantismo è pronto a ogni prova; si direbbe che questo scrittore fino a oggi, e contro all'età, restò adolescente. Ma l'adolescenza, la giovinezza, non durano sempre. E vorremmo ora veder disegnarsi in lui quella che dovrà pure essere la sua forza di resistenza: il punto di arresto del suo senso e il principio della sua morale o della sua logica. Con quali ossa questo curioso e protratto adolescente si farà uomo?

1928.

Al vento dell'Adriatico, Torino, Fratelli Ribet, 1928.

GIANI STUPARICH TRIESTINO

Mi pare proprio si possa affermare che esiste oggi una letteratura triestina. Non si pecca di rettorica o di regionalismo dicendo che, negli ultimi trent'anni, si è rivelata a Trieste una famiglia di scrittori, poeti e prosatori, diversi ma in qualche modo consanguinei, intonati tra di loro.

Non faremo del Taine *a priori*; non diremo che un triestino, per essere scrittore, debba per forza accusare la sua origine etnica. Se qualcuno se lo proponesse, mal per lui: come nella vita, così in arte, le parentele sono cosa tutta di natura e non volontaria. Ma chi nomina il Michelstaedter, lo Slataper, il Saba, il Giotti, lo Svevo, il Cantoni, Carlo e Giani Stuparich...., sente che tra costoro una parentela c'è; difficilmente se ne nomina uno, senza pensare ad altri. E non basta indicare una certa comunanza di cultura, e di esperienze nordiche; furono essi i primi a parlarci di Hebbel, di Weininger, di Strindberg, di Ibsen; più tardi i primi a risentire Freud. Non basta neppure indicare (è troppo facile farlo) la natura oggettiva, il paesaggio, (il porto, il punto franco, il Carso) che è comune a costoro; e un certo tipo d'uomo, borghese o popolano (industriale, affarista, mediatore, scaricatore del porto) che si ritrova uguale nei loro racconti. E una tal quale somiglianza corre anche tra le donne: senza perdere d'anima, le donne di questi racconti sono però concrete, istintive: nei paesi dove il lavoro pesa e il denaro conta, la donna è quasi il premio e il traguardo degli uomini.

Si potrebbe anche dire che in tutti questi scrittori è avvertibile una certa laboriosità del linguaggio; come tutti i non toscani (ma anche i toscani....) i triestini devono conquistarsi, sul loro dialetto, la lingua scritta.

Queste ed altre resterebbero tuttavia affinità apparenti, se tra gli scrittori triestini non corresse comune una vena più intima, una parentela più vera. Dov' è ?

Comune a tutti, più che la tradizione italiana non porti, è in questi scrittori l'assillo morale. (O tra gli scrittori del vicino passato, vogliamo ricordare per loro il dalmata Tommaseo ?). Questi scrittori di lingua, di cultura e spesso di sangue misto, sono spesso intenti a scoprirsi, a definirsi, a cercare il loro punto fermo; ma quasi col presupposto di non trovarlo; come chi faccia della ricerca non il mezzo, ma addirittura il fine del suo cercare. E questi scrittori sempre *in fieri*, inventori di «problemi», e romantici a vita, hanno pure avuto e continuano ad avere il loro compito in una letteratura come la nostra che spesso s'adagia volentieri in schemi chiusi, e scambia la rettorica per classicismo e l' inerzia per nobiltà.

I

RACCONTI

Il giovane Giani Stuparich va considerato di diritto il cadetto della letteratura triestina; ne risente i modi e gli spiriti; il suo posto naturale sta tra lo Slataper del *Mio Carso* e l'ultimo Svevo delle novelle. Le sue prime prove letterarie furono autobiografiche; ma di una vita che, questa volta, meritava di essere ricordata.

Giani e il fratello Carlo si arruolarono nell'esercito italiano per la Grande Guerra. Carlo morì sul Cengio, si uccise per non cadere nelle mani del nemico: ci resta di lui un volume di prose, *Cose ed ombre di uno*, tale da tenerne ancora vivo il rimpianto. Giani, che sopravvisse, fu poi catturato dagli austriaci, andò prigioniero; ma riuscì a dissimulare l'esser suo e così a salvarsi fino alla liberazione.

Il suo primo libro, *Colloqui con mio fratello* (1925), riflette quegli anni e quei grandi eventi. Ma non si pensi a un diario di vita o di guerra; è piuttosto l'itinerario di uno spirito che si cerca. S'intitola *Colloqui*, ma la figura distinta degli interlocutori non è avvertibile. Non c'è dialogo dove non è diversità; e Carlo, il fratello morto, ha lo stesso pensiero, la stessa voce, lo stesso timbro di Giani vivo che lo interroga e lo incalza con la sua ansia; è soltanto la coscienza riflessa e superiore di lui.

Giani Stuparich cerca nei *Colloqui* di veder chiaro in sè, di accordarsi col mondo; e non riesce. La sua fatica di Sisifo comincia a ogni capitolo, per non dire a ogni pagina. I discordanti principii, le idee, le illusioni, tutto il fluttuante tumulto ideale della guerra e del dopoguerra, non vi è considerato nella sua portata logica, non se ne indaga la necessità storica, non se ne cerca il perchè: ma è sinceramente sofferto. Stuparich non ha volontà di politico come non ha mente di storico. Egli è nato a subire e soffrire gli urti della vita come un poeta. «Tanto scorgi da un lato quanto dall'altro ti sfugge e sempre ancora barcolli nel buio»; «simile a un fiume che senza letto procede, è l'andare dell'uomo». Questo è il tono e il limite dei *Colloqui*. Vi si colgono le idee o l'aspirazione alle idee, in quel primo innesto, nel momento in cui, senza ancora agire, dolgono nella coscienza dell'uomo. È un bel libro? Direi soltanto che è un libro impegnativo per lo scrittore e per noi interessante. Il problema di Stuparich era di uscirne, di rompere quel cerchio che tratteneva lui, scrittore non politico e non storico, ancora nella politica e nella storia.

Nacque così lo Stuparich novelliere. Senza apparente soluzione, bastò che lo scrittore proiettasse fuori di sè quella sua ansia analitica, quell'osservazione strenua che faceva insolubile e quasi labirintica la sua autobiografia, perchè osservazione e analisi trovassero colori e aspetti d'arte. Gli scrittori che soffrono per un eccesso di intimismo spesso si salvano così; applicandosi fuori, sulla realtà.

Nei quattro *Racconti* (1930) Stuparich fissa alcune scene, alcuni interni di un mondo che gli è familiare. Siamo nella vita studentesca, o tra la borghesia, o tra il popolo di Trieste. Le vicende, gli alti e bassi di una famiglia del popolo, a seconda della donna che vi domina, moglie o amante, gli stimoli che ne trae l'uomo a migliorarsi, a salir di grado, o gli avvilimenti che invece lo deprimono e lo fiaccano fino alla disperazione; questo è il tema di «Famiglia», il racconto più complesso del volume, un piccolo romanzo naturalista in germe. Un altro racconto, «La morte di Antonio Livesay», segue, ora per ora, l'alterno rassegnarsi alla morte o riafferrarsi alla vita di un uomo giovane condannato dal cancro; sarà infine il pensiero della giovane moglie che ancora vivrà, il pensiero proprio che prima più lo angosciava, a rasserenarlo. La narrazione è strettamente analitica, un «a solo» che può ricordare il *Vecchio* di Svevo. «La vedova» racconta di una giovane madre che rinuncia all'amore per il terrore che la colpa ricada sulla vita del figlio; ma è cosa minore, una novella che diremo ancora di prova, e un poco convenzionale. Tutto di getto, ricco e arioso come pochi altri racconti di questi anni, è invece «Un anno di scuola»; studio di adolescenti intorno alla giovinetta Edda Marty, la fatale compagna di scuola:

«i primi giorni la classe fu come uno strumento a cui avessero messo una corda di troppo; prova e riprova, non s'accordava mai». Qui potremmo ricordare Thomas Mann, se non sapessimo che dobbiamo proprio a scrittori triestini, al Cantoni e sopra tutto allo Slataper, altri poetici esempi e ritratti di scuola e di gioventù.

Ho nominato scrittori e modi d'arte diversi, ma quasi soltanto per avviare la fantasia del lettore. Giani Stuparich resta ben lui, è già scrittore non confondibile. Se l'introspezione insistente, avvitata, lo fa somigliare a un naturalista analitico, in realtà Stuparich è immune da quel che di clinico, di sperimentale, che talora nei puri analitici (per esempio in Svevo) dispiace. Per quanto si oggettivi, egli resta nell'alone della poesia.

Leggendo i *Racconti* vien fatto piuttosto di chiedersi perchè Stuparich di questa sua sostanziale poesia diffidi; perchè lo scrittore mantenga spesso il racconto un tono sotto. C'è in lui, ai punti risolutivi, una mancanza di rilievo plastico, che lo mortifica. A eccezione di «Un anno di scuola», che sta da sè, questo è il difetto dei *Racconti*: sono più spesso esatti, puntuali, che risolutivi. Si desidererebbe nello scrittore un più aperto coraggio: l'arte è un atto d'amore, e all'amore non nuoce certa baldanza.

Il secondo libro — *Donne nella vita di Stefano Premuda* — non affronta questa difficoltà. Piuttosto la gira. Stuparich ha rinunciato ai tèmi naturalistici di cui era traccia nel primo volume; ha rinunciato un po' anche alla quadratura e allo spicco del racconto. La sua vocazione intimista e analitica in compenso si è fatta più chiara; senza sembrare, Stuparich ora va verso la confessione (confessione sua o altrui) e verso il diario....

Sulla soglia del libro sta scritto:

Stefano Premuda non era loquace nè improvvisatore. Evitava quasi sempre di parlare di sè; ma quando lo muoveva l'estro delle confessioni, si denudava tranquillamente con un candore che toccava da un lato l'ingenuità e dall'altro la malizia. I suoi pochi amici lo udirono in varie occasioni e a lontane riprese narrare di sè e delle donne che aveva incontrate nella sua vita quasi con le stesse parole che i lettori troveranno nelle pagine di questo volume.

Le donne incontrate, l'ingenuità, la malizia...: resta subito inteso che Stefano Premuda è un uomo d'amore; è nato sotto quella stella. Ci sono uomini per i quali l'amore è un episodio soltanto della loro vita, magari ripetuto e ritornante, ma che permette alla rimanente vita di continuare e svolgersi come se quello non fosse. Altri invece vivono nell'amore: l'amore della donna è il centro della loro ruota, e qualunque cosa essi facciano parte naturalmente di lì. Prima la vocazione e gli studi della gioventù, poi gli incontri, le vicende, le azioni, le decisioni della vita; in costoro, tutto segretamente si tinge dell'amoroso destino. Quelli incontrano un giorno l'amore forse soltanto perchè lo cercano; ma questi non lo cercano mai e nel cerchio della loro vita, la donna o le donne sono sempre presenti e diffuse come un'essenza necessaria. Spesso non sarà neppure questa o quella donna, ma soltanto un'inclinazione vaga, una tenerezza, un desiderio del desiderio. Uomini che per tutta la vita fanno all'amore, si direbbe, come respirano.

Stefano Premuda appartiene a questa famiglia voluttuosa: l'amoroso destino egli lo porta nel sangue. E gli otto racconti nei quali viene dicendo delle donne che incontrò nella vita, e come lui se ne prese o per amore o per pietà o tenerezza, restano legati tra loro come il diario di un'unica amorosa passione.

Le donne entrarono presto nella vita di Stefano 'remuda. Nella casa paterna, a Trieste, prima fu a giovanissima zia Nene. Bella, nervosa, improvvisa al pianto e al riso, sposa d'un marito, lo zio Roberto, cagionevole e di troppa età per lei, e tuttavia innamorata, la bella zia Nene, nei giuochi e nel chiasso col nipotino ci trovava un compenso, un estro suo. Destino frequente delle zie molto giovani, u la zia Nene a circondare del primo alone femminile il ragazzo, ad avviarlo per la vocazione tenera.

Poi, nei mesi di vacanza, a Isola, in campagna, nei giuochi tra i coetanei, il ragazzo si accorse delle prime sottanelle: della Titi, di Mirella, delle giovani sorelle dei suoi amici. E furono simpatie, malizie, gelosie acerbe (da ricordare un po' Nievo e i primi ncontri della Pisana). «Io mi addormentavo tra la visione di un colpo magistrale di fionda con cui avevo spiccato netto la più bella pesca dell'albero e l ricordo degli occhi di Mirella». E questi sono i primi due racconti del libro; giuochi d'infanzia, preludio d'amore.

Poi venne l'amore davvero. «Diciassette anni. Da tre anni il tuo mondo è popolato di giovinette....». «Così fu il mio primo amore. Improvvisamente mi sentii vicino a Heine e a Leopardi». Appuntamenti serali nell'ombra delle lontane vie di Trieste, esaltanti ritrovi nella galleria del teatro durante i concerti, e improvvise fughe solitarie con l'amica, via lontano da tutti, «i più deserti campi».

Voluttuoso ma «d'un calore contenuto e riflessivo», chiaroveggente, analitico, Stefano Premuda chiede molto all'amore; «....tutto l'universo alle volte. E l'universo non ci sta, non può starci tutto dentro l'amore; e allora nascono quegli squilibri che l'animo non vince se non risorgendo dalla propria rovina». «Poesia ed amore vanno, ad onta d'ogni apparenza, assai poco d'accordo». Sono cose che

Stefano Premuda sa; ma il suo destino resta pu sempre quello di cercare ogni volta l'accordo tra l'amore e la vita, per più soffrirne: «col mio grand desiderio di semplicità.... la mia vita non chiude ma subito i suoi circoli», «ero diviso tra diversi piani... avevo perduto la grazia che fa fiorire spontanea mente i sentimenti», «tutti i miei propositi moral non erano che falsi motivi per tenermi occupato i pensiero con quella donna».

Questo assillo morale fa sì che il primo moto d Stefano Premuda verso una donna, i suoi approcc siano quasi sempre quelli del confidente. È il punto dolente, la colpa passata, il peccato, ciò che prima l'attrae d'ogni donna; e tuttavia con un sottinteso di redenzione, come un confessore laico. Attraverso quest'analisi del passato, i suoi amori nascono molto e forse troppo attenti a sè, e già con un lieve sapor di cenere.

A un nome di donna sono dunque legate le tappe della vita di Stefano Premuda: Silvia, o gli ann torbidi dell'Ateneo fiorentino, «nel vetro smerigliato dell'uscio, appariva la sua ombra con la grandiosità e coi gesti d'una Sibilla michelangiolesca»; l'addio alla Tina, o la partenza per la guerra, «all'amore alle donne, ai figli, alla quiete del vivere avremmo pensato dopo, se fossimo sopravvissuti»; l'amica del *Tristano e Isotta*, o il ritorno a Trieste, «ogni spiega-zione era superflua, il torbido del passato si chia-riva in quella tranquilla confidenza, ci riconoscevamo nel punto in cui non potevamo più amarci»....

Più tardi, raggiunto il colmo della vita, anche le donne s' intoneranno alla sua maturità più caritate-vole; e finalmente ecco, soccorrevole a lui, la donna sua, la sposa, «certe donne sono di natura come l'acqua che gode di penetrare nei terreni secchi. Una di queste è mia moglie».

Alla fine di questi racconti, chiuso il libro, viene

fatto però di chiedersi : questo Stefano Premuda esiste davvero o è invece soltanto un duplicato di Giani Stuparich? il protagonista e lo scrittore sono due persone distinte o fan tutt'uno ?

Il lettore resta sospettoso. I casi, gl' incontri, le avventure, le donne degli otto racconti saranno magari tutti immaginari ; non è questo che importa ; ma il libro resta ugualmente autobiografico, in un senso più riposto ed essenziale. Vi si sente uno scrittore che, anche inventando, scruta e confessa soltanto se stesso. Quale che sia il soggetto, soltanto di lui *fabula narratur*. Il colore più costante di Stuparich, l' intimo tono suo, resta quello di un diario. Non scrive diarii soltanto chi commenta se stesso alla giornata, o riempie i fogli dei suoi viaggi, o ricorda le persone e le cose lontane della sua vita, o ferma le impressioni quotidiane della sua città, del vicinato o della casa : che sono le forme scoperte e subito riconoscibili del diario. Ma anche sotto forme d'arte che si dànno per oggettive e staccate, spesso, e direi sempre più spesso, si nasconde il diario. Quanti dei romanzi e delle novelle d'oggi sono diarii appena larvati, e di questa loro origine risentono la provvisorietà e il danno ?

Più d'ogni altro, forse, Stuparich sa trarne anche i vantaggi. Dice una volta per lui Stefano Premuda : « Ho sempre evitato di penetrare con la forza o con l'astuzia nell' intima coscienza degli altri. Mi piace la confidenza che dolora nel nascere, che si ritrova nell'aria aperta con stupore ». Questa dolente confidenza è ciò che anche a noi più piace nei nuovi racconti di Stuparich ; e l'attenzione morale che li regge, quel lievito di bene di chi, raccontando sè e senza pietà, vuole migliorarsi. Questo è il tono più suo e che lo apparta oggi da molti analisti curiosi piuttosto dell' imbestiarsi....

Ma delle tante donne descritte, quali poi ricordiamo che vivano davvero autonome e di per sè? Le più restano incidentali al diario, motivi soltanto nella vita e nell'analisi dello scrittore. Lo stesso assillo morale che le commenta finisce spesso per sacrificarle. Anche in questo libro (e forse più in questo libro) Stuparich manca spesso di plastica e prospettiva; e si vorrebbe mano più sicura a cogliere il punto di stacco tra l'analisi e la figura, tra il diario morale e il racconto.

II

GUERRA DEL '15.

Certi libri di guerra, e forse proprio i migliori, sembrano fatti apposta per mettere il critico nell'imbarazzo. Se il critico tiene troppo conto del fatto guerra, del documento umano ch'essi gli portano, lo scrittore e l'artista ne restano sacrificati. Se invece il primo posto lo dà alla letteratura e all'arte, gli pare di far torto alla guerra, ossia all'uomo che ci visse, ci soffrì e a volte ci morì dentro. Marte o le Muse vogliono prevalere.

Può darsi anche che nei giudizi dati sui libri italiani di guerra, le Muse fin ora abbiano prevalso, e cioè che da noi si sia tenuto molto e troppo conto del bello stile, della fantasia, dell'umore dello scrittore. In compenso, e quasi per reazione, nei libri degli stranieri, e specie dei tedeschi, abbiamo soprattutto cercato Marte: e non soltanto la verità della guerra, ma la reazione, la polemica della guerra. Forse domani la graduatoria anche dei nostri libri di guerra vorrà esser diversa; e l'arte darà più luogo alla vita.

Guerra del '15, dal taccuino di un volontario, di Giani Stuparich sarà uno dei pochi libri che reggeranno ugualmente ai due esami. Certamente *Guerra del '15* va a figurare da sè nello scaffale delle belle lettere; ma questo diario lo vedremmo volentieri anche nella biblioteca dello Stato Maggiore, tra i libri (certo ve ne saranno) che ritraggono il morale del soldato (e qui del soldato volontario) in guerra.

Le prime cinquanta o settanta pagine le staccherei subito dal resto; non so se siano proprio le più belle, ma certamente vogliono esser considerate a sè.

Il 2 giugno del '15 Stuparich, soldato volontario, parte da Roma coi granatieri dalla stazione di Portonaccio, e su su in tradotta per Firenze, Mestre, Cervignano, e poi in marcia per le cittadine e i paesi del Veneto, arriva a Papariano e a Pieris, nel settore di Monfalcone. Nei primi fogli del diario, e fin da Roma, si rivive quella gran novità, quella primavera che non fu soltanto dell'aria. (A ripensarci oggi ci sembra di essere stati giovani soltanto allora!). Sono andato a confrontare le prime pagine del *Nostro purgatorio* di Baldini; anche lì quello zaino coi libri, la scelta dei «tipi» che gli piacciono tra i popolani in grigioverde, i canti in tradotta, i fiori, e le donne del popolo alle stazioni. Baldini e Stuparich che per un momento sembrano fratelli! (Ho cercato anche le pagine dell'Abba a Quarto: gli stessi incontri, e compagni, e saluti; e «alla Porta Pila ci erano le donne del popolo che a vederci passare piangevano». L'aria stessa).

Ed ecco nel taccuino di Stuparich entrano i primi campi del Veneto; gli argini, i guadi, i casolari sono goduti come *campagna*; sopraggiungono i cari amici, «ecco Scipio!». Poi la gran notizia: «I granatieri hanno passato stamani l'Isonzo»; e li vedi, di là, curvi, che corrono fitti, si stendono, scavano la prima trincea come un solco. «Un ufficiale a cavallo urla contro qualcuno», «c'è Visi il trombettiere», «un tenente adopra il fischietto».

I primi colpi in arrivo inducono i soldati a «coprirsi il viso». E «tra un colpo e l'altro, una voce tranquilla: *alzo quattro!*».

Quei primi giorni del '15, Stuparich ora li fa rivivere anche a noi: dice per sè e per tutti: «C'era in noi in quei giorni qualcosa di fanciullesco, di estremamente serio e ingenuo nello stesso tempo».

Poi comincia davvero la guerra, e anche nel diario è un altro andare; sotto il «fanciullo» Stuparich fa presto a ritrovarsi uomo. I granatieri tengono le posizioni dalle cave di Selz agli acquitrini del Lisert, i battaglioni tentano a vicenda di avanzare e salgono e tornano stremati da Staranzano e Monfalcone alle colline. Attacchi e contrattacchi, per settimane e mesi i battaglioni si dànno il cambio sulle posizioni dove più si muore, e pare a un tratto che per le fanterie tutto il combattere sia qui: nel darsi il cambio e morire. Un soldato che torna dalle colline, interrogato sull'azione, risponde soltanto: *tanti morti*. Da quel primo sogno del maggio, in pochi giorni si è passati a questa realtà! Forse nell'animo dei combattenti, in tutta la guerra, non ci fu un momento più tragico.

E Stuparich? Stuparich dice *tutto*. Altri scrittori, pur veritieri, ritagliarono qui, dentro la verità, una verità loro; si aiutarono in quel passaggio, chiudendo gli occhi. Stuparich li tenne aperti e vide tutto: ciò che potè provare lì un soldato dal 7 giugno all' 8 agosto del '15, — questi sono i termini del diario —, anche le miserie più dure, Stuparich le dice. Ma il diritto a dirlo, giorno per giorno, ora per ora, egli se lo conquista in se stesso, perchè ogni giorno, ogni ora, egli trova in sè quel più di forza morale che rintuzza la stanchezza, vince lo scoramento o la paura. Senza una prima bontà e generosità di sangue, non c'è valore; ma direste che Stuparich di questo stesso dono diffidi; certamente non

gli si abbandona mai, quasi temendo la compiacenza
il rilassamento che talvolta ne seguono. Si fida più
di altre forze che ha in sè, e che non gli possono venir
meno: la coerenza morale, in lui che fu interven-
ista ed è volontario e triestino; il dovere dell'esempio,
n lui uomo colto; la volontà. Nella forza di Stuparich, in quello che oggi noi possiamo dire il suo
oraggio, c'è un accento kantiano.

Che non vuol dire poi un'armatura rigida, un
ontinuo star sul chi vive, un costante rifiuto ai con-
rastanti moti dell'animo. Tutt'altro. La sua forza
di resistenza, la sua volontà, ogni volta avranno ra-
ione; ma ogni volta agiranno soltanto dopo che
'uomo abbia compreso, sofferto e dubitato. Qui sta
'accento più umano e drammatico del diario. Stuparich si offre volontario a far brillare i tubi di ge-
atina sotto i reticolati: «Non è stato semplice per
me: istintivamente mi sarei ritratto.... *Ma non po-
evo non farlo*». Peggio, quando il contrasto avviene
nella sua stessa logica di soldato volontario, nella
agione: «La coscienza si oscura nel dubbio se abbiamo fatto bene a volere la guerra. Questo è il tormento più grave di tutti. Ma non può durare. L'animo
i ribella a questa debolezza». È proprio perchè egli
poi si ribella e vince queste debolezze e quegli istinti,
possiede la forza che poi prevarrà, che Stuparich
può concedersi la pietà di sè e degli altri; può commuoversi al pensiero della madre lontana (a Trieste,
n Austria, chi sa dove....), può guardare vicino a sè,
on tremore paterno, e insieme con la patetica chia-
oveggenza di un amico, quel suo fratello minore
Carlo, così triste e destinato; può sentir sua la pena
di tanti. «Gli uomini coi loro movimenti silenziosi
embrano povere e fragili ombre in questo pauroso
deserto di pietra». E di sè: «Devo dominarmi per
non tremare fisicamente. Una grande pietà mi prende
di questa povera carne, di me stesso così piccolo e

debole. Tanto decisi, tanto pronti a morire e a uc-
cidere; e, in fondo, come le foglie sbattute dall'ura-
gano». (E qui senti forse un'eco di quei greci, che
Stuparich aveva lasciato ieri sul banco della scuola
fiorentina).

Nel suo diario Stuparich dice anche alcune d
quelle «cose vere», di ordine militare e morale, che
gli scrittori tacciono. Guerra del '15: non tutti gl
ufficiali trovarono subito al fronte il necessario uni
sono coi soldati che non erano più soltanto quell
delle caserme; i diversi «corpi», i comandi, stenta
rono spesso a intendersi e collegarsi; resistevano
egoismi, suscettibilità, prevenzioni. Nel suo taccuino
Stuparich ce ne dà più di una nota; e non da im
provvisato critico militare; ma proprio per quel che
poteva capirne e soffrirne allora un giovane ufficiale
Più tragica realtà per lui, sugli stessi volontari e su
triestini, da parte di molti vecchi ufficiali, pesò al
lora una certa sfiducia, a volte addirittura un iniquo
sospetto....

> Un'atroce tristezza mi serra la gola.... — Ma ch
> cosa dobbiamo fare ancora (mi dice Carlo con voce tre
> mante di sdegno) per convincerli che siamo italian
> come loro, come loro!

Guerra del '15: solo più tardi l'esercito fu all'uni
sono con tutto il popolo, (con compiacenza Stupa
rich osserva il primo affratellarsi dei soldati di lon
tane regioni); e come altre cose umane, anche l
guerra s'imparò a farla meglio facendola. Ma ch
in questo diario del '15 si trovi un'eco più viva dell
diversità, del travaglio, del contrasto di uomini
di idee, di vecchio e di nuovo, che fu allora, e nes
suna bugia rettorica e qualche «verità» di più,
un altro merito di questa «medaglia d'oro».

Ma per dedurne il carattere, per indicarne i mo
tivi morali, non vorrei ora aver tradito il diario

tuparich. Il quale è, prima di tutto, un diario; ealtà còlta giorno per giorno, vita scorrente, mobile itratto di un uomo che, per aiutarsi a vivere, ogni iorno s' interroga e si confida in se stesso. Intenti norali, possiamo dedurli ora noi, Stuparich scrivendo on ne ebbe; egli volle soltanto esser vero a se stesso.

Direi anche che il bisogno del diario (comune allora a tanti) in lui nacque da una sua più dura solitudine. Nel taccuino di Stuparich infatti, sono più cieli, le campagne, le ore del giorno, e insomma paesaggi, che gli uomini. (Diciamo senz'altro che paesaggi, anche belli, in questo libro sono troppi). E perchè? Stuparich non sta tra i soldati con la acile simpatia di Soffici, di Baldini, di Monelli.... Il suo stesso coraggio, di accento così volontario e morale, l' innalza ma anche lo isola. Stuparich allora ripiega in se stesso e nella natura; e al fondo di questo libro di guerra, scritto tra gli uomini, resta erta amarezza d'uomo solo. Più tardi, ne abbiamo risentito talvolta il sapore anche nell'arte e nelle igure del novelliere.

1929, 1931, 1932.

Racconti, Torino, Buratti, 1929. — *Guerra del '15, dal accuino d'un volontario*, Milano, Treves, 1931. — *Donne nella vita di Stefano Premuda*, Milano, Treves Treccani Tumminelli, 1932.

IL REALISMO DI MORAVIA

Il romanzo, *Gli indifferenti*, appena uscito, è sem
brato il frutto più ricco della stagione. Un frutt
che unisce in sè due qualità opposte: è insiem
acerbo e mézzo. Acerbo, perchè l'autore Alberto Mo
ravia ha ventidue anni appena; mézzo perchè l
favola e la morale del romanzo sembrano accusar
un pessimismo antico, e il romanzo è scritto co
una sicurezza, un piglio, che non paiono di esor
diente. Ventidue anni? Evidentemente non sempr
gli scrittori hanno l'età del loro stato civile.

Il fatto, l'intreccio, sono di quelli che la gent
timorata racconta appena sottovoce. Cose vere, no
si dice di no; ma che è convenuto ritenerle un po' in
verosimili. Per ipocrisia? Ma l'ipocrisia è talvolt
una forma indiretta di morale o d'igiene.

Siamo a Roma nei quartieri Ludovisi, tra gent
già ricca, che finge di esserlo ancora e che perciò v
in rovina; finto lusso, molto cattivo gusto. Il ro
manzo si svolge in tre giorni; e durante il tridu
non edificante noi facciamo conoscenza di una ma
dre matura, la vedova Mariagrazia, che ha un amant
giovane, Leo, un affarista nel senso più triviale dell
parola, e una figlia, Carla, una ragazza qualunqu
annoiata, e che, soltanto per « cambiare stato », di
venta anch'essa amante di Leo. Mariagrazia ha an
che un figlio giovanissimo, Michele, un giovinett
strano, apatico, abulico, (quasi tutti gli epiteti pr
vativi gli si addicono) il quale sa la doppia tresc
di Leo, non glie ne importa nulla (è lui l'indiffe

rente che, per estensione, dà il titolo al romanzo), ma tuttavia, spinto dalle circostanze, s' impone di vendicare l'onore della famiglia, spara contro Leo il furfante due colpi di pistola; ma, com' è giusto, fa cecca, (s'era dimenticato di caricare l'arma). Così il romanzo si chiude su questa prospettiva: Leo lascerà Mariagrazia la madre, amante matura, e sposerà Carla la figlia, amante giovane. Michele, il fratello vendicatore mancato, si aggregherà agli affari di Leo. A questi quattro personaggi che sono le vere persone del dramma, un quinto se ne aggiunge: personaggio, per così dire, di comodo: tale Lisa che era stata amante di Leo, e ora lo è di Michele, ed è lei a rivelargli la tresca e della madre e della sorella. Come si vede, non c' è donna nel romanzo che Leo abbia risparmiato: la madre, la figlia, l'amica del figlio. Questa è la vera favola degli amori intercomunicanti. (Pare che nell'Argolide sitibonda al tempo degli Atridi, non in quella reggia sacra ai tragici, ma in una modesta casetta borghese meritevole al più di un poeta epigrammatico, una mattina all'alba sia corso questo dialogo, tra una sorella e un fratello: *Sorella*: — Tu sai amare meglio di papà. — *Fratello*: — Me l' ha detto anche mammà. — La famigliuola che il Moravia rappresenta è tagliata sullo stesso panno).

Quanto a sè, il Moravia non approva e non condanna: il suo cómpito è quello di raccontare, di dare verità ed evidenza ai fatti; e lo assolve con scrupolo. Egli si tiene ugualmente lontano dalla compiacenza immoralistica degli esteti di cinquant'anni fa, come dalla volontà polemica dei naturalisti di allora. I quali dicevano sì, in teoria, che la virtù e il vizio sono prodotti di natura, come lo zolfo e il vetriolo; ma, nella pratica dell'arte loro, erano ben lontani da questo agnosticismo: erano anzi carichi di fini ideologici, di torti da vendicare, di giustizie da stabilire;

e quella stessa formula del vetriolo, apparentemente così oggettiva, nascondeva molta passione, molta polemica contro quegli «esteti». Il naturalismo integrale, moralmente neutro e del tutto indifferente, è sì una formula di cinquant'anni fa, ma la si applica a dovere soltanto oggi. I primi scrittori naturalistici furono naturalmente democratici; paradiso per tutti, ma su questa terra; formula forse ingenua, ma umana. C'era molta pietà e (se non dispiace) molto buon cuore negli scrittori veristi di allora. Oggi lo scrittore naturalista non chiede l'inferno o il paradiso per nessuno, ma per tutti un biglietto circolare senza ritorno: ospedale, manicomio, camposanto. Tradotto in letteratura, Freud continua Lombroso e, con l'apparenza di affinarlo, lo perverte. La psicanalisi fruga con le pinze del determinismo in quei lembi dell'anima che ancora sembravano propri della coscienza. Joyce è il romanziere di questo ultimo naturalismo, come Zola lo fu del primo. Così il materialismo è in marcia; i limiti concessi alla volontà, all'ideale, alla libertà dell'uomo vanno via via riducendosi. In confronto di Freud il dissolvitore, Lombroso ha ancora l'aspetto di un missionario laico, di un apostolo. Di fronte al dissolvitore Joyce, Zola sta su dritto e quadrato come un classico.

Non caricherò le giovani spalle del Moravia di tanto peso e di tanti significati; ma insomma mi pare che questo scrittore giovanissimo sia rimasto a mezza strada tra i due naturalismi. Nessuna eco in lui della polemica che animava segretamente il naturalismo democratico: vizii e virtù sono per lui davvero prodotti naturali, come zolfo e vetriolo; ma egli non sconfina neppure nella zona morbida della psicanalisi, in lui nessuna illazione arbitraria dagli istinti alla volontà, dal corpo all'anima. Anche qui, Moravia è, come i suoi personaggi, egli stesso un indifferente.

Tre delle quattro figure che nel romanzo importano: — la vecchia Mariagrazia vana verbosa e gelosa; la figlia Carla, che pur di cambiare, si dà a Leo per noia; e questo Leo animalesco libertino, — sono tre figure ritagliate in un naturalismo pesante, pedante, forse di stampo tedesco, ma certo non risentite attraverso la psicanalisi. Resta il quarto personaggio, il giovanissimo Michele: e se da principio Michele somiglia un po' un dilettante, un posatore, o addirittura un manichino dell' indifferenza, e il romanzo, accentrato in lui, stagna, più avanti, quando l'abulico Michele si deciderà all'azione, il romanzo sembra portato via da una improvvisa aria dostoievskiana. Le pagine che descrivono Michele avviato alla casa di Leo per ucciderlo (e lo scenario fantastico ch'egli intanto prevede nel tempo; l'uccisione, il tribunale, il processo) sono non solo le più belle, ma le più promettenti del libro.

Abbiamo ricordato Dostoievski, s' è parlato di naturalismo; potremmo aggiungere che ci sono nel romanzo scene cariche di un verismo persino revulsivo; e interni, ambienti, simmetrizzati con un gusto (come oggi si dice) metafisico, gesti còlti e fermati, con un sorriso tra ironico e allucinato, nudi di donna ritratti pesantemente quasi come nature morte: arrivi, partenze, incontri di personaggi risolti con forse ironica banalità da vecchio teatro. Insomma il giovane Moravia, pur tenendoci molto a mostrarsi *à la page*, sa trarre partito da tutto, e tutto prende e impasta nella sua prosa uguale efficace e un po' piatta; per cui la macchina del romanzo va avanti greve, pesante, ma inesorabile come una livellatrice. E certamente in questo giovanissimo scrittore meravigliano il metodo, la tecnica, e la conseguenza con cui son perseguiti. Perchè anche l'arte sua piaccia, vorremmo più respiro, più aria; l'alito di una finestra aperta sul chiuso maleodorante girone del suo mondo. In casa di Mariagrazia, pur di avvicinare una persona per bene, noi faremmo lega con la cuoca.

Il Moravia dirà, che lui non c'entra, che quella gente è proprio così; che lo specchio non ha colpa dell' immagine che riflette. E sta bene. Ma questa integrale oggettività, questa assoluta indifferenza in arte sono poi possibili? E intanto il primo atto di partecipazione, sia essa adesiva o respingente, ogni autore non lo compie nel momento in cui prende a trattare questo piuttosto che quell'argomento, questa gente piuttosto di quella?

Nel caso del Moravia altro si potrebbe aggiungere. Egli vuol sembrare un po' troppo uomo e scrittore provetto, di quelli che hanno già visto tutto, hanno già fatto *le tour des choses*. Ma se la precocità dello scrittore è tale da sorprendere, la esperienza dell'uomo è poi quella che può essere. E direi che la troppa giovinezza del Moravia, si accusa soprattutto nella troppo scoperta amoralità; dove c' è una sorta di pedanteria, un rigorismo a rovescio (e forse un tantino di posa). Quel tanto, anzi quel molto di moralmente soffocante e di artisticamente non vero che grava su questo verissimo libro, forse viene di lì.

1929.

Gli indifferenti, Milano, Alpes, 1929; 3ª edizione, Milano, Corbaccio, 1933.

L'OPERA DI ETTORE CANTONI

L'episodio di Ettore Cantoni si è purtroppo rapidamente conchiuso: lo scrittore fu appena in tempo ad affermarsi, e morì. Nato a Trieste nel 1888, il Cantoni dedicò i primi decenni della sua vita a un lavoro industriale che dette a lui e alla sua famiglia a Milano una larga agiatezza. La vocazione letteraria, anche in lui, come nella maggior parte degli scrittori, era stata pronta e consanguinea; ma senza sviarla egli aveva saputo reprimerla. Così la letteratura, l'arte, la musica, la filosofia, fino a trentotto anni, rimasero il suo segreto; certamente egli ne trasse consolazione alla sua vita, ma anche qualche tormento; «io mi sento, — scriveva allora a un amico —, come una ragazza illanguidita da un fidanzamento troppo lungo». Non fu tuttavia un noviziato inutile; e quando a trentotto anni il Cantoni pubblicò il suo primo libro, un romanzo, — *Quasi una fantasia* —, furono subito chiare in lui una maturità morale, una complessità di carattere che non sono di solito le doti di chi comincia. Si sentiva che lo scrittore aveva consumate e bruciate le prime tappe della carriera letteraria per conto suo. L'anno dopo, nel 1927, il povero Cantoni morì. I lettori e gli amici si chiesero allora se le carte lasciate dal giovane scrittore non eran per darci altre testimonianze della sua arte. E dopo tre anni avemmo i suoi *relicta*. Il volume che li raccoglie, — *Vita a rovescio* —, comprende cinque lunghe novelle; è preceduto da uno studio di Silvio Benco, e seguito da una notizia di

Giorgio Fano sul romanzo che il Cantoni veniva elaborando quando lo tolse la morte. E tutto è qui. Ma i due volumi ci dicono che la giornata dello scrittore triestino, se anche breve, non fu inutile; Ettore Cantoni, nella giovane letteratura d'oggi, fu qualcuno,

I

Il romanzo, *Quasi una fantasia*, aveva per protagonista due ragazzi triestini. Si sa che i ragazzi hanno avuto e seguitano ad avere una gran parte nella letteratura nuovissima. Abbiamo visto ripiegare nell'infanzia propria od altrui, immaginaria o reale, anche scrittori che sembravano avviati a tutt'altre mète. Ma le mire e gli scopi furon diversi. Qualcuno cercò nell' infanzia un accento più cordiale, una sanità nuova, e tornò agli anni della prima gioventù come a un' isola di salvezza: lì era il punto dove anche lo scrittore più stanco poteva ritrovare l'energia originaria di sè. Per altri scrittori invece, (e ormai direi per i più), il ritorno all' infanzia ha voluto dire una nuova complicazione, una più sottile malizia; talora addirittura un più fondo pescar nel torbido. Non si annunciano infatti a quell'età, non si determinano allora quelli che poi saranno i vizi, i mancamenti, le tare, e insomma tutti i punti dolenti dell'uomo? Disse Rousseau di se stesso, a dieci anni: «Non avevo alcuna idea delle cose, ma tutti i sentimenti mi erano già noti»; e ancora doveva nascere la psicanalisi....

Dovessi dire a quale delle due famiglie appartiene Ettore Cantoni, se agli scrittori dell' infanzia sana o a quelli dell' infanzia malata, certamente starei per la prima. I protagonisti del suo romanzo, Gino e Renato, l'uno di tredici anni, l'altro di dodici, sono ragazzi normali; le loro avventure, i loro fatti, i loro desiderî son di quelli che, senza arrossire, ciascuno può rintracciare nei suoi ricordi di ragazzo.

Il Cantoni ritrae i suoi protagonisti in quell'età in cui tra il sogno e il vero, tra il pensiero e il fare, non è e non può essere contrasto. Verne e Salgari non sono allora, come i grandi credono, un passatempo; sono anzi un programma eroico, un'etica. Nati e cresciuti a Trieste negli anni più accesi dell'irredentismo, per trovare nemici all'Austria, poichè l'Europa resta sorda, i due ragazzi del Cantoni andranno in Africa; e alla fine del libro si mettono davvero in un treno verso il sud; a stento i parenti li ritrovano poi in un paese della Calabria, e li riportano a casa. Se queste sono le aspirazioni o gli eccessi della loro vita pratica, gli interessi spirituali, i problemi logici che i due ragazzi affrontano non sono meno arditi: il dolore, lo stoicismo, la predestinazione, la natura dei miracoli, l'enigma dello spazio e del tempo, il socialismo, la storia....: non c'è arduo problema da cui la logica diritta dei due ragazzi rifugga. E non dobbiamo meravigliarci: a quindici anni molti uomini sono molto più intelligenti e soprattutto più conseguenti e coerenti che non poi a trenta.

Di questa intelligenza dei suoi ragazzi lo scrittore ci reca vivi esempi. Ecco come a quindici anni si commentano certi discorsi dei grandi:

> non si trattava mica di un pugno sul naso che si sa che cos'è e si grida e magari si piange; nè era il caso che qualcuno si dolesse per il crollo di un grande ideale, per aver perduto una battaglia o per non esser riuscito a trovare il passaggio dello stretto di Bering.... No, erano piccole beghe, piccoli pettegolezzi, piccoli interessi. — S'immagini, signora mia, ha perduto l'impiego. — Quante storie! Ne avrebbe trovato un altro: succedeva sempre così; lo sapeva ormai per esperienza.

Lo spirito d'osservazione a quindici anni è acuto fino ad esser crudele. Una zia:

> la zia che aveva la testa fasciata da una pezzuola bianca si sforzava a mantener desta la conversazione,

facendo finta di non star male, di non esser offesa, d'essere anzi veramente allegra, ma in realtà facendo finta di far finta, e con la speranza che tutti si sarebbero accorti del gran sacrificarsi che faceva.

La logica di quindici anni è inesorabile: Gino ha cercato di chiarire a sè e all'amico quali miracoli Dio può, e quali non può fare. Ribatte Renato:

Fai come il nostro professore di tedesco che l'altro giorno gli scappò detto: — Schiller, a ben considerarlo, si divide in tre parti. — Se Dio può far miracoli, è inutile star lì a dividerli.

E l'amore a quindici anni? Tra gli episodi più gentili del libro è quello di Myrte, la «sua bambina», la scolaretta compagna di classe, che Renato visiterà più tardi all'ospedale:

in una cornice tutta bianca, sotto la piccola cuffietta bianca, in quello stanzone d'ospedale bianco.... V'era quel visetto roseo incorniciato dai bruni capelli inanellati, gli occhi azzurri, luminosi.... L'improvvisa gioia le illuminò il volto nel vederlo. *Gli parve che la sua bellezza acquistasse con quel sorriso una più grande verità e concretezza.*

Quando dopo la sua fuga verso l'Africa, Renato è ripreso dai suoi e ricondotto a Trieste, i sogni dell'infanzia si snebbiano; la realtà, i grandi vincono. Allora Renato apprende che Myrte, la «sua bambina», è morta. È la prima volta che il dolore veramente lo tocca, da qui incomincerà la sua nuova vita: «E ora che ne sarà di me?».

La morale di questo romanzo è enunciata dal Cantoni così:

il mondo si divide in due categorie: i grandi e i piccoli, tra cui ferve diuturnamente una lotta accanita; tragica e impari lotta tra il male e il bene: tra i grandi, forti, ricchi e prepotenti ed i piccoli che per il duro combattimento non sono armati che di una tenace e disperata volontà di vivere, e anche di un'intelligenza più robusta, più svelta.

L'autore sta coi piccoli; ma non disserta, non teorizza in loro favore; a contrasto con la vita fiacca e rassegnata dei grandi, gli basta rappresentare l'accesa fantasia, la volontà, la logica diritta dei suoi piccoli protagonisti. La tecnica ad acquerelli, a quadretti, senza un fatto centrale e un intreccio, se toglie un po' al racconto l'interesse romanzesco, gli conferisce in compenso un'insolita verità, come di cosa che sia veramente accaduta. E su tutto il libro c'è un alone, un'aria poetica, come un nordico incanto dove ogni sogno può diventar vero e padrona resta la fantasia.

Un altro carattere del libro ce lo indica Silvio Benco. *Quasi una fantasia* offre motivi e sfondi della vita di Trieste, agli anni dell'irredentismo, prima della guerra; ma non «uno di quei presepi di zucchero dell'insopportabile Trieste convenzionale che amarono tanti buoni italiani». Anche nei confronti di Slataper e di Svevo, che pure furono i maggiori scrittori triestini di allora, il libro del Cantoni pare a Silvio Benco «il più veritiero che si sia scritto intorno a Trieste; in esso si debbono riconoscere per parentela spirituale quanti trascorsero i loro primi anni in questa città».

II

Non è facile trovare il punto di attacco tra il romanzo e le novelle che, sotto il titolo di *Vita a rovescio*, uscirono postume. Non solo gli ambienti e i personaggi differiscono, ma paiono cambiati l'animo e in qualche modo lo stile dello scrittore. Elementi intellettuali e di pensiero anche nel romanzo non mancavano; e alcuni erano prospettati e risolti nella psicologia fanciullesca dei protagonisti, altri (come la polemica tra le due opposte psicologie dei grandi e dei piccoli) restavano vivi e agenti nell'autore stesso. E insomma che il Cantoni, — come anche dice il Benco —, fosse «uno spirito meditativo, capace di astrazione, non inesperto alla delucidazione delle idee e portato alle curiosità filosofiche», questo poteva intendersi sin d'allora. Ma quelle astrazioni, quelle idee, quelle curiosità intellettuali, nel libro dei racconti le vediamo prendere a un tratto un sopravvento insospettato: tutte e sei le novelle che compongono il volume prospettano psicologie d'eccezione, raccontano casi straordinari.

Che cosa vorrà dire il titolo del volume *Vita a rovescio*? Probabilmente, una vita pensata e non vissuta. Il protagonista di «Nemesi», la prima novella, è un povero uomo a tal punto soggetto e dominato dalla moglie che lo tradisce che quando proprio non ne può più, e gli bisogna pure sfogarsi, urlare e inveire, si procura un'amica per una notte e rovescia su di lei la grande scena d' indignazione che da tempo andava preparando contro la bella moglie infedele. «Paolo e Virginia» più leggermente accenna a non so che possibile influenza psicopatica della radio. Le novelle «Ipotesi» e «Il vero re», in un modo tra il fantastico e l' ironico, adombrano la relatività della storia: l'una ci fa conoscere un professore Parseval Schultze che, psicologicamente sdoppiato, riesce a vivere tra Cimbri e Teutoni centotrè anni prima di Cristo; l'altra ci presenta il nostro contemporaneo Benvenuto Esposito, che in virtù di discendenze e concomitanze straordinarie può creder sè figlio diretto di Alessandro dei Medici e, come tale, vero re d' Italia. L'ultimo racconto, «Nuntius sidereus», è più straordinario ancora; narra addirittura di un Matteo che, dopo morte, fa cadere dal cielo sul suo amico Francesco un messaggio che per la prima volta spiega molti enigmi della vita, e li spiegherebbe tutti, se a un certo punto il celeste papiro non portasse le tracce della spugna invidiosa di un angiolo.

Su questi schemi straordinari lo scrittore giuoca liberamente di intelligenza, di fantasia, di ironia. Forse l' intelligenza prevale. La novella «straordinaria» del Cantoni, più che da abbondanza fantastica, nasce da una volontà, e quasi da un puntiglio logico; l' ironia, la critica ci han più parte che la poesia.

Non è poi difficile indicare, e non lontano, l'ambiente letterario, o, come oggi si dice, l'aria, il clima di queste novelle. Se il romanzo *Quasi una fantasia* si richiamava da sè ad altra letteratura triestina, e per esempio alla prima parte del *Mio Carso* di Slataper, le novelle di *Vita a rovescio* sembrano piuttosto nate sul ceppo del secondo romanticismo lombardo. Arrigo Boito, il Tarchetti, il Dossi, il Lucini scrissero racconti ugualmente «straordinari» e «volontari». Ma il triestino Ettore Cantoni mi pare anche più vicino allo scrittore mantovano suo omonimo, Alberto Cantoni, un umorista a torto quasi dimenticato e che piacque non invano al giovane Pirandello. E dietro a loro, sta l'ombra tedesca di Gian Paolo Richter. Più che un libro di libera creazione e fantasia, *Vita a rovescio* lo diremmo un libro sperimentale.

Il nostro Cantoni sarebbe rimasto ancora a lungo in queste compagnie? O quali vie pensava? Purtroppo la domanda è destinata a non avere risposta.

1926, 1930.

Quasi una fantasia, Romanzo, Milano, Treves, 1926. — *Vita a rovescio*, Novella, Milano, Treves, 1930.

L'ARTE DI CORRADO ALVARO

Qualche settimana fa, ho inteso Corrado Alvarc parlare al pubblico di una illustre sala fiorentina Che è sempre per uno scrittore non toscano una bella prova. Non che per l'appunto tra i toscani sianc molti gli oratori di cartello; tutt'altro; ma nessur pubblico come quello toscano nasconde dentro di sé il piacere e insieme il sospetto dell'oratoria; nes- suno è, da natura, così disposto a *beccare*. (Dove l'edu cazione l'imponga, sarà magari un sommesso, u tacito beccare; e allora tanto più crudele). C'è chi più ingenuo, crede di imbonirsi l'ascoltatore fioren tino andandogli incontro e simulando i suoi stess gusti, il dire asciutto, la pungente chiarezza, magar un poco (e Dio ci salvi) la parola, l'accento. E no gli potrebbe fare dispetto peggiore. (Ho sorpreso un volta saettar dalla sala su un oratore toscaneggiant certe occhiate in tralice!). Corrado Alvaro, no. Par lava della sua Calabria, e calabrese restò. Con quell sua faccia che sembra un pugno chiuso visto di pro filo, si pose di fronte alla sala, e per un'ora diss il fatto suo. Trattava il suo tema, la storia la natur le leggende le speranze i dolori della Calabria, no con gli argomenti, le gradazioni, i chiaroscuri di u conferenziere; ma, cosa su cosa, quasi con un sens di necessità, con materiale fermezza. Ci aveva mess le mani dentro e sembrava intridere una farina, im pastare un pane. Sparpagliava lontano le impre sioni, i ricordi, i proverbi, le figure della sua terra, li lasciava andare; e poi a un tratto, con un accenno e quasi con un gesto della mano tozza, li raccoglieva, li ribadiva a sè. Riapriva poi la mano di taglio, a mezz'aria, e gli ridava la via. Diceva e tornava a dire. Credo che delle diciotto regole che fanno il perfetto oratore, Alvaro quella sera non ne osservasse neppure una; eppure il pubblico intese....

Nell'oratore che voleva ma non riusciva a staccarsi dal tèma, avvertì qualcosa d'insolito, una verità, una poesia, una fedeltà che non erano condimenti oratorii. E con lo stesso sentimento, gli ascoltatori finirono per voler bene alla povera e lontana e pittoresca Calabria e a quel piccolo e duro Alvaro che lì ne parlava. Scoppiarono alla fine, a due tre riprese, quegli applausi fitti, secchi, che si fanno a gola stretta. L'oratore in piedi s'illuminò un momento appena, e quasi di stupore; poi si richiuse, e venne via dalla pedana con le braccia lente e il passo lungo del calabrese che ha ancora molto da camminare.

I tre volumi che sono ora per le vetrine, — due raccolte di racconti, *Gente in Aspromonte* e *La signora dell'Isola*, e il romanzo *Vent'anni* —, segnano una tappa decisiva in questo cammino di Alvaro; si può ora parlare di lui come di uno degli scrittori di più succo tra i giovani.

L'opera di Alvaro trova il suo primo posto, s'inserisce nel filone di quella letteratura di sfondo veristico e regionale, ma di carattere nettamente personale e poetico, che, dopo Verga, ci dette già, così diverse tra loro, le opere della Deledda e di Tozzi. Sono i secondi regionalisti: hanno abbandonato l'intenzione veristica e la pretesa documentaria, hanno rinunziato ad ogni dimostrazione sociale. La regione, che per gli altri era quasi una pedana polemica o un campo di lotta, per questi è, — nell' intimo —, uno stimolo a ricercarsi alle origini, a scoprir se stessi in profondo; — all'esterno —, il costume, il colore, il folclore regionali saranno soltanto lo scenario più adatto, più consentaneo a quell' intima scoperta, e alle fantasie che ne nascono. La Deledda di *Elias Portolu*, il Tozzi del *Podere*, Alvaro di *Gente in Aspromonte* sono certamente scrittori regionalistici, ma di una regione soprattutto poetica. Un pastore della Deledda, un contadino di Tozzi, una donna paesana o un emigrante di Alvaro non adombrano categorie o contrasti sociali; sono immagini o figure di istinti, di passioni, di lotte necessarie all'uomo *ab antiquo*, e non riducibili.

Diremo anzi che Alvaro, più decisamente degli altri, s' è staccato dal realismo e ha fatto leva sulla fantasia. Alvaro ha inventato lui (è la parola) un tipo di racconto che ha piuttosto il taglio del poemetto e la cadenza verbale di un'evocazione. L'animo è quello di chi ricorda, lo spunto è nostalgico, la linea interna del racconto è come una parabola verso il passato. Spesso il principio è incerto, come di uno che raduni immagini, motivi, sensazioni per un canto non ancora distinto. Poi quella voglia si fa concreta, e intorno a una figura che più spesso è figura di donna («Coronata», «Teresita», «Innocenza», «La zingara», «La pigiatrice d'uva», in *Gente in Aspromonte*; e «Celina», «Gioia», «Cosima» nella *Signora dell'Isola*), su motivi elementari, su fatti semplici e di natura (la gelosia, la vendetta, il sacrificio l'amore), nasce da quella donna un contrasto o si disegna un idillio. Anche quando sembrano di più i personaggi restano due: uno è la donna (queste remissive e ombrose, ma tenere e temibili donne di Alvaro), e l'altro personaggio, così accorato, così chiuso sempre nel suo destino e nel suo canto, è sem pre lui, Alvaro; ma travestito, come per nostalgia in pastore, in ragazzo, in pellegrino, in emigrante....

Idillii, ma non nel nitido senso greco; piuttosto sul gusto romantico. E qualcosa di idillico, di sospeso e inconseguente, resta ai racconti di Alvaro anche quando si concretano in un atto violento, in una tragedia. Nella sua pagina c'è sempre un che di dipinto, di dedicato; anche gli urti più duri della realtà, restano attutiti in una certa aria di simbolo.

Il lungo racconto, «Gente in Aspromonte» (da cui prende il titolo uno dei volumi) dà la misura intera dell'Alvaro calabrese e paesistico e insieme di quello più poetico o idillico. I due motivi lì si alternano o piuttosto si sorreggono con un equilibrio raro. Il filo del racconto lega alle vicende di una famiglia di pastori la sorte di un intero paese; le scene si susseguono ricche di colori e di sorprese, coronate da un arioso crescendo finale da *féerie*. Cento pagine che, meglio d'ogni altra opera sua, hanno affermato l'arte di Alvaro.

Il romanzo *Vent'anni* non aggiunge molto a quest'arte. È il romanzo della guerra vissuta e sofferta da giovani ventenni che hanno gli stessi intimi caratteri delle altre figure dello scrittore. Anche di loro è quel maschio accettar la sorte; e una sempre giovane facoltà di stupirsi, di veder le cose a nuovo e quasi coi significati originarii, e il senso della morte come necessaria ombra del vivere; pazienti oggi in trincea, come ieri nel solco. La parte più vitale del romanzo mette radici in questo *humus* già noto. Ma i personaggi, i Fabi i Lorici i Bandi, si somigliano troppo, si ripetono l'uno con l'altro, spesso sembra che si rimandino la voce o che ciascuno parli per tutti. Per trarne il meglio, conviene scarnire mentalmente il romanzo, fermarsi ai capitoli fiorentini della caserma, alle scene del fronte, l'avanzata, la morte di Bandi...., lasciando il resto.

Invitato di recente a scrivere di sè, Alvaro ha giustamente osservato che i critici rivelano a suo riguardo un qualche imbarazzo; e che facilmente si contraddicono nell'accusare le origini e nel definire i limiti dell'arte sua. Lo scrittore ha ragione, ma anche i critici non hanno torto.

Alvaro non è sempre così deciso per la sua strada, così netto nei suoi caratteri, che non ne possa nascere equivoco. Nel simbolismo dei suoi racconti, in quel loro senso fiabesco o magico, giuoca a volte troppa compiacenza, come d'uno che ormai sa l'arte di intingere, sempre che voglia, le cose vere nel mistero. Peggio, in certi passi del romanzo si affaccia un certo gusto a dire alto, a dissertare, a moraleggiare, e quei benedetti «miti», quei sensi arcani della storia, quell'eloquente ammonire...., che sono tutte cose estranee alla natura dello scrittore. Questi sono oggi i veri pericoli di Alvaro.

Quanto poi alle derivazioni e alle origini dell'arte, e al posto che a lui compete tra i vicini, questa è una di quelle some che si aggiustano per via. Ci sono scrittori di origine diciamo letteraria, che trovano da sè il loro posto tra i contemporanei; la loro letteratura nasce già in un ordine gerarchico, in certo senso è già illustre. Anche una pagina sola di Baldini o di Ojetti o di Panzini o di Papini nasce sotto il tetto. Ma l'arte di Alvaro (come, e l'ho già ricordato, quella della Deledda e quella di Tozzi al loro apparire), no. I suoi succhi sono piuttosto istintivi e terrestri che letterari; le sue qualità sembrano soltanto germinali, attaccate all'atto stesso del nascere, non anteriori. Certa sospensione della critica, perciò s'intende. Insistendo e allargandosi, quest'arte, nata in eccezione, si formerà da sè la sua casa: e soltanto allora, soltanto per così dire in questo secondo tempo, ci si avvedrà che anche quella eccezione rientrava nella regola, e che la tradizione, come sempre, e per tutti, aveva braccia materne anche per lei.

1931.

Gente in Aspromonte, Un racconto e altre novelle, Firenze, Le Monnier, 1930; Milano, Treves, 1931. — *La Signora dell'Isola*, Racconti, Lanciano, Carabba, 1930. — *Vent'anni*, Romanzo, Treves, 1930.

ENRICO PEA SCRITTORE D'ECCEZIONE

Mi pare certo che a Enrico Pea spetti oggi, meglio che a ogni altro, la qualifica di scrittore d'eccezione. Si tolga però subito alla parola ogni senso compiaciuto, malsano o prezioso. Scrittori d'eccezione ve ne furono sempre di due categorie: quelli che da sè si dicono e si stimano tali, e sono i più e i più rumorosi; e quelli che forse non sanno e mai direbbero di essere scrittori d'eccezione; scrivono come detta dentro, e basta. Saranno poi i lettori o i critici a dire che è difficile far rientrare questi scrittori nella regola, scioglierli nel corso della tradizione: e come ci fu un' incognita alla loro origine, resterà sempre in loro qualcosa di irregolare.

Da chi avrà imparato l'arte Enrico Pea? A chiederlo a lui, c'è da vedergli alzar gli occhi al cielo, come chi si richiami direttamente alla Provvidenza. Oppure si guarderà le mani ruvide e sensitive dell'uomo che seppe molti mestieri: — Questi scrittori che in vita loro non impararono mai a far nulla, o come faranno a scrivere? — Che lo scrivere possa nutrirsi anche di se stesso, che l'arte si alimenti e risorga dalle sue ceneri come la Fenice, questo non lo capàcita. Quando Pea parla della sua vita, è come se via via vi facesse scorrere sott'occhio le istantanee di se stesso in altrettanti mestieri. Quello è il ragazzino che rimette le pecore sul monte, o porta a buio susine e funghi al mercato di Seravezza; s'è allungato, s'è fatto magro, ed è l'operaio che sega il marmo, il marinaio che alza le vele sui barchi costieri: gli sono spuntati per le gote i primi cespi di barba nera, ha gli occhi lucidi, e quello è Pea meccanico in Egitto, issato tra le valvole di una locomotiva, lungo un binario morto. E i commerci? — In vita mia – egli dice – ho comprato e ho venduto di tutto: i marmi, i legnami, il vino Chianti, i terreni del basso Nilo. Comprare e vendere, questo è un piacere vero. — Oggi la sua barba è grigia, ma certe sere calde d'estate si vede ancora Pea tra le corde del palcoscenico nel suo teatro di Viareggio che, tra un atto e l'altro, issa scene e fondali come fossero ancora le vele della gioventù.

Ma della vita multiforme, dei mercati e dei mestieri fatti, Pea artista come se n'è giovato? Conosciamo scrittori che, soltanto perchè una volta in vita loro furono arrotini, barbieri, stipettai o contadini, o magari esercitarono il mestiere di vagabondo, perciò solo si credono privilegiati delle Muse e si credono lecito tutto: il loro disordine mentale ve l'impongono come un estro, il gergo come una lingua rivelata, la vita o la vitaccia passata, — ma io ho fatto la fame! — come un'arte poetica irresistibile. Che è poi un'altra forma di rettorica.

Pea è tutt'altro uomo: gli effetti di colore, come le *tranches de vie*, non sono affar suo. Egli è scrittore schivo e aristocratico, e quando i casi della vita lontana arrivano alla sua pagina sono stati già toccati dalla grazia. Quello che a Pea importa non è la sua vita di allora, è la sua ispirazione d'oggi, la luce, il ritmo secondo cui le figure, i paesi, i fortunosi incontri di allora gli si ripropongono oggi. E non conosco tra gli scrittori nostri, neppure tra quelli maggiori di lui, nessuno che quanto lui resti puntuale e condizionato all'ispirazione. Se quella non detta, Pea non scrive: ne ha, direi, l'incapacità organica.

Risultano così più evidenti il bene e il male dell'arte sua. I suoi editori possono di volta in volta definire i libri di Pea poemetti, romanzi, racconti; noi sappiamo di già che la definizione resterà, al confronto col fatto, come sospesa. E non per una infedeltà ai «generi», che sarebbe nulla, ma perchè a quasi tutte le cose di Pea manca quella pienezza e rispondenza ultima per cui un'opera d'arte si definisce e stacca da sè. C'è in lui, direste, un'originaria frattura....

Ma anche sappiamo che tutto quanto Pea ci ha dato, sentimento e parole, nella sua stessa acerbità, fu sempre singolarmente limpido, senza macchia. L'autodidatta trovò presto in sè il nitore, il piacere di restarsi fedele, di ubbidire a un intimo preciso ritmo, che molti scrittori dotti non hanno. Anche in questo senso, forse il migliore, Pea è scrittore d'eccezione.

Il libro ultimo uscito, *Il servitore del Diavolo*, col lungo racconto che gli dà il titolo ci ripresenta, si può dire, il Pea già noto; ma nel racconto che segue, «La figlioccia», c'è di più. Quella scontinuità o frattura che si diceva, si avvia ad essere sanata.

Dopo *Moscardino* (1922), dopo *Il volto santo* (1924), nel racconto «Il servitore del Diavolo» Pea continua a svolgere il filo fantastico della sua vita; e ritrae ora se stesso in Egitto poco più che adolescente, schivo e insieme curioso di tutto, disposto a tutti i mestieri, senza possederne uno, capitato lì nel raggio di una Baracca Rossa, promiscuo asilo di derelitti, di anarchici, di perseguitati, di spostati di tutto il mondo. Per la sua futura vocazione di scrittore, il giovane Pea non poteva capitar meglio....

Il racconto si svolge col metodo solito a Pea: sono illuminazioni, figure, quadretti, paesi, che si susseguono, senza necessaria dipendenza, in una visione lineare di lanterna magica; e al centro c'è

Pea giovinetto, «servo semplice che si stupisce di tutto». «Il mento un po' punteggiato e, sul labbro di sopra, una pelugine di color castagno, mi faceva rassomigliare alle figure sparute dipinte nelle tavolette delle chiese copte».

L'apertura del suo occhio è l'angolo visuale dove passano figure d'ogni specie: il Diavolo, (che così si chiamò in Egitto il primo padrone di Pea), e Giuda («un nome comunissimo in quei paesi»), che era il segretario o maggiordomo del Diavolo, il servo Barberino «nodoso e asciutto come la bacchetta da sonare il tamburo», il santone arabo che brucia tutti i libri dove non trova il nome di Dio, la povera schiava sudanese uccisa giorno per giorno dall'elefantiasi, il mistico anarchico Pietro Vasari morto di nostalgia, il Maltese e la Goriziana con la loro torbida storia viziosa, e quella languida perfida padrona che, dopo il bagno, vuole il giovinetto Pea ai suoi piedi, perchè accudisca alla sua toletta, («Il taglio crudo delle forbici, sul vetrino delle unghie, quasi mi faceva alleghire i denti»), e per colpa di quella donna stava per succedergli il peggio.... Ricordevole su tutti, resta il gruppo dei vecchi ebrei profughi e delle loro giovinette: «Rebecca era una figurina esile, una giovinetta forse ancora non donna, dai capelli cresputi e neri....». L' idillio tra Percas e Rebecca è la cosa più gentile del libro. E c' è, su tutto il racconto, una luce biblica come da invisibili tendaggi; il cielo è teso come un padiglione, i volti, i gesti, le figure s' intagliano in un sole così sottile e bianco che li spetra. Certamente, quel gusto che Pea sempre ebbe al favoloso, all'ambiguo, al magico, e insieme il suo piacere fosforico dello stile, in questo racconto d'oriente hanno buonissimo gioco; e le tante figure che via via entrano nella pagina, subito vi trovano quella vibrazione, quel più, per cui la verità dà nel simbolo e nella favola. Ma l'antico vizio si ripete anche nel « Servitore del Diavolo » : la narrazione resta soltanto lineare, successiva, al racconto mancano gli sfondi, l' intima quadratura e quel punto netto d'arresto che ve lo fermi in mente e lo concluda.

Il progresso della « Figlioccia » (il secondo racconto del libro) sta proprio qui : c' è una prospettiva nuova ; si direbbe che, prima di scrivere, per la prima volta Pea abbia preso le sue misure. Al centro del fatto sta un vecchio ancora sanguigno e estroso. Trent'anni prima, gli era capitato un caso strano : per compiacere a una giovinetta che amava, una notte aveva accettato, lui peggio che incredulo, di dare il battesimo (di « dar l'anima ») alla figliolina appena nata di una sua contadina. Da questo battesimo mal dato, dopo trent'anni, nascono al vecchio di gran guai : la sua figlioccia di battesimo si crede sua figlia vera di sangue, e vuole l'eredità ; e intanto lui, che è ancora un tempestoso vecchio, nutre verso la figlioccia tutt'altro desiderio.... Un semplice e santo prete riuscirà poi ad ammansire il vecchio e a cacciare dalla figlioccia l'avidità del denaro del suo padrino, quella tentazione del demonio che l'aveva invasa.

Intorno a questo pernio, si svolgono le figure, i fatti, gli incontri della novella, sceneggiata in tre tempi, con tre quadri compensati e uguali come un trittico. E immagini, confronti di pittura ricorrono frequenti a chi legge. In quella lontana notte del battesimo, sotto il portico dei contadini, appare sant'Anna, come in un primitivo. « Sant'Anna stava nel portico presso la ragazza ulivastra che si era coperta il viso.... ». « — Sapete che poc'anzi nel portico c'era sant'Anna ? — E perchè non l'avete fatta entrare ? — ». (Ci si chiede quale scrittore, che non fosse questo magico Pea, potrebbe oggi condurre per mano una santa dentro un racconto). E la figlioccia seduta sul pavimento della cucina, tra le due finestre, i capelli sciolti, il pettine grasso tra le mani (*la mort des petits poux* tradotta in contadino), ha i colori dell' impressionismo più caldo. E quelle « coglitore scalze sull'erba dell'uliveto, con la brina e con la pioggerella, tutte in fila, piegate nella vita come pecore che brucassero, con le mani per terra a raccogliere senza indugio le olive cadute nella nottata » ; e l'orto delle perpetue con la tavola ancora apparecchiata nel sole troppo pieno, dopō mezzogiorno (« qualche ape operaia ritorna in ritardo col ventre giallo e violetto ; par che venga dal regno del sole e dell'amore ; è come una pallina piumata lanciata da mano sicura che trova per bersaglio la porta dell'alveare ») ; e il ragazzo brillo nell'ombra della cucina, l'esorcismo.... : sono tutti tratti, idillii, toni invidiati alla pittura.

E non dico : anche qui talora c' è qualche tratto di più ; Pea si perde a volte dietro un nome, una parola, un ricordo, come un ragazzo dentro il libro delle figure. Difetto più grosso, tutto l'antefatto del racconto (quel battesimo di trent'anni prima) si pianta alla pari, tra gli altri due quadri del trittico, senza il prospetto del tempo. Tuttavia chi ha letto la « Figlioccia » sa che in tutto il racconto c' è quell' intima cantante felicità, quell'essere senza parere che in arte è il segno delle cose riuscite.

Ma c' è oggi in Pea un altro progresso che forse non fu ancora avvertito. Questo scrittore tenne sempre dell'allusivo e del favoloso, lucidò sempre volontieri peccati, incubi e paure. Ma, fino a ieri, le poetiche illuminazioni e le favole che ne nascevano, restavan fine a se stesse ; e se Pea dava appuntamento ai ricordi della sua vita lontana, era soltanto per cavarne un estro. Oggi nell'arte di Pea mi pare più avvertibile un senso e quasi un calore di parabola. È fin troppo facile scoprire nel libro ultimo una morale: i libertari, i perduti, i miseri, i vagabondi del primo racconto cercano nella Baracca Rossa quella libertà e redenzione che ciascuno può trovare solo in Dio e in se stesso; e il vigoroso vecchio della «Figlioccia», sotto quel ritornello della morte («*mori presto, amor mio*, gorgheggiava a lui un filugello tra i castani»), s'impunta, soffia, recalcitra, ma alla fine anche lui si ravvede.

Alle parabole edificanti di Pea resta e resterà però sempre un che di estroso e di furbesco; direi che a questo convertito, anche i peccatori, (forse anche i peccati), gli piacciono. Fatti e figure spesso si raggruppano e dispongono nel suo racconto netti e un po' lustranti come tavolette di *ex-voto*; strani *ex-voto* però: dove non si vede mai il diavolo che si fa frate, ma ogni tanto il frate e il diavolo che si passano sottobanco le carte o si scambiano per i loro giuochi le barbe. Che è poi l'antica, inimitabile, mai tagliata barba di Pea.

1931.

Il servitore del Diavolo, Romanzo, Milano, Treves, 1931.

L' UMORISMO DI CESARE ZAVATTINI

Spesso no, ma ogni tanto si sente dire che nella famiglia piuttosto musona della nostra letteratura è nato un nuovo umorista. Devono esserci molti che, all'annuncio, sospirano « magari ! ». Parola che esprime bene la speranza del cuore, e insieme una certa atavica diffidenza. Poichè sull'umorismo italiano, ossia sulla capacità degli scrittori italiani a fare, in senso moderno, dell'umorismo, pesa un sospetto che neppure Panzini, neppure Baldini, neppure Bontempelli, neppure Pirandello, neppure Campanile, neppure Chiesa, neppure Palazzeschi, neppure Balsamo, sono riusciti finora a dissipare. Nessun dubbio che i nominati scrittori (e gli altri lasciati nella penna) ci abbiano dato belle pagine di umorismo ; ma il titolo proprio di umorista, l' investitura non si saprebbe su chi posarla. A chi manca una dote, a chi ne mancano due....

Probabilmente si tratta soltanto di un' illusione ; e presso i moderni la definizione « umorista » ha finito per concentrare in sè tali e tante qualità, e sì gran numero di ricordi francesi tedeschi inglesi e americani, insomma tanto carico di doti diverse e anche opposte, che in pratica non si trova più a chi rivolgerla. L'umorismo è oggi una così composita squisitezza che, al solo nominarlo, rende i giudici astuti e incontentabili ; e al traguardo nessuno dei concorrenti ci arriva.

Detto ciò, esisterebbe dunque un moderno umorismo italiano ? Poichè quei sunnominati scrittori nacquero e sono vivi in Italia, io vorrei dire di sì. E se l'umorista assoluto tra noi ancora manca, contentiamoci intanto dei relativi.

Cesare Zavattini con questo suo primo libretto, *Parliamo tanto di me*, entra nel bel numero e, mi pare, va subito ai primi posti. Molte qualità del buon umorista sono sue di già : l'occhio nuovo sulle cose come se gli nascessero sotto il naso, la percezione pronta e lontana dei contrasti per cui l'umore nasce, il segno sicuro e direi pacifico dello stile. Ma soprattutto Zavattini ha del buon umorista (e non sembri un paradosso) la tristezza fonda. Chi appetisce l'umorismo «tutto da ridere» (ma è un cibo vile) si rivolga ad altri. Zavattini non giuoca mai, o quasi mai, in superficie e soltanto con le parole ; egli anzi risolve in umorismo i pensieri che lo crucciano, i sentimenti che gli dolgono, le immagini e gli aspetti della vita che lo turbano.

Ma diamo un'occhiata al libro. Come avviene spesso agli umoristi, la trama, la tela del suo racconto è poco più d'un pretesto. Guidato da uno spirito familiare, Zavattini compie un'escursione nell'al di là ; attraversa a volo l' inferno il purgatorio e il paradiso, prende nota delle persone che incontra, riporta i discorsi che sente. I dannati e i beati di Zavattini sono quasi sempre occupati a raccontarsi le storie e le storielle della loro vita ; e il nostro umorista a prenderne nota. E in questo trascorrere dall'uno all'altro, in questo facile raccontare c' è una leggerezza, un'aria di giuoco, un odorino di fumo alla Perelà. Si direbbe che gli spiriti con cui Zavattini si intrattiene, passando da questo all'altro mondo siano tutti tornati ragazzi, con gli stessi giuochi e candori e rossori ; in più ci mettono un pizzico di fumisteria. Il tono resta a mezz'aria. Raramente l'umorismo di Zavattini (e, se mai, non sono quelli i suoi passi migliori) ricorre all'aforisma o all'epigramma o allo scorcio icastico ; preferisce librarsi in un'atmosfera leggiera e familiare, come i palloncini dei ragazzi. Citarne qualche passo, servirà meglio che ragionarci su.

Lo spirito che accompagna Zavattini nel suo viaggio nell'al di là («il modo sbrigativo e franco del mio interlocutore, il suo contegno di defunto serio e riservato, me lo avevano reso molto simpatico»), strada facendo, gli narra di qualche caso occorsogli quand'era in vita.

Ascoltate: Un giorno passeggio per il mio giardino, vedo una mosca prigioniera in una tela di ragno tesa tra due rami. «Destino», penso. Sto per allontanarmi, mi viene un'idea: tolgo la mosca dalla rete. «Destino», penso. Ma un minuto dopo torno a mettere la mosca in prigionia. Quale sarà il destino di questa mosca? Trascorsa un'ora sono ancora lì a togliere e a mettere la mosca nella rete. Quale imbarazzo. Passa il mio vicino Smith. Lo chiamo, lo metto al corrente della cosa in due parole, gli consegno la mosca, mi allontano mentre egli se ne sta lì molto perplesso con l'insetto tra le dita.

La parabola è riuscita; e lascia in sospeso voi lettore come la mosca....

Ecco in pochi schizzi un corteo funebre:

Il carro si avviò, e noi quattro dietro, sotto il vento, per la strada piena di pozzanghere. Le pozzanghere avrei potuto evitarle qualche volta, ma sarebbe stato troppo ridicolo vedere una distinta persona al seguito di un morto, far salti a destra e a sinistra per non inzaccherarsi.

E con quanta evidenza è licenziato questo altro funerale!

La gente se ne andò intanto che il prete diceva le ultime preghiere, sotto una pioggerella fredda che aveva fatto venire lustri i marmi delle tombe e scuro il cielo in un minuto.

Riflessioni sugli spiriti:

La gente li calunnia. Con la sua ostilità li confina nei palazzi diroccati, in soffitta. Starebbero tanto volentieri fra noi. Mi pare di udirli: «facciamo i buoni e i bravi, ma lasciateci un'oretta qui». Poverini, si accontentano di guardare, di accostarsi al fiato caldo dei vivi. Invece l'uomo, appena si accorge di loro, urla, strepita, chiama i vicini.

Oppure:

Nelle case moderne non ci sono gli spiriti. Gli spiriti che passano attraverso la cruna di un ago hanno sempre avuto bisogno di stanze molto ampie, di lunghi corridoi. Ridereste per un pezzo se la serva urlasse nel cuore della notte: «Aiuto, gli spiriti nel salottino!».

E sono due tratti, sullo stesso tema (gli spiriti) di tono diversissimo. Questi passaggi dal tono patetico a quello umoristico avvengono così rapidi nello Zavattini che spesso ne resta a ciascun tono come un rimbalzo, un riflesso dell'altro.

Difficile è rendere umoristicamente un paesaggio senza sovrapporglisi; ma sentite come resta netta e librata in aria questa mattinata di Pasqua:

È Pasqua, anche il sole stamane è arrivato per tempo; anzi, anzi, con un leggero anticipo. Anch'io mi sento buono, più buono del solito. Siamo tutti un po' angeli, oggi. Mi pare quasi di volare, leggero come sono. Esco di casa canticchiando. Voglio bene a tutti. Distribuisco saluti a destra e a sinistra. Vorrei compiere una buona azione ma è impossibile, poichè tutti, lo si vede dai volti raggianti, hanno questo segreto proposito.

E questo paesaggio alpestre:

Mi piacciono i paesini incassati tra i monti, quattro case, la chiesa, il camposanto a portata di mano. Il camposanto è largo poche spanne, lo cinge un muricciolo da bambini. Spesso le capre saltano il cancelletto e si sdraiano fra la gramigna sotto il sole bianco della montagna. Non c'è bisogno di carri, due passi e si arriva. Gli abitanti possono ascoltare i discorsi funebri stando affacciati alle loro finestre.

Dove il salto di quelle capre rende tutto così vero.

Poichè il nostro umorista viaggia nell'al di là, è naturale non manchino nel suo libro i paesaggi di fantasia: «Il Purgatorio era un immenso prato costellato di margherite. Lontano apparivano le alte porte del Paradiso. Sembravano sospese nell'aria». Breve ma basta. Ecco ora due diverse vedutine del Paradiso:

Un angelo schiacciò un bottone e subito arrivò come un bolide attraverso lo spazio un tavolo, sul quale salì il nostro eroe. Molti applausi si levarono dalla folla degli spiriti. Tre angeli, che stavano passando in quell' istante a volo, credendo rivolti a loro gli applausi si fermarono, fecero alcune brillanti evoluzioni sopra la folla, indi scomparvero verso l' Empireo.

Dove i tre angeli in squadriglia sembrano il commento umoristico di certi cieli dell'Angelico.

Una grossa palla di gomma piombò sul naso di un beato, che, steso all'ombra di una fronzuta quercia, stava sfogliando un libro illustrato. Il beato si alzò di scatto: «Con tutti questi bambini, in paradiso non ci si starà mai bene». E si allontanò indignato.

Qui mi par di sentire come un'eco di Baldini; e certo gusto baldiniano c'è in tutto il ritratto di Svann (il beato che, per amore del suo comodo, dal Paradiso scende al Purgatorio, e poi passa agli Inferi, ed è quasi una caricatura di Belacqua). Di solito il disegno umoristico di Zavattini è breve; poche righe gli bastano a chiudere un fatterello, un aneddoto, una figura; ma non mancano invenzioni più piene e più «tenute», come la figura di quel motteggiato Cadabra che incontriamo successivamente nei tre regni dell'al di là, o quel Vassary all'ospedale che a un tratto si finge morto per consolare il suo vicino di letto, moribondo, o il figlietto del signor Grunts che, per impietosire il padrone di casa venuto per riscuotere la pigione, si fa trovare steso sul letto, tra due ceri, finto morto (e i parenti sull'uscio: — Non è il momento, signor padrone, le pare? —) e poi il ragazzino muore per davvero.

A questo punto, qualcuno dirà che nella trama di questo umorista ricorrono troppe morti, e troppi spiriti e cimiteri e funerali. C'è persino il figlio di un becchino che racconta: «A dodici anni mi innamorai di una bambina che veniva tutte le domeniche. Mi chiese: 'Hai paura di notte?'. Le feci vedere che tenevo i teschi nelle mani come fossero pere»; con una *crânerie* lucianesca. E davvero nell'umorismo di Zavattini la morte è il pensiero dominante. Dice il nostro autore:

Se io fossi ricco passerei buona parte della giornata sdraiato in una soffice poltrona a pensare alla morte. Sono povero, invece, e posso pensarci solo nei ritagli di tempo, o di nascosto. Alcuni giorni fa il signor Better mi sorprese che guardavo incantato il soffitto e gridò: «Sia l'ultima volta che la trovo a pensare alla morte in ufficio».

Qualcuno potrebbe osservare che la nota funeraria nelle pagine di Zavattini è troppo insistente. Ma se l'umorismo è, come fu detto, un effetto di bianco e nero, il pensiero della morte ci gioca bene. E c'è tutta una famiglia di umoristi, da Luciano a Cami, (non escluso Jerome che pure passa per un maestro di quell'umorismo tutto sano *che fa buon sangue*), che si è esercitata sull'al di là. Quanto a sè, dice Zavattini: «Mi capitò una volta, per istrada, d'accorgermi che procedevo saltellando al ritmo di una canzone allegra suonata da un organo mentre pensavo a cose ben tristi». E questa mi pare per ora la migliore definizione del suo umorismo.

1931.

Parliamo tanto di me, Milano, Bompiani, 1931.

« I TETTI ROSSI » DI CORRADO TUMIATI

Con queste tre parole « i tetti rossi » in molte città d' Italia si indica lo spedale psichiatrico, ovverosia il manicomio. Che questa espressione popolare sia involontariamente simbolica, come a dire teste accese, cervelli in fiamme ?

L' ipotesi è di Corrado Tumiati che sotto il titolo *I tetti rossi* raduna i suoi ricordi di manicomio. Il Tumiati professa medicina e psichiatria ; egli ha vissuto molti anni della sua vita in quotidiano contatto coi pazzi : il suo è dunque un libro nato dall'esperienza, scritto sul vero. Ma non è, e non vuol essere in alcun modo, un libro di scienza. L'autore mette le mani avanti :

> mi dorrebbe che qualche lettore, — sapendo che lo scrittore è anche medico —, cercasse in queste pagine la brillante volgarizzazione della disciplina che egli ha fin qui modestamente ma fedelmente servita o sperasse di trovarvi dispute metafisiche o tesi medico-sociali.

Niente di ciò : l'animo del Tumiati è un altro, il suo interesse è diverso :

> sono qui raccolti solamente dei ricordi o, se preferite, delle annotazioni di un uomo, incline per natura a rappresentare le cose che più lo colpiscono, il quale si è trovato assai giovane a vivere in un ambiente singolarissimo.

Mentre il buon medico dava la sua pietà e la sua scienza a lenire quei dolori, l'occhio dello scrittore sorprendeva e fissava nei pazienti gli aspetti della « più tragica tra le realtà ».

Maniaci e pazzi abbondano nelle belle lettere contemporanee, ma si tratta quasi sempre di pazzi letterari. E i matti dei letterati sono molto diversi da quelli veri che s' incontrano nel manicomio. I matti del manicomio considerati in sè, fuori dei loro antecedenti e delle loro conseguenze umane, sembrano persino escludersi dalla sfera dell'arte. La pazzia di per sè è impensabile da un artista : macchia nera che respinge ogni luce che non sia quella della scienza e del medico. Chi, spinto da una curiosità (Dio ci perdoni) letteraria, entrò una volta in un manicomio, sa che cosa voglio dire : viene il momento che l' incauto visitatore vorrebbe essere molto lontano da lì ; lo coglie la repugnanza, il disgusto, quasi il rimorso d'essere entrato. Del Tumiati, scrittore che è anche medico, ci fidiamo meglio : riconosciamo a lui un diritto sull'argomento che facilmente negheremmo a un altro scrittore.

Il Tumiati non racconta, non narra quasi mai ; la sua disposizione di scrittore è di preferenza icastica. E piuttosto acqueforti, punte secche, che quadri spiegati ; e così, meglio aforismi che ragionamenti. Nei momenti più poveri, ci sembrerà di udire nella sua prosa quasi lo scatto preciso d'un obiettivo fotografico ; ma quando l'uomo è più commosso e lo scrittore s' impegna di più, il Tumiati ci dà veri poemetti in prosa (« Il Risanato », « La morte della bambina Mirì »). Solo due o tre volte lo scrittore indulge al bozzetto, di gusto ed effetto un po' facili, come nella « Cattura » o in qualche ritratto dei « Visitatori » ; e sono cose inferiori, che quasi cadono da sè fuori dal tono del libro.

La regola più frequente e migliore del Tumiati è quella del minimo mezzo ; la via che meglio gli riesce è la più breve. Gli basta un'annotazione a creare talora un senso tragico. Il parco del manicomio, vuoto di malati, sembrerebbe un parco come un altro, ma ecco : « .... il passo lento e pretenzioso di un pavone sulla ghiaia. La bella bestia ha il collo nerazzurro a riflessi di rame, una fragile corona e poche penne luminose : gliele hanno strappate quasi tutte i pazzi e le monache ». Oppure : « In un angolo, sotto una finestra, un piccolo alcoolista dal naso tuttora paonazzo sul viso di carta, la barbetta castana, un fiore all'occhiello, prepara una gabbietta di ferro per i topi bianchi ».

Nella chiesa del manicomio si celebra la messa : « I celebranti, chiusi nei piviali d'oro siedono, muti, presso l'altare come impassibili idoli. Sulla soglia della chiesa l' idiota microcefalo con le sue lunghe braccia pendule volge, a scatti, il minuscolo capo da ogni lato, lo tende, talora, in alto, verso quei solenni e vietati riposi della ragione ». Visita notturna ai dormitori : « Veramente il sonno sembra una occupazione, tanto i malati paiono impegnati a dormire e taluno furiosamente ». Ci sono poi ritratti atrocissimi (« Refettorio *malpropri* », « Alcool », « Reparto agitati », « L'agitata », « L'uomo sismico »), che si leggono con un'ansia sospesa, quasi sopra le parole, e, appena letti, vorremmo dimenticarli. Ma neppure in questi casi il sentimento nostro si oppone allo scrittore (come può avvenire su qualche pagina di autore troppo verista, o al Grand Guignol) ; perchè sentiamo che quell'ansia di voltare il foglio, quell'orrore nostro sono anche di lui che scrive, e anzi nascono in noi da lui.

E il Tumiati sa sempre il segreto di smettere a tempo. Pudore del medico ? Pietà dell'uomo ? Certo ; ma anche avvedimento dell'artista. E se quelle parti più roventi restano nel nostro ricordo come il centro del libro, il maggior numero delle pagine non è poi dedicato ai pazzi integrali, ai tutti-pazzi. Sono molto di più i ritratti dei medici, degli infermieri, delle suore, dei cappellani, dei visitatori, dei parenti.... Direste, anzi, che lo scrittore, più che propriamente i matti, si sia proposto di rappresentare il raccordo tra i matti e i savi. Matti e savi? Avverte il Tumiati: « Quasi tutti i malati qui raccolti ricordano per qualche tratto gli uomini normali e tu vedi chiaro che la stoffa delle menti umane è tutta di un tessuto. Dove la lana è poca ». E ripete: « Son uomini, tutti. Pretendere che fuori di qua sian tutti savi è stoltezza pari a quella di chi creda di trovar tutti galantuomini fuor del carcere. Ma vi son gradi ». Ed è infine con un sorriso di simpatia che vediamo questo matterello traversare il cortile: « Un pazzo va e torna dal lavoro e porta in capo un berretto di panno sul quale ha cucito le parole: *savio sequestrato* ». E tra i molti savi ritrattati in manicomio dal Tumiati, soprattutto mi piacciono le monache:

L'uomo, per suor Lorenza, è un bambino coi baffi. Se azzardo un complimento è come se parlassi ebraico; se ardissi il folle bacio, penso che direbbe: Oh, come è buffo!, e io rimarrei male. .... Suor Giacomina è prima di tutto una donna grassa, poi una cuoca, infine una monaca. .... Nella dispensa regna suor Maria. Fra le sue piccole mani ho visto i salumi e i formaggi acquistare una certa spiritualità. Suor Maria non è molto sincera. .... Suor Camilla è milanese e ha preso la religione sul serio, come un affare: « Bisogna guadagnarlo questo Paradiso? E allora avanti! A denti stretti, senza badare a sacrifici nè guardare in faccia a nessuno! ». E le hanno affidato il reparto delle *agitate*.

E quanta delicatezza e pietà nel ritratto di suor Faustina che « parla sempre, non avvicina mai lo sguardo quasi avesse paura di scottarsi, sorride da sola e si scusa sempre ». La povera suor Faustina innamorata, e che muore:

La rividi per l'ultima volta sul suo lettino di moribonda, circondata dalle suore che *pregavano indifferenti* presso di lei, come fosse già trapassata.

Un libro di colore sui matti, soltanto un artista che fosse anche medico, come il Tumiati, poteva darcelo. Ma certamente il Tumiati stesso riesce artista più ricco, più felice scrittore, quando, come nei casi citati, distratto l'occhio dal « caso clinico », lo posa semplicemente sul « caso umano ».

E il Tumiati non è scrittore condizionato tutto alla sua esperienza di medico. La sua vocazione letteraria è nata prima, e il suo impulso è più vario. Senza tener conto di altre prove date di recente, questo stesso libro si chiude col rapporto di un « viaggio d'istruzione » in America : cinquanta vibrate pagine, piene di scorci, di ritratti, di aforismi, di epigrammi, dove il bello e il brutto della agitata vita americana sono còlti con spregiudicata franchezza. Lo scrittore vi fa ottima prova. Al Museo Nazionale di Storia naturale, indimenticabile « l'impeto preciso di questo orango nero che riempie la sala come una improvvisa notte »....

Ma qui appunto cade di dire quello che è forse il maggior difetto del Tumiati scrittore. Spesso la sua vigilanza è troppo stretta, il suo periodo troppo calettato, la sua luce cade troppo a piombo. Molti suoi capitoli sembrano retti a braccio teso ; certi periodi paiono più incisi che scritti. Se avesse a scegliere un genere letterario, si pensa che il Tumiati sceglierebbe l'epigrafe ; e gli mancano talvolta quel sorriso, quell'ombra di riposo che rendono, non soltanto più amabili, ma più verosimili le verità.

Che l'abito del medico abbia nociuto in ciò allo scrittore ? Viene fatto di pensare se il vivere tra i pazzi, e cioè nel più orribile dei disordini, per reazione non abbia indotto il Tumiati a chiudersi in una chiarezza fin troppo cruda, in un ordine morale e logico talvolta troppo perentorio....

1931.

I tetti rossi, Ricordi di manicomio, Milano, Treves, 1931.

IL RISO SCEMO DI CAMPANILE

C' è un angoletto nella terza pagina della *Tribuna* che ogni savio lettore farà bene a non trascurare. Con un'occhiata si legge. In due, tre, brevi asterischi, in una battuta di dialogo, in un motto, vi si pizzica il personaggio celebre, il fatto del giorno, l'arte, lo sport, la politica. È un commento « sui generis » che non vi chiede nè un risentimento, nè un'adesione, nè una protesta ; non ha uno scopo, non ha un perchè. Il titolare di questa cattedra da dove, se Dio vuole, non s' insegna nulla, è un umorista e si chiama Achille Campanile.

È un uomo allegro ? Un malinconico ? Un giocoso ? Un ridicolo ? Vuole che si rida o che si sorrida ?

Neppure questo. Campanile non vuole nulla. Il suo umorismo è il più vuoto, il più inutile degli umorismi. È l'umorismo perfetto ?

Parlare d'umorismo è impresa sempre più ardua. Non solo la parola è elastica, la cosa di per sè sfuggente e indefinibile ; ma tra le varie forme, o piuttosto tra i vari toni dell'arte, nessun altro, come l'umorismo, è tanto condizionato, cangiante e riflesso nel tempo. L'umorismo è la sola arte che dia l' illusione di essere in continuo affinamento e progresso. Non è vero, e i posteri via via se n'avvedono ; ma a un moderno sembrerà sempre di saper ridere con più libertà e malizia d'un antico. Certo, il riso e il sorriso non solo variano dall'uno all'altro umorista, ma, da un'epoca all'altra, vogliono anche altri stimoli. Gli antichi che ancora riescano a farci sorridere o ridere sono pochi. E quante volte leggendoli, anche nei passi più famosi, la nostra sola meraviglia è che esistesse un pubblico capace di assaporare e di esilararsi a quei facili o scipiti sali. Venendo agli umoristi veri, quanta parte del classico umorismo anglo-sassone, non sappiamo se per un più di candore o di malizia, è incomunicabile a noi? Colpa dello spazio o del tempo, del diverso meridiano o solo dei cinquanta, dei cent'anni passati? Facciamo un esperimento anche più empirico e spiccio. Mettiamo vicino un numero del *Rire*, uno del *Travaso*, un *Punch*, un *Simplicissimus*. Non solo variano, com'è naturale, i moventi, le occasioni del ridere; ma, in ciascuno di questi quattro giornali umoristici di quattro paesi diversi, proprio lo spirito, il timbro del riso è diverso. Non c'è tema tanto sfuggente, e argomento così disperato come questo del ridere: chi ride dolce, chi ride agro, chi ride verde, chi ride equivoco, chi ride malizioso, chi ride candido. Achille Campanile ride scemo. Che razza di riso è codesto?

In tempi classici, in un'arte ordinata, il riso non è mai solo: la sua maschera occupa una delle due facce dell'erma, e l'altra è la faccia che piange. La farsa fu concepita solo come intermezzo di una tragedia. E se in un'azione tragica si affacciava il buffone, il gobbo, il «fool», la sua battuta, i suoi lazzi erano l'ombra di quella tragica luce, o la mitigavano o le davano nuovo spicco; ma sempre le erano obbligati, soggetti. Si ristabiliva per essi il minacciato equilibrio, la vita ritrovava i suoi cardini.

Più tardi, quando l'umorismo si sciolse dai suoi contrari e si espresse libero e come un'arte o un tono a sè, non cessò per questo di servire la vita. Le idee, le passioni degli uomini non abdicarono dinanzi all'umorismo, anzi si servirono dell'umorismo come d'un nuovo strumento. Rivoluzionario o codino, l'umorismo restò vicino alla satira e alla polemica, quando non fece luce a un' idea, dètte spicco, sapore a un carattere. L'umorismo era il reagente, il sale che insaporiva i cibi; ma nessuno avrebbe mai pensato di nutrirsi soltanto di sale.

L' hanno pensato i nuovi umoristi. Essi hanno sciolto l'umorismo dai suoi pesi, l' han liberato dai suoi obblighi, ne han fatto un giuoco aereo tra terra e cielo, un iridato palloncino a mezz'aria pronto a ogni soffio. Ancora una volta, l'arte per l'arte. Ogni scopo, ogni polemica è esclusa, ogni verità è superflua; non si va più a cercare le ragioni del riso, negli incontri e nelle strette della vita; l'umorismo resta solo, è a un tempo soggetto e oggetto di sè, si nutre di niente o piuttosto, come il mitico serpe, si rivolge su di sè e si distrugge ingoiandosi per la coda.

Campanile è di questa scuola. I suoi compagni più vicini, possono essere oggi Palazzeschi, Petrolini, Bontempelli.... Ma Aldo è poeta, Ettore sbatte il socco e stride come se la sorte avesse affidata a lui la vendetta di cento artisti traditi, Massimo fu sempre, è e resterà uomo di tutte lettere.

Campanile è umorista soltanto. Egli è capace di avvicinarsi magari a una tragedia, per cavarne un motto, un lazzo. I suoi motti fanno intorno a sè il vuoto, risuonano e schioccano con la stessa innocenza degli schiaffi e delle legnate sulle teste dei pagliacci.

Il suo riso spesso nasce da un giuoco di parole, da un *truismo* preso sul serio. Ecco il dialogo tra lo scienziato e il pensatore: « — Stavo pensando, — gli disse, — al Colosseo. Che roba! Dev'essere vecchio come il cucco. — Non credo, — replicò il pensatore. — Il cucco dev'essere anteriore. — Vediamo, — fece l'altro, — le prime notizie sul cucco si hanno nel 1200 ». — E così continuano. Campanile racconta i suoi viaggi immaginari: « Un terzo naufragio mi gettò in India. Ella mi domanderà come mai tanti naufragi. Son io che viaggio col vecchio sistema dei naufragi: è ancora il migliore». L'orologio di un umorista non può essere come l'orologio di tutti: «Il mio orologio aveva un difetto del quale nessuno s'era mai accorto. Pareva che segnasse le ore esatte e invece segnava quelle del giorno prima. Perciò arrivai all'appuntamento con un giorno di ritardo», ecc. I lunghi silenzi degli innamorati. «Lei: — A che pensi?. — Lui: — Pensavo: sta a vedere che adesso mi domanda a che penso io e non so che cosa dirle». E via e via....

Campanile ha due qualità: è fertile di trovate ed è breve, ha il dono dell'epigramma. Tra le invenzioni sue più felici sono quei drammi, anzi, come lui dice, «tragedie in due battute», preparate da minute e fitte didascalie. (Si pensa a quei lunghi trampolini nei circhi, su cui i pagliacci si avventano per poi fermarsi in cima a scacciarsi una mosca, oppure ne scendono giù piano piano e strusciando la gamba).

Il giuoco di Campanile è vario, le sue maschere sono molte; ora fa il serio o il serioso, ora l'ilare, ora il compunto, ora il furbo, o, due volte furbo, fa l'imbecille. Chè l'imbecillità è poi sempre il punto d'arrivo, la perfezione ultima del suo umorismo.

Ma davvero l'umorismo di Campanile è poi tutto inutile? In un'aria greve come quella d'oggi, in una letteratura così singolarmente sprovvista del senso del ridicolo, e in cui basterebbe stringere appena i tempi e allargare i gesti perchè molti drammi e tragedie si cambiassero in farse (e non nacque così nel teatro il primo grottesco?), l'umorismo smaccato di Campanile può anche sembrare un salutare reagente; un romanesco *piantala!* venuto a tempo.

Infine, per chi ne avesse scandalo, il riso di Campanile porta con sè la sua salute. È così rarefatto, è tanto spinto, che già contiene in sè la canzonatura, la satira di se stesso. Chi ama l'altro umorismo, il vero, quello che è luce e contrasto di idee e si nutrisce d' intelligenza, ora che c' è al mondo Campanile, si rinfranchi: con lui il circolo è chiuso, e più in là non si va.

1927.

L'inventore del cavallo, Roma, Edizioni d'arte Fauno, 1924. — *Ma che cos' è quest'amore?*, Milano, Corbaccio, 1927.

RENZO MARTINELLI
FIORENTINO IN ERITREA

Pochi giorni dopo ch'era tornato dall'Affrica, incontrai Renzo Martinelli a Firenze, in Piazza del Duomo.

— L'Affrica ? Caro mio, anche l'Affrica è un' invenzione ; e tutto è come qui.

— E i leoni ?

— I vecchi leoni oramai sono tutti impagliati. E quelli rimasti non sono che grossi gatti.

Conosco questo stile ; è lo stile di redazione. Appena si trova tra colleghi, o anche con un collega solo, il giornalista prende questo tono. C'entra per qualcosa la noia o magari la posa ; per parecchio, c'entrano il pudore e lo spirito di difesa. Ma fate che resti solo, e il giornalista che ha trattato con sufficienza il leone, correrà dal proto a leticare per un refuso, oppure tra le sue domestiche pareti si commuoverà sulla sorte del canarino in gabbia. Stile, ho detto, di redazione : e Renzo Martinelli è un classico di questo stile. Appena tornato, a vederlo come soffiava e chiudeva un occhio e arricciava i labbri e alzava le spalle, sembrava che il piccolo Martinelli sull'Affrica non avesse proprio niente da dire. Passa il tempo che deve passare, ed ecco che, sull' Eritrea e sull' Etiopia, egli ci dà un libro che è un bel libro : pieno di cose, di fatti, di acute osservazioni, di sano sentimento.

Le cose e i fatti che Martinelli narra, io non posso qui nè riassumerli, nè ripeterli, li vedano i lettori da sè. Ma sul suo sentimento, sul suo modo di osservare e di dire, e insomma sulla sua arte di scrittore giornalista, qualche osservazione si può fare.

Che cosa si chiede a un giornalista che viaggia? (e oggi, si può dire, viaggiano tutti). Le doti, le qualità che gli si domandano saranno cento; ma una sopra tutte: che tra lo scrittore e il paese che lui viaggia tra lui e le cose che osserva e dice, si mantenga sempre una bilancia, per cui nè lo scrittore, nè le cose prevalgano mai tanto che l'uno schiacci l'altro Vi sembra facile, l'ovo di Colombo? Eppure....

Qualche anno, e diciamo trent'anni fa, prevalevano le cose: il positivismo (almeno nei giornali) era in auge: quello che importava, erano i dati, i fatti le statistiche, o, come si diceva allora, la « realtà » Il buon giornalista doveva sapere piuttosto di economia che di lettere; ottimo poi era quello che riusciva a scovare e a raccontare più dati, più fatti, più cose degli altri. Non che la letteratura, « il colore » fossero proprio banditi dai giornali; ma vi avevano una sede propria e minore; come chi, in un orto utilitario, ci pianti anche un roseto, per le signorine di casa e il gusto delle farfalle.

Poi le cose cambiarono. Fosse che il conto di tutti quei dati, di tutti quei fatti, di tutte quelle « cose vere », non sempre tornava e le previsioni dei sociologhi e dei positivisti dei giornali non resultavano al fatto molto più giuste del Sesto Caio Baccelli, o fosse soltanto per sazietà del vecchio e desiderio del nuovo, o fosse per un fenomeno di endosmosi, per cui le cose vicine finiscono per scambiarsi tra loro e confondersi, — fatto sta che un bel giorno si videro nei giornali, la documentazione, l'economia, la scienza far tutt'uno con la letteratura, e il colore mescolarsi con la statistica. Fu sotto i segni di questa congiunzione che nacque e divenne celebre Barzini.

Dopo Barzini, i diritti del colore e della letteratura, nel giornalismo viaggiante, aumentarono. Oggi sono prepotenti. Le condizioni di prima si sono rovesciate : lo scrittore oggi è tutto e le cose sono nulla. Le impressioni valgono più della logica, le immagini tengono vece dei ragionamenti ; se gli piace, un giornalista può andare al polo, all'equatore o sulla luna soltanto per raccontarvi le reazioni della sua epidermide o della sua retina a quelle latitudini. Nei giornali d'oggi tutto è diventato fatto personale : e c' è chi ne usa e chi ne abusa ; chi sa scegliere la sua impressione e trattare il suo fatto personale come aspetto di una realtà maggiore, come sintomo o anticipo di una reazione, di una critica intravista ; ma assai più spesso, il fatto personale resta fine a sè. Un giorno dopo l'altro, per due colonne, per cinque colonne, per intere pagine, lo scrittore viaggiante nelle vicine o lontane parti del mondo, in altrettanti articoli, non fa che rimirar se stesso allo specchio dei varii paesaggi, dei diversi uomini e delle molte cose che incontra....

In quale dei tipi suddetti è catalogabile il giornalismo affricano di Martinelli ? Direi in nessuno ; mi pare che lui stia modestamente da sè. L'equilibrio necessario tra le cose e lo scrittore, lui lo ritrova, e sicurissimo, ma a modo suo. Intanto Martinelli è andato in Affrica, forse con poco bagaglio coloniale, ma in compenso con gli occhi suoi, e con la voglia di veder lui ; e racconta soltanto quello che lui effettivamente ha visto (che è sempre un gran segreto per acquistarsi fiducia). Nei primi capitoli (il Mar Rosso, Massaua, Asmara) par di vedere Martinelli che si avvicina all'Affrica e all' Eritrea, adagio e quasi in punta di piedi. Non è di quelli che ci tengono a sembrar subito praticoni e quasi nati nel paese, e se hanno da descrivere i mori cominciano col tingersi loro la faccia di nero. Anche quando s' internerà davvero nella regione, e a Cheren, a Agordat, a Tessenei il colore nero gli diventerà sotto gli occhi sempre più nero, Martinelli resterà sempre un bianco di Firenze. Direi anzi che il gusto maggiore del libro è proprio qui: in questo gioco di bianco e nero: per cui si vede un Martinelli che sempre con più coraggio si tuffa nel nero dell'Affrica, ma l'Affrica non si inghiotte mai il bianco di Martinelli.

Su di un altro punto, il lettore vuole essere rassicurato: le descrizioni. Questa è la vera piaga dei libri di viaggio. Diceva Ferdinando Martini (siamo in Eritrea, e il Martini è di casa) diceva dunque il Martini che, nei libri di viaggio, le descrizioni servono a poco: nessuno, assicurava, ha mai visto una regione, un paese, una città attraverso una descrizione. Anche in ciò Martinelli si comporta benissimo. È raro che le sue descrizioni superino la pagina; e sono sempre condite di osservazioni, di affetti, di motti, e insomma di quel sentimento critico o affettuoso, per cui le descrizioni non paiono più tali, ma diventano anch'esse esempi, modi, passaggi del discorso. E nel paese, appena può, Martinelli cerca l'uomo, bianco o nero non importa: felice sempre di poter rompere il capitolo con un ritratto, con un dialogo o almeno con una battuta. Quante figure! I padri cappuccini incontrati sul piroscafo, e quel caro Padre Cassiano ritrovato poi nell' interno dell' Eritrea; il mercante Batzarà, gran regolatore dei commerci orientali; Alania, sceriffa e grande dignitaria; Nahari, mercante di perle che si chiama da sè «il meschino»; la misteriosa sposa Cagigia, il giornalista Mister Norden, così buffamente incontrato, le guide, gli interpreti, i mendicanti, i servi, i cacciatori, le monache, i ras.... Questo libro di paese, in realtà è popolatissimo di uomini. Se uomini non ne trova, Martinelli sa farsi compagnia anche con le bestie, e magari con le piante. A Cheren s' imbatte nei «primi cammelli in pantofole che piluccano distratti le cime tenerelle », e in « qualche rarissima avanguardia di palma, la giraffa della vita vegetale » ; e vede, « in gruppetti di cinque o di sei certi grossi uccelli bianchi e neri, con un gran becco vinoso che fan pensare a conciliaboli di vecchi professori deplorevolmente ubriachi ; tra le *belve* qualche povera lepre molto toscana e qualche scoiattolo così scemo da venire a finire sotto le ruote dell'automobile ». Più avanti, s'imbatte in « due magnifici esemplari di lince con quegli orecchi a punta dove pare che in cima ci voglia assolutamente un bubbolo. C'è persino un pezzetto di filo per legarcelo ».

Questo è il tono di Martinelli dinanzi all'esotico ; familiare più che può, convincente a costo magari di riuscire un po' troppo riduttore. Il cacciatore Ghiscia ha ammazzato quattordici leoni. Vi pare poco ? « Quattordici leoni abbattuti sono molti : provatevi a contarli sulle dita e per ogni dito pensate a un leone ». Un po' alla volta lo stile di Martinelli si attacca anche ai suoi interlocutori. Chiede una volta lui al giornalista americano Norden : — Qual'è stata la più profonda emozione provata nel corso dei vostri viaggi ? — E quello : — Quando in un'isola della Sonda, dove ero ospite di una tribù di selvaggi, vidi preparare un girarrosto che pareva proprio fatto per la mia misura. Ma sono calunnie di pupazzettatori. Non è vero che, nella Sonda, i bianchi li arrostiscono. Li lessano. —

Aforismi, definizioni, detti memorabili ce n'è in ogni capitolo ; « i popoli nomadi non dormono mai, si contentano di non essere mai bene svegli » ; « l'indigeno affricano, nel far di conto, se la cava abbastanza bene fino a quando può utilizzare le dita di una mano e quelle dei piedi ; ma più in là son guai ». In più d'un capitolo (quello della caccia al leone, quello dell'incontro con mister Norden), a una battuta, a un motto, può succedere al lettore di dover interrompere la lettura con una franca risata. Ma non che poi Martinelli sia tutto in questo umore.... Ingegno di natura sua caustico, quando Martinelli si commuove, la commozione sua vi sembrerà tanto più necessaria e vera; così qui quando parla dei tacruri, i pezzenti di Allah, avviati alla Mecca; e dell'amore, delle donne, e della sorte dei mulatti in Eritrea. Pagine che vedremmo volentieri nelle antologie per le scuole. Perchè non so se l' ho detto, ma spero averlo fatto capire: Martinelli è scrittore rapido, schietto, sano (quel che ci vuole pei ragazzi). E i suoi articoli (che qui sono diventati capitoli) restano per lo più brevi; e anche di questo Iddio gli terrà conto.

Difetti, certamente ci sono. Talora il brio è troppo, troppo rapido lo scorrere e il trascorrere dello scrittore sulle persone e sugli argomenti. Uomini e paesi stanno allora nella pagina lisci, quasi con una dimensione sola. Ed è troppa l'autoironia, il *persiflage*; insomma, quel tale stile di redazione che si diceva....

E per tornare al principio: a quale giornalismo appartiene dunque il *reportage* affricano di Martinelli? Mi pare chiaro: a nessuno dei «grandi» giornalismi d'oggi. Scrittore paesano (non dico strapaesano) Martinelli fa un passo indietro; e lui toscano si ricollega naturalmente al Collodi, a Jarro, a Yorik, al Fucini. Qualcuno crede davvero che nei giornaloni d'oggi non ci sarebbe più posto per l'onesta prosa di costoro?

1930.

Sud, Rapporto di un viaggio in Eritrea e in Abissinia, Firenze, Vallecchi, 1930.

III

LE NUOVE POESIE DI ADA NEGRI. — « IL FLAUTO MAGICO » DI GOVONI. — IL « LIBRO N. 9 » DI TRILUSSA. — POESIE VECCHIE E NUOVE DI DIEGO VALERI. — « IL PANE SEGRETO » DI ALBERTO MUSATTI. — IL PARNASSIANO PASTONCHI. — SEBASTIANO SATTA

LE NUOVE POESIE DI ADA NEGRI

Questo volume di versi di Ada Negri, *Vespertina*, è stato salutato dalla critica con una premura, una festosità insolite. E non è certamente difficile dire perchè *Vespertina* appaia subito superiore ad alcune delle raccolte precedenti della Negri. Le poesie che compongono il libro, questa volta fanno centro; non cercano (come successe altrove a questa poetessa) occasioni o pretesti esterni; nascono anzi da un' ispirazione, o almeno da un tono, un motivo costante: *Vespertina* è in qualche modo un poemetto. Di più, il lettore fin dalle prime pagine ha qui il senso di una maggior verità; c' è qui più vita e meno letteratura, più anima e meno gesti.

Questo fu sempre il grande travaglio della Negri; trovare il necessario accordo tra la vita e l'arte, tra il sentimento ch'ella ha di sè e l'espressione che ne dà. In ciò il suo destino è stato diverso, anzi opposto a quello che di solito accompagna scrittori e poeti. Ella ebbe al primo apparire la felicità, il getto, la rispondenza piena tra il sentimento e la parola che i più raggiungono solo tardi. La maestrina proletaria, la giovane ribelle, la madre trepida e felice, trovarono subito una ricchezza di toni, una pienezza di canto, una spontanea baldanza che meravigliarono. Certamente, c'erano allora poeti assai maggiori di lei; ma forse nessuno più felice; ciò ch'ella voleva essere, lo era quasi per grazia di natura. Non veniva neppur fatto di chiedersi quale fosse, in senso critico, la sua letteratura: quel sentimento vero e continuamente inventivo, quel getto vario e felice di ritmi, di rime e di strofe, bastavano a sè, creavano da sè la propria letteratura. Ci sono scrittori ai quali non si chiedon troppo le origini: che studi aveva fatto il De Amicis? Quali erano i classici della Negri? Domande che neppure un professore si sarebbe posto.

Poi le cose cambiarono: la fortuna borghese, la gloria letteraria, le esigenze e l'insoddisfazione segreta della nuova vita ruppero l'equilibrio felice dei primi anni. Da allora Ada Negri si sentì e si disse sempre *in crisi*; l'immagine di lei, di baldanzosa e serena che era, divenne irrequieta, scontenta. Com'è giusto, anche la sua poesia volle allora trarre succhi da questo contrasto, nutrirsi di questo tormento. E qui le forze non le bastarono più; si rivelò in lei una specie di incompiutezza letteraria, il difetto di uno stile suo che potesse esprimere pienamente e quindi dominare il suo nuovo animo. I mezzi letterari che eran serviti così bene alla maestrina ribelle, non bastavano a dire il più intimo travaglio, il più radicato dolore della donna. La crisi umana, si complicò così, si raddoppiò con una crisi estetica. Cominciò allora quel particolare dannunzianesimo della Negri; artisticamente cosa assai curiosa; dove i simbolismi, le eleganze, gli atteggiamenti plastici, le cadenze teatrali del tempo, trovano di volta in volta un impasto occasionale; eppure sempre con un'intima mossa di verità, un piglio sincero, per cui la Negri nonostante tutto restava la Negri. Oltre che a D'Annunzio, leggendo, veniva fatto di pensare ora a Bistolfi, ora alla Duse; in una stagione ci parve anche di scorgere in lei come un'ombra di Maeterlinck; ma nessuno avrebbe saputo negare a quelle poesie una prima necessità, una intima autonomia. C'era sempre una energia non soltanto di parole; era sempre la Negri.

Il pericolo maggiore (il suo personale estetismo) fu una compiacenza non mai bene vinta, per cui ella non si contentava di vivere, di soffrire, di poetare, ma troppo spesso si atteggiava, *si vedeva* cioè nell'atto in cui soffriva, *si ascoltava* nelle parole, nei suoni in cui poetava. Tra lei e il lettore, c'era, esiziale, quel suo ormai classico ritratto, col pensoso volto intento e stretto tra le palme.

Per un momento la prosa parve giovarle; la Negri vi trovò toni più piani e persuasivi; molti capitoli di *Stella mattutina* e alcune delle novelle sembrarono risolvere il dissidio della scrittrice. Ma poi, una prosa che fosse soltanto prosa non le bastò più, e dètte anche lei nella prosa poetica. L'antica concitazione se la riprese.

Nel nuovo libro, *Vespertina*, molta di quella letteratura è caduta, molti dei gesti abituali sono repressi: questo è il progresso del libro: una maggior verità e, se non ancora l'intima pace, un più vero desiderio di pace. Pur soffrendone, ora la donna accetta la sua sorte; e se l'ora vespertina per lei è giunta, pur rimpiangendo la giovinezza, ella accorderà i suoi sospiri, le sue parole in quell'ombra. Intona, sì, ancora a se stessa,

o sempre nuova, o non guarita mai
dall' inquieto mal di giovinezza,

ma sa anche ripetersi le verità più dure,

solo
una volta si vive, o donna, e tu
del tuo giorno sei già verso la fine.

E se il cuore le pesa, non si ribella:

Ritrovarti ogni mattina
nella casa deserta; e in essa attendere
la tua notte deserta
. . . .
Sempre sul cuore il tuo dolor ti preme
più grave che non sia peso di pietra.

Il suo sospiro alla vita perduta sa trovare accenti più calmi:

Già così tardi ? già così lontano ?

Se ode una serenata nella notte, il suo rimpianto sospira:

Dolce sia la notte
a chi canta d'amore!

Se ricorda, ritrova se stessa quasi in idillio:

Ricordi, un giorno ? Amavi. E se di sole
t'entrava un raggio dal balcon aperto,
eri quel raggio fra la terra e il cielo:
se veniva improvviso a inebriarti
un effluvio di rose, ecco, e tu eri
fresca rosa olezzante in un giardino;
se a te saliva un canto, eri quel canto.

L'ora vespertina, la rinuncia, hanno anch'esse il loro compenso, la loro serenità:

gioire con le rondini, che a vespro
in giri e giri senza fine stridono
radendo i tetti con l'oblique penne,
e più stridon più impazzano, e d'un tratto
scompaiono, inghiottite dalle prime
ombre.

E le cose sono buone ancora, e di più umana bontà, se ella ora può volgersi a loro con pacato occhio:

Campane a gloria, in questa pia domenica
di settembre, ch' è tutta voli d'api
sull'uve, e gioia d'uomini e di sole
nell'attesa che passi la Madonna.

La poetessa mira un grande campo arato, sotto il cielo deserto, dinanzi a sè; il campo,

in cui le antiche mèssi e le future
sento, e il tenace faticar dei figli
sulle tracce dei padri . . . . .
. . . . e se tra mano un pugno
ne raccolgo, una parte di me stessa
stringere credo: la più scura e fonda.

Questi ed altri, sono accenti di poesia ; e mi sembrano oggi i più nuovi, i più promettenti della Negri. Certe poetiche invocazioni e preghiere, e ritratti dolenti di donne, e rapidi aspetti di città, quadretti notturni, improvvise visioni da « finestre alte », possono avere ancora la loro efficacia e bravura, ma non mi pare che lì stia la migliore novità del libro. Quella è una Negri che conosciamo, anche se ora sia in lei più pronto l'occhio morale, l'intento gnomico, per cui quasi da ogni aspetto di natura ella trae una conseguenza d'anima, spesso negli ultimi due o quattro versi della poesia ; come una scadenza, un monito a sè. Nè saprei rallegrarmi fino in fondo del suo nuovo e improvviso leopardismo. Come un certo dannunzianesimo (e s'è visto quale) presiedette alle sue ore accese e solari, così ora Leopardi le concilia l'ombra vespertina. E sempre che Leopardi significhi antiretorica, volontà di conoscersi, presenza di sè a se stesso, rigore e pudore dell'espressione, candente amore della parola, ben venga, non solo lo studio (che fu sempre di tutti i buoni), ma anche l'eco del Leopardi. (In alcuna di queste nuove poesie della Negri, « Ilda », « Suor Leopoldina », « Il figlio che non nacque », c'è anche una insolita eco pascoliana, dai *Poemetti* e forse dai *Conviviali*). Non direi però che dove il Leopardi si risente di più, la Negri sia più felice : i patetici lontanissimi interrogativi leopardiani, oppure quelle sue strette domande, perentorie e tragiche, — trasportate nella Negri (e quante ce n'è !) non danno, e non potrebbero dare, lo stesso suono....

La miglior lezione che si può sempre trarre dal Leopardi, e che anche la Negri nei momenti migliori di *Vespertina* ne ha tratto, è quella di un dolore più casto, e di un più intimo e pacato poetare.

1931.

Vespertina, Milano, Mondadori, 1931.

«IL FLAUTO MAGICO» DI GOVONI

Fino dalla prima pagina del libro, il poeta annuncia la primavera così:

> E ancora nel suo guscio di pulcino
> dormiva il primo tuon di marzo.

E parlando di sè, continua:

> Andavo così assorto
> nei miei paradisiaci affari
> che non m'ero nemmeno accorto
> d'un piccolo uccellino
> che mi veniva dietro
> saltellando a piè pari
> come se lo tirassi con lo spago.

Anche a non saperlo, questo è Govoni! Quel guscio, quell'uccellino a piè pari sono meglio che la sua firma: sono la sigla viva, il grafico sensibile dello scrittore. Da trent'anni giusti, dalle *Fiale* del 1903 a *Il flauto magico* di questo '33, Govoni tiene fede al suo segno: che è quello di essere il poeta più libero, più immaginoso e più inutile di tutti.

Il Govoni del 1903, sceso appena a Firenze dal Ferrarese, ce lo descrisse bene Papini: «Mi par di vederlo come se fosse oggi quando venne a trovarmi, nel 1903, attirato dallo scoppio del *Leonardo*, con un berretto di velluto in capo e il manoscritto del primo volume sotto un mantellone rosso da opera verdiana. Lo accompagnai dallo spiritale De Carolis, che faceva, allora, le prime figurine per D'Annunzio e portava anche lui un berrettaccio celliniano di peluscio chermisino sopra i preraffaeliti capelli. E fece difatti a Govoni la copertina del primo libro, intitolato dannunzianamente *Le fiale*, che uscirono presso il mio primo editore Lumachi, — nome di triste presagio per due poeti, ma che non ci ha portati a rovina ». Questo fu il primo e dannunziano Govoni. Ma è sempre Papini a informarci che più tardi ne spuntò un altro : Govoni smise il mantello rosso e fece « l'agricoltore, il soldato, l'allevatore di polli, di maiali, di cigni, di serpenti a sonagli, ecc. ». E qui (a parte i serpenti a sonagli) spunta il Govoni pascoliano.

Se poi si pensa che in quegli anni, tra il 1905 e il '15, ci furono di mezzo Papini con le sue riviste e Marinetti con *Poesia*, i *Colloqui* di Gozzano, l'*Incendiario* di Palazzeschi...., e (amicissimi sempre a Govoni) i Novaro con la *Riviera ligure*, l'aura della poesia govoniana è bell'e fatta. E tuttavia, nello scambio di quegli anni, l' immaginifico Govoni dette forse agli altri più che non ne prese. Di un certo repertorio crepuscolare fu anzi lui l' inventore ; e trovò presto modi di poetare così liberi e così suoi che anch'oggi, s' è visto, si può riconoscere Govoni ad apertura di libro, a un' immagine.

Appunto le immagini sono la delizia (e alla fine un po' anche la croce) di chi legge le poesie di Govoni. Nella prima pagina d'uno dei suoi libri più vivaci, Jules Renard descrisse una volta il cacciatore di immagini così : « Salta dal letto di buon mattino. Lascia a casa le armi e si accontenta di aprire gli occhi. Gli occhi servono da reti dove le immagini si imprigionano da sè.... Finalmente, rincasato con la testa piena, spenge il lume e a lungo, prima di addormentarsi, si compiace di contare le sue immagini. Docili, esse rinascono come vuole il ricordo. Ciascuna ne sveglia un'altra e senza tregua la schiera fosforescente si accresce di nuove venute, come per-

nici inseguite e sbandate tutto il giorno, la sera, sicure dal pericolo, cantano e si chiamano dalle fen
diture dei solchi ». Questa potrebb'essere l'arte poe
tica anche di Corrado Govoni cacciatore instancabil
di immagini, di figure, di analogie, inventore a con
tinuazione di insospettati rapporti e raccordi tra l
cose. È una virtù che di solito gli anni attutiscono
e a Govoni semmai l'hanno ravvivata. Attravers
l'uso e l'abuso di trent'anni, l'immagine di Govoni
alle sue ore buone, è rimasta pronta e nativa com
alle prime prove. Si fece più libera e sciolta via vi
che il poeta si allontanò dai metri chiusi e dagl
schemi del primo simbolismo (la stagione piena
l'estate di Govoni fu intorno al '15) ; e ora cerc
a volte un piano più stabile, una conseguenza men
arbitraria in tèmi di maggiore impegno. Ma sostan
zialmente le immagini di Govoni restarono sempr
le stesse : quasi tutte visive e di colore, agresti
prative le più, e raccolte spesso in un raggio brev
che è come l'orto di casa del poeta. Un orto che s
sposta con lui, e che oggi i suoi occhi ricreano
villa Borghese o nella campagna romana (eccolo or
Govoni

> sotto l'ombrello verde del pastore
> dell'italico pino lungo l'Appia),

come ieri nei sobborghi milanesi o nella piana del Po
Ritroverete anche questa volta (sempre quelli e di
versi) il suo picchio, i suoi usignoli, le sue piogg
filate, i fiori velini, i grilli, le nebbie, la facciata sfu
mata o la facciata bandiera delle sue case, le caro
vaniere e i mendicanti (« il mondo non par fatt
che di strade »), le lucciole, gli arcobaleni e le gibi
giane dei bambini. E certe delicatezze che sono sol
tanto sue : gli occhi degli uccellini morti :

> quel pallore di cieli uccisi
> negli occhi imbrillantati e vaghi ;

e certe simboliche stagioni...., un autunno :

> i pioppi solitari in preda
> alla gran tosse d'oro
> delle lor foglie morte.

Alcuni versi bambagini sembrano fatti apposta per proteggere questo più fragile Govoni :

> faville nastri fiocchi piume e pappi ;

ma, vicino, scampanellano subito i rosolacci, i corimbi gialli e rossi, le spadacciole, i carduccioni color vino.

Una natura, quella di Govoni, tutta a fior di terra che un soffio di vento sfa e rifà ; festosa e sempre pronta come per un gioco. Ecco un mare inedito

> con il suo ondulato biancospino
> eternamente in fiore lungo il lido ;

una caricatura,

> la bevuta dei presbiti tacchini;

un'aria di scherzo, un allegretto,

> quando la raganella accoccolata
> sopra la bruna foglia dello spino
> tocca lo scamosciato tamburino
> per invitar la pioggerella....

Sarebbe Govoni un poeta umoristico ? Anche questo può venire in mente, ma non è opinione da fernarcisi : dell'umorismo vero gli manca l'intenzione e la punta ; e certi effetti umoristici dei suoi versi sono dovuti soltanto alla tecnica poetica, al gioco delle immagini. Le immagini di un classico sottostanno sempre a certi limiti o convenienze ; nella esta di un classico, le analogie nascono soltanto tra igure di due famiglie simili o che non differiscano troppo tra loro ; le immagini di un impressionista nvece, di un decadente, di Govoni, rovesciano voentieri le regole ; e l'immagine preferita sarà sem-

pre quella che, dietro una analogia parziale, nasconde più elementi di contrasto. Orazio nega che il
poeta possa accoppiar le vipere alle colombe, e gli
agnelli alle tigri; ma un impressionista non chie-
derà di meglio.

Così l'umorismo di Govoni è piuttosto un invo
lontario frutto delle sue immagini che del suo senti
mento e della sua mente. Il pascoliano «fanciullino
che è in lui, a forza di dir tutto, diventa *enfant ter*
rible, ma non se ne avvede.... Talvolta poi un' im
magine anche per sè sconveniente, anche nata in
quest'aria di equivoco, s' impone e vince lei per un
più d' improvvisa energia. Come in questo vento d
temporale:

> Si vider donne lottare in un prato
> con gli angeli impauriti del bucato,

che è un tratto di bella e ariosa pittura.

Ma com' è che la poesia di Govoni si descriv
meglio che non si giudichi? e che, parlando di lu
il discorso cade sempre piuttosto sulle immagini ch
sulla poesia, più sul suono che sul ritmo, più sull
figure e le analogie che sul sentimento e l' ispira
zione. Com' è?

Non si può dire che la poesia di Govoni manc
addirittura di psicologia e che si ripeta da trent'an
senza svolgimento. Di nessun poeta ciò è possibil
e Govoni non è meno umano degli altri. Sta vicin
al Pascoli non solo per il «fanciullino» e il piace
dell'orto, ma anche per la fedeltà al poco e l'occh
pietoso che subito protegge gli uccellini, i fiori,
erbe, i colori, le gioie più gracili. E ora che gli an
cominciano a pesare, qualche accento più umano
scopre anche di più.

> Suono sempre, ma suono ognor più piano:
> suonando copro il flauto con la mano.

Perchè col tempo è diventato tanto
sensibile che basta un passeggero
cruccio e un lamento fatto anche in pensiero
per riempirlo di pianto.

E ci sono tratti anche più chiari di questo dolore:

non vidi un uomo che non sia alla stanga
non vidi un occhio umano che non pianga.

Tra i tanti giardini e orti della poesia di Govoni, ora appare più spesso, e più suo, quel prato dove nessuno pascola, il camposanto « con un cancello d'angeli e di spade ». E più spesso ora il cuore gli ritorna alla lontana infanzia paesana,

il ritmo alla semplice vita lo dava
la stabile ruota dell'ebbro vasaio.

A cercar bene, anche questo c'è in Govoni: rimpianto, affetto, malinconia dell'uomo.... Ma com'è, allora, che quasi non ci se ne avvede?

La colpa in verità è delle spesso belle varie e doviziose, — ma anche incontinenti e infinite —, immagini con cui Govoni copre tutto. Sotto quella fiorita, molte poesie perdono non solo la loro linea, ma il loro perchè. Nulla è più « com'è », tutto è « come » un'altra cosa. E le immagini che si seguono così rapide, oltre l'occhio non nutrono più il cervello; si scompongono e ricompongono nella rètina come in fondo a un caleidoscopio. E nasce nel lettore quella sazietà da cui non vanno mai esenti i poeti troppo immaginosi. Si pensa alla sorte in Francia di Paul Fort che pure fu più costruttivo del nostro....

E Govoni sa di questa dispersione che sempre lo minaccia? Si direbbe; anche se non corre sempre ai giusti ripari. A volte lo vediamo rifugiarsi in un quadro più definito o affrontare addirittura una figura storica o un eroe. E canta Milano o la sua Padania; e narra la vita di Gesù e di Garibaldi. Ma poi anche gli eroi, anche la storia di Govoni si risolvono in un seguito di festosi arazzi o di sgargianti tappeti....

Per trovare il Govoni migliore è sempre meglio servirsi di un metro breve. Belle sempre le sue poesie di un sol momento poetico: un confronto, un quadretto, un' impressione, dove una sola immagine si bilancia esattamente, come un epigramma, in un periodo solo. Ma a volte anche nelle poesie lunghe e lunghissime e meno grate, magari dopo filze e carovane di paragoni e di immagini oziose, spira a un tratto l'aria del miglior Govoni: quell' invenzione rapida, quel crear leggero, quei freschi colori che odorano, non sai come, insieme di tavolozza e di prato; cinque versi o dieci per cui Govoni è lui.

1933.

Il flauto magico, Roma, Al tempio della Fortuna, 1933.

IL «LIBRO N. 9» DI TRILUSSA

Comunque si voglia giudicarne l'arte e la poesia, Trilussa da vent'anni è una voce viva, risponde a un'esigenza giocosa, satirica e sentimentale della nuova borghesia romana, e, attraverso Roma, diciamo di tutta l' Italia.

Come tutte le persone vive, Trilussa ha per sè amici facili, e (nemici non diremo) amici difficili. Dicono gli amici facili : — Quale altro scrittore dialettale ha saputo per vent'anni mantenersi così vicino alla realtà politica, sociale, mondana del giorno, come Trilussa ha saputo, attraverso tanti dialoghi, storie e fiabe di uomini, di cose e di animali ? La sua ricetta è infallibile ; egli sa combinare il sentimento e lo scherzo, la morale e lo scetticismo, la volgarità e l'eleganza in dosi sempre sicure. Quel che non piace ai lettori del primo piano, piacerà in portineria ; quando Trilussa non fa ridere in osteria, fa sorridere al *club*. Gran segreto, piace sempre a qualcuno. C' è sempre chi gusta la sua allusione, chi ritrova da lui espresso, definito, epigrafato, il suo inespresso, segreto sentimento ; Trilussa fa sempre le vendette di qualcuno. Se usasse sottoscrivere il proprio *sì* sotto le poesie dialettali, in vent'anni quanti sonetti e favole di Trilussa avrebbero ottenuto un plebiscito !

Dicono gli altri, i lettori e amici difficili : — Trilussa è davvero un satirico ? è proprio un nostalgico ? Badate : il suo fondo romano e romanesco non è profondo, la sua Roma è nata appena nel '70.

Così anche le sue aspirazioni e desideri sono corti' vanno appena un palmo al di là del vero, e la sua satira si affida tutta alle occasioni, è foderata soltanto di un immediato buon senso. La sua ironia non è di quelle che levano il pelo; piuttosto (scusate) è di quelle che ci soffiano dentro per scoprirne le pulci. Il suo gusto di moralista (se non è dir troppo) resta tutto episodico, occasionale....

Pro e contro Trilussa, corrono questi argomenti; ma forse non occorre essere Salomone per trovare, tra i due opposti, la verità. Se da una parte la fama di Trilussa si giova di un gusto un po' corrivo e, per dir così, giornalistico, e lui stesso magari lo seconda e un po' ci si vizia; dall'altra, c'è chi giudica Trilussa con un criterio preconcetto e lo pesa con una bilancia che non è giusta. Diciamolo tondo: molti di quegli stessi che pure lo leggono con piacere e, leggendolo, sorridono o ridono e poi magari lo ritengono a mente, quanto poi a concedergli la patente di poeta, e poi poeta romanesco, fanno boccucce. Ma boccucce perchè? Perchè essi hanno in petto il ricordo del Belli o di Pascarella. Proprio così: per la poesia in dialetto, vigono ancora graduazioni rettoriche, confronti, regole di stretta osservanza, filologiche e storiche fedeltà alle parole, purismi, obblighi di argomento, che per la poesia in lingua, e anzi per ogni altro modo di letteratura, già sono morti e sepolti. Molta vecchia e rettorica pedanteria, cacciata dal podere della letteratura si è rifugiata nell'orto del dialetto.

Che rapporto corre fra Trilussa e Pascarella? È chiaro, nessuno. Più d'ogni altro poeta d'oggi, Pascarella è un solitario. Col suo popolano e la sua epica dialettale si è rinchiuso in un mondo lontano dal nostro: dove è maggior poeta, Pascarella parla con le ombre.

E fra Trilussa e il Belli? Sono due nature diversissime: una, di grande e acre distruttore, l'altra di arguto disegnatore e annotatore in margine.

Tutto ciò per dire, infine, che anche Trilussa, come ogni poeta piccolo o grande, ha anch'egli il diritto di essere valutato per ciò che di fatto è, e non alla stregua ipotetica di un poeta dialettale romano archetipo. È ingiusto far pesare sulle sue spalle, come difetti o vizii, quella versatilità o leggerezza, quello scetticismo, quella mondanità borghese, che sono, soltanto, i suoi caratteri.

Difetti e vizii veri, ne ha, e non ci vuole tanto a scoprirli. È spesso frettoloso, provvisorio, e talvolta volgaruccio, tremulo nel patetico, meccanico nell'umorismo; ora rifinisce e niella troppo, e troppo a buon mercato; ora si sbriga, tira a campà. Come accade ai poeti del suo *genere*, spesso Trilussa scopre il mestiere; (ma sì, è giornalista). Quando però ha voglia davvero, quando è in vena, che vivezza d'occhio, che prontezza di mano, che schiocchi di verità con le sue rime! Con che eleganza, andando per via, agita tra le dita la canna; eppure con che sodezza; sembra un *dandy*, ma se fosse «il dài»? Se imbraccia il chitarrone del sentimento, tre corde spesso son fesse, ma una risponde quasi sempre (i bambini, i vecchietti di Trilussa). Con che malizia entra in salotto, si sfila un guanto, s'inchina alla bella, e si scopre vassallo poi proprio alla fine del madrigale. Liscio e compunto, sa fare il nesci per i primi undici versi del sonetto, e poi ti scarica a bruciapelo la terzina. L'ultimo verso suo, è quasi sempre brutto; spesso però è irresistibile. Un tale «è fijo d'un processo a porte chiuse»; una tale «presa cor sorcio in bocca a Via Privata»; il nuovo massone «te dà le fregature allo scoperto»; a tanti increduli di ieri, oggi «je basta un gnente pe' ricrede a tutto». Versi e versacci che sono come colpi di ciabatta; ne hanno il tonfo volgare, ma anche l'efficacia. Prima che nella letteratura, Trilussa insomma è persona viva e attiva nella vita del suo e nostro tempo.

Anche la lingua o dialetto di Trilussa, è da vedere così. Non vorrò, io toscano, muovere a Trilussa questione di purismo romanesco; ma se mai mi valgano i consumati abbacchi, ed i, per molti anni, sollevati litri nelle osterie di Roma, posso dire anch'io che il *romanesco* di Trilussa, invece che dai popolani veri, (se ancora ce n'è), sembra derivato dai mistilingui e scaltri rivenditori di giornali e mazzetti di fiori, tra l'Aragno e l'Excelsior. E fu già ben detto che Trilussa è il poeta, proprio di quella Roma che sale dal Corso ai quartieri Ludovisi, con dentro il monumento al primo Re, e i vecchi ministeri. È giusto dunque che anche la lingua di Trilussa corrisponda allo spirito della sua poesia, al suo mondo, alle sue strade; e che il suo romanesco sia, quel ch'è, un gergo furfantino: si accorda tanto bene a quello che ha da dire!

Penso anche che, domani o dopo, Trilussa sarà apprezzato di più proprio per quei motivi o caratteri per cui oggi, presso gli squisiti, egli è tenuto un po' in sospetto. Nella sua furbizia, nella sua satira, nel suo stesso trucco, c'è un principio e un movimento di verità, un sentore di vita, una franchezza e soprattutto un veritiero specchio del suo tempo, per cui Trilussa anche in un lontano domani vorrà essere ricordato.

1929.

Libro N. 9, Milano, Mondadori, 1929.

POESIE VECCHIE E NUOVE DI DIEGO VALERI

Cinque volumi di versi, in meno di vent'anni, non hanno fatto di Diego Valeri un caposcuola, ma non lo hanno neppure legato mai a quella scuola o a quel gruppo. Avviene così che l'uscita di un suo libro non provoca oggi fuochi d'artificio e luminarie in un quartiere distinto della città letteraria, ma è tutta la città che, onestamente e senza troppi chiassi, se ne rallegra. Scegliendo *poesie vecchie* dai precedenti volumi (1913-1928) e aggiungendovi un forte gruppo di *poesie nuove* (1929), per questi sedici anni, che sono poi tutta la sua vita di poeta, Diego Valeri può giustamente parlare di una « testimonianza » data, di un professato « amore non soggetto a mode nè ad ambizioni di carriera letteraria ». Di ciò ogni lettore può fargli fede. Più difficile mi sembra riconoscergli sempre quella « continuità, coesione, unità interna » che pure egli, nella stessa pagina, afferma. Quelle qualità vogliono dire, insomma, classicismo; e il Valeri, se altri mai, fu sempre un uomo in cerca, un romantico.

Nei primi libri, questo spirito di ricerca, questo gusto sperimentale del Valeri restano addirittura scoperti. Prima d'essere un poeta in proprio, direste che il Valeri è stato un'anima poetica: l'aura del tempo, i motivi, le intonazioni altrui trovavano in lui una percezione simpatica, pronta, ma niente affatto servile. È probabile che, anche oggi, chi rilegga « Il dottore di campagna », pensi al Pascoli; « Maggio », a Moretti; «Mattino d'estate», a Govoni; la «Serenata per bambola», ora a Palazzeschi, ora a Corazzini. Altrove il Valeri ricorda da sè «i volumi gialli di Francis James», o il Villon tenero, il De Vigny di *Stello*. Qualche suo accordo maggiore o più crosciante può far pensare magari a Victor Hugo (almeno a quell' Hugo su cui Valéry innesta il primo Baudelaire); qualche ritmo più recente risente Papini. Ma questi ed altri sono nomi e richiami che alla fine dicono poco: la loro stessa disparità esclude l' imitazione. Altrettanto frequenti sono nel Valeri gli espliciti richiami alla musica, ora a Chopin, ora a Debussy, ora a Beethoven; e chitarrate e canzonette....

Sensuale e dilettante (nel senso migliore della abusata parola), il Valeri ha cercato sempre se stesso, si è sperimentato, si è stimolato nei contatti del mondo esterno; e gli potevano essere ugualmente incentivo un'ora del tempo, una campagna, una musica, una strada cittadina, una donna bella, — o il verso d'un amico poeta. Non per questo la sua sincerità era compromessa; l'accento ultimo, il motivo segreto della poesia, restava suo. Il suo pericolo vero era un altro; e stava proprio in quel suo sensuale disperdersi fuori di sè, in quel dilettantesco tentare e ritrarsi, affacciarsi e sparire. Per molti anni la poesia del Valeri ha dato quest' impressione: un carezzevole abbandono, una felicità rara di tócco, una fiorita di ricordi, di sensazioni; ma, alla fine, dov'era il pernio di questo poeta e il centro di questa poesia? Non si vedeva bene. Di questa mancanza di radice e di *humus* il poeta, per primo, soffriva. La sensazione casuale e improvvisa, il vago, l' ineffabile, lasciavano anche a lui un fondo d'amaro.

> E parole io scrivo e scrivo
> infaticabilmente, per dir cosa
> di cui null'altro veramente so
> se non questo: che dire non si può,

Chi passi gradatamente, dalle più vecchie, su su alle nuove poesie del Valeri, si accorge presto come l'impegno del poeta sia stato quello, progredendo, di limitare il suo campo, di scartare le troppe sensazioni, di potarsi. Il libro, che raccoglie ora *Poesie vecchie e nuove*, in questo senso, è istruttivo: da una vaga anima poetica, vi si vede nascere un po' alla volta, quello che è molto più raro, un poeta.

Infine, le *poesie nuove* che chiudono il volume sono nuove davvero: qui il Valeri ha visto finalmente il fondo, ha riconosciuto quali sono i suoi motivi, le sue ispirazioni vere, e ora vi si attiene, le tratta con mano più certa. Quello che il dilettante ha perso in varietà e in vaghezza, l'ha acquistato il poeta.

Gli argomenti, i temi preferiti dal Valeri oggi mi sembrano due: l'amore della donna, e Venezia. Donne, nelle poesie del Valeri ce n'è state sempre; e dico donne vere. Per riprendere una distinzione che piacque a Baldini, e secondo la quale i poeti erotici si dividono in due grandi classi, i poeti d'amore e i poeti di donna...., dirò subito che il Valeri è decisamente poeta di donna. Anche quando egli in qualche modo si aggirava nell'alone crepuscolare, delle donne parlava con una verità, un turbamento, un desiderio come di cose reali e in viva luce (e niente affatto crepuscolare) della sua vita. Crudezze in lui non ci sono, e certo il Valeri sarà sempre da nominarsi tra i poeti gentili; la sua voluttà, come quella di ogni vero voluttuoso, resterà sempre qualche poco segreta; ma le donne delle sue poesie sono bene individuate, il suo desiderio è ben acceso. Il poeta ripensa i primi anni della gioventù:

I mattini d'allora.... Ci venivano incontro
per le pallide vie della piccola città
col passo molle e baldo delle giovani donne
calde di sconosciute voluttà.

Descrive la giovinetta che pare ignara :

Ma gli occhi grandi, ombrati di viola,
raggiati d'oro, limpidi e inscrutabili,
son più amari degli occhi della sera.

L'amata è improvvisamente lontana :

Or che tu non ci sei, tutto s' è spento
quel che splendeva in allegrezza e riso.

Sono vecchi motivi, ma rinnovati da un accento vissuto.

Gli occhi, i suoi occhi d'acqua di laguna
(sùbiti balenii di sole biondo
tra un pigro errar di nuvole, e nel fondo
un'ombra di tristezza verdebruna) ;
e il collo, così bianco così schietto,
con quell'azzurro palpito di vena,
e su la nuca un'ombra, un'ombra appena,
d'oro, un ricciolo lieve e pallidetto ;
e le mani piccine, tenerezza
pura tra le cascate di merletto ;
e i polsi esili, e il molle ondar del petto....
Tutta ! e stai tutta nella mia carezza.

Voi sentite sempre che queste sono donne, blandizie e voluttà provate. E che quando il poeta, riassumendo la vita passata, confessa :

allora mi prese una gran pietà
della mia vita ardente e vana....

oppure :

l'amore venne, con gli occhi infiniti
e la carne profonda della donna ;
con sue lagrime e giochi, con sue tristi
menzogne, con suoi doni ed abbandoni....

forse non fa di bei versi, ma certo confessa un'esperienza sofferta.

Ho detto che oggi l'altro tema felice, l'altro dominante motivo della poesia del Valeri è Venezia. Un enunciato così può sembrare convenzionale e anche destare qualche diffidenza. Dio ci guardi dai «poeti di Venezia»! D'accordo. E l' incontro tra il Valeri e Venezia sarà bene considerarlo soltanto in modo simbolico. Ma è certo che lo specchio di quel paesaggio essenziale, fatto infine soltanto di pietra, d'acqua e di cielo, gli ha come disciplinata e quasi infrenata la musa; e il disperso e spesso govoniano Valeri se ne è giovato assai. La poesia «Primavera di Venezia», *Oh primavera che non puoi fiorire*, — mi pare avere quasi un valore simbolico tra quelle del nuovo Valeri. A Venezia anche i più fuggevoli, i più labili segni delle stagioni, della natura, dicono più che nelle altre città. Le rondini, sono veramente loro a portare a Venezia la primavera....

E questo lungo respiro di vento
che porta nel chiuso l' immenso del mare,
tagliato dal volo violento
delle rondini stridule, amare....

Nell'orto dell'ospedale,

c'era un pïare d'uccello solo;
poi scoppiarono gli aspri gridi
delle rondini, sbucate dai nidi,
rovesciate nella furia del volo.

Ancora rondini:

Subito scattano, da dietro
i tetti, le rondini, a colpo di vento
e tagliano il cielo stridendo
come il diamante sul vetro.

Citazioni che possono valere anche come segni dello stile raggiunto ora dal poeta. Manca ancora al Valeri quella certezza conclusiva, quel sigillo suo, per cui un poeta si stacca e definisce, nella memoria degli altri, e talvolta con un verso, una frase sola. A ricordare Corazzini può bastare la domanda sua, *Perchè tu mi dici poeta?*; Gozzano può star tutto in un nome, *Signorina Felicita*; chi dice *Lasciatemi divertire*, dice Palazzeschi. Lo stile, la poesia del Valeri forse non hanno ancora raggiunto questo segno, questa sicura definizione di sè.

Quale dunque sia stato in vent'anni il progresso del Valeri s'è detto. Se interpreto bene l'ultima poesia, «Cose», ed altri accenti sparsi nel volume, il voluttuoso di oggi non dispera di raggiungere domani una più profonda poesia d'anima. Riuscirà? Al critico — o diciamo più umanamente, ai buoni lettori, agli amici, come noi siamo, di Valeri — importa intanto poter dire che questo poeta, nell'ombra quasi ritrosa in cui vive, ha raggiunto già quella felicità del sentimento e dell'espressione, e quel caldo accento umano che è e sarà sempre di pochi.

1930.

Poesie vecchie e nuove, **Milano, Mondadori, 1930 (seconda edizione 1932).**

«IL PANE SEGRETO» DI ALBERTO MUSATTI

Alberto Musatti non fa professione di lettere (se piace saperlo, egli è oggi tra i primi avvocati del fôro veneto), ma neppure, e in nessun modo, lo si può dire un dilettante della poesia. Tra queste due qualifiche, bisogna per lui trovarne una terza: egli è, anche se taccia, un *fedele* della poesia. Gli potrà succedere, come di fatto gli è successo dopo il primo volume *La rosa dei venti* (1906), di lasciar passare quasi un trentennio senza pubblicar versi; ma non per questo la sua fedeltà alla poesia venne meno. La poesia restò in lui cuore del cuore, «desiderio del desiderio» (secondo un luminoso detto del Tommaseo), alimento necessario, *pane segreto* come appunto s' intitola e definisce da sè il volume nuovo. E in questi lontani e tardi appuntamenti del Musatti alla Musa non c' è niente di languido o sospiroso: la sua fedeltà silenziosa ha anzi un certo tono morale e talora un che di aspro come di chi, pur tacendo, abbia vissuto in milizia. E spesso leggendo le poesie del Musatti, ne avete prima in mente un accento etico che uno stato di grazia o un' ispirazione; *nobile poeta* — anche con quel tanto di infelicità o meno grato che la frase porta con sè.

E quali sono poi gli argomenti, i temi, le ispirazioni del Musatti? C' è súbito, ed è il più vistoso, un Musatti innografo della poesia: egli prende spesso a soggetto del suo poetare la stessa ispirazione poetica; e dice l'esaltazione, la gioia che ha dalla presenza di lei, e l'amaro, l'aridità che glie ne resta dopo sparita. Il disegno di molte poesie sue è quello di uno scoperto o segreto dialogo con la musa: un'ispirazione dunque che, appena nata, si rivolge su se stessa: inno all'inno, poesia alla poesia. È questo l'accento che domina nell'«Ala», nella «Musa del Loto», «Alla Musa lirica», e diversamente si risente in «Wagner», «Beethoven», «Le sfere», «Per un edelweiss», «Il cavallo stramazzato.... (Questo «Cavallo» dà addirittura in un simbolismo troppo vistoso, da cartellone). Il meglio del Musatti certamente non è in questi toni celebrativi di cui il generico e l'astratto si accusan da sè, e che lo ricollegano ancóra oggi agli epigoni delle Laudi dannunziane. Si può aggiungere che c'è in lui minor fasto esornativo e più intimo impegno che non fosse allora nei dannunziani: i miti, i simboli, le occasioni eroiche egli li desume dalla vita, e li tratta con una serietà morale che di solito i dannunziani non ebbero. Nel suo eroismo c'è più Nietzsche vero che D'Annunzio; e il suo stesso nazionalismo deve essere cosa seria se, per fedeltà al generale, il Musatti pubblica qui una poesia, «Cadorna», brutta molto e che tale certo sembrerà anche a lui. (Che è un bel sacrificio per un poeta!). Si potrebbe anche dire che il Musatti eroico somiglia spesso al bravo De Bosis che nella sua onesta tavola riuscì a convertire quasi in pane i più fastosi e inservibili frutti dell'imbandigione dannunziana.

Ma c'è un altro Musatti. Sotto la selva un po' sonora degli inni, c'è un sottobosco più umile ma più ricco di *humus* e di verità. E sono le poesie dove il poeta resta solo con sè, e si tenta, s'interpreta nella sua sostanza più segreta. Quasi un insospettato Musatti: un uomo triste, cui sono negate le ragioni semplici del vivere, amaro anche se ami, solitario in una sua intima rancura pur tra gli uomini. Anche quando il poeta sembra avviato a goder della vita, dell'amore, della natura, ecco a un tratto quell'accento come un improvviso gelo nel cuore: « pel mischiato e involto — uomo ch' io sono », « come la zolla arsa, com'erba — bruciata », « il mio dì deserto ». Che cosa resta in lui dell'amore?

Non t'amo
più. Non ho più l' ignoto
ospite in cuore. È giorno!

Tutto si rischiara. È tutto
facile. È tutto indarno.
Son calmo e disperante.

Ed egli vive così solitario in compagnia di domande difficili, senza risposta. Nel suo giorno anniversario, confessa: « .... m' è più cieca — oggi la vita, che in quel punto ch' io — v'entrai.... ». Ed ha quasi la voluttà di questo stato; anzichè evaderne, ci insiste, ne cava una più dura ragione di vivere.

Ragion che tu viva è che tu
patisca. Sei tutto in patire!
Rannuvolandomi muto
io quasi creomi un senso
nuovo, per appropriarmi,
nel momento che più m'ange,
questo cibo della vita,
essere io stesso dolore
e non dolente; io stesso
esser quel duolo, non solo
pianto che qui se ne piange.

(Qui il Musatti può far pensare al Montale: e l' incontro è tanto più eloquente perchè probabilmente inconsapevole: è quasi certo che i due poeti si ignorano).

Sono naturali e frequenti nel Musatti questo impietramento doloroso e il maschio tedio. Spesso tra gli uomini egli si sente d'un'altra specie; s' indura in lui la tristezza e quasi l' incomunicabilità ebraica:

Nè forse io vedrò sorgere la spica
del mio profondo cuore, a cui fu imposto
portar sementa senza frutto antica.

(Dove l'ultimo verso è forse più grande del poeta....); ma è proprio da questo sapore cinerario che sorgono poi i fiori più certi della sua poesia. Spesso gracili e come intagliati in un vetro, e di netto stelo. Il lettore scelga in «Amorosa», in «Episodii», in «Lare». È qui che il poeta cerca di affezionarsi alla vita e canta le cose a lui più vicine: epigrammi d'Antologia, strofe d'amore (.... *povero, povero me*....), canzonette sul gusto di un nuovo settecento (si pensa anche a Saba). Fioritura fragile, ma fatta più lucente da quell'ombra che le sta presso.

A volte, in versi di disegno certo, il Musatti sa chiudere sfumature, levità rare. Presso una dormiente:

> Passo con lieve piede
> vicino al tuo sogno....
> . . . .
>
> Cosa divina sei
> tu così lieve, sospesa
> alla quieta tenebra con l'alito.

Ma è raro che le poesie del Musatti, e anche le migliori, non diano alla fine l'impressione di pitture di troppo poco colore, di corpi troppo esangui, poesie depauperate da un'intelligenza troppo attenta.

Di un certo impeto scarno e senza peso non va forse immune neppure questa poesia, d'altronde assai bella, a una piccola violinista, *A Vivien*:

> Chi nel vento delle tempeste
> ha sparso i tuoi riccioli biondi
> sciogliendoti il nastro celeste?
> Addentrata sei nei profondi
> dell'anima: fra le radici
> del vivere, al nodo dei mondi,
> con piccoli piedi felici,
> t'aggiri; e di là, in un sorriso,
> le cose terribili dici.

Chi agli occhi tuoi ceruli il viso
  mostrò di Medusa ? Chi chiama,
  piange, urla dal tuo paradiso ?
Oh, tutta la vita proclama
  sè, nell' inconsapevolezza
  del cuore tuo piccolo, e t'ama
e t'odia, lei grande, e ti spezza
  la voce, a cantarla a cantarla....
  Tu, Infanzia, tu, Mamma, carezzala,
fa che non s'ascolti se parla.

Indimenticabile, questa piccola maschera tragica, commista d'orrore e di grazia.

1931.

Il pane segreto, Poesie, Firenze, Le Monnier, 1931.

IL PARNASSIANO PASTONCHI

Il primo giudizio sui suoi *Versetti*, Francesco Pastonchi se l'è dato da sè. Niente di male: ci sono poeti che, affidatisi una volta alla músa, restano poi circonfusi nella nuvola sacra; fuori di lì, non vedono e non vogliono vedere. Se li interrogate sul conto loro, ne avrete risposte o troppo dimesse per essere vere, o evasive, o iperboliche: da servire piuttosto alla psicologia che alla critica. E diciamo che sono romantici. Altri ce n'è che invece vedono chiaro anche in sè, hanno il gusto di controllarsi, conoscono il piacere di definirsi; e spesso sono loro a offrire al critico la formula più sicura dell'arte loro. E non dico che questi siano sempre i classici (quanto a sè, un classico vero ama piuttosto restare zitto); ma sono almeno quelli che aspirano al classicismo, e che, se non l'hanno, lo simulano.

Mi pare certo che Pastonchi appartenga a questa famiglia. Eccolo dunque che dedica i suoi *Versetti* alla memoria di Gustavo Balsamo Crivelli, un amico suo che fu anche dotto ed erudito; e, dedicandoli, li definisce:

lo scarno fastello
di rime che, all'assidua lima
degli anni scampato, m'avanza.

.... casti
di suono, misurati, netti,
incisi d'entro il mio tormento.

Dove la nettezza, la misura, la lima sono tutte cose vere; difficilmente si troverà qualcuno che voglia negarle a Pastonchi. Resta se mai scoperto quel «tormento». Che tormento è quello di Pastonchi?

Sarà bene spogliare subito la parola di ogni senso troppo umano e dolente. Il tormento di Pastonchi è oggi quello di un poeta letterato che ha sofferto la sazietà e quasi la nausea della sua letteratura e, poichè liberarsene non può, ha cercato di darne una riduzione estrema, quasi un'ultima cifra. Questi sono i *Versetti*: ritorno a se stesso di un poeta che non spese sempre bene la sua naturale fortuna.

Poichè anche nei momenti peggiori, certe doti e qualità furono costanti in Pastonchi: l'orecchio educato, la voce bella, una istintiva eleganza; e probità, educazione di letterato, oggi piuttosto rare. Ma che uso poi ne fece? In trent'anni non c'è stata, si può dire, ispirazione, motivo o pretesto cui Pastonchi si sia rifiutato; la sua vela ha raccolto tutti i venti; e i suoi argomenti, chi li riassumesse, formerebbero forse il più ricco repertorio poetico ad uso dei contemporanei. Nonostante quel letterario piacere di dire e di dir bene che gli rimase, a seconda dei tempi si potè risentire in Pastonchi qualcosa del Carducci e del Pascoli, e moltissimo del D'Annunzio, e poi un'eco reciproca che si rimandavano lui Gozzano e i neoteroi. Tanta dispersione e abbondanza finirono, se non proprio per sopraffare, certo per consumare le sue stesse qualità. In qualche momento, si è potuto pensare a lui quasi soltanto come a un poeta d'occasione, e non nel senso goethiano.

A questo punto Pastonchi si è avvisto del pericolo. E nei *Versetti* si è ripreso, ha interrogato la sua ispirazione più da vicino, fra i temi ha scelto quelli soltanto che gli sono consentanei. Non abbiamo così nei *Versetti* un Pastonchi nuovo, ma almeno un Pastonchi corretto da se medesimo, messo finalmente in fuoco, e più rapido, netto. Questo riprendersi e scarnirsi è stato il suo felice «tormento».

Fra i temi di Pastonchi sarà sempre da far posto alle donne. Che non sono proprio donne appassionate e nemmeno amorose; sono soltanto donne «alla moda»: fan tutt'uno con l'abito che indossano, con le pose che prendono, coi loro gesti e vezzi e motti e parolette. Pastonchi le ritrae con un gusto spesso un po' pungente, un po' acre, ma sempre tutto esterno. Nessuno crederebbe a Pastonchi poeta d'amore; ma non c'è altro poeta oggi che, come lui, possa offrire una così ricca «sala di prova» alle eleganze femminili.

Nei *Versetti* ci sono donne su tutti i toni, su tutte le gamme. Dall'adolescente sola «quasi a dispetto»,

> ma l'immobile volto
> sente il sen che ti sforza
> come gemma la scorza
> dell'albero in ascolto,

alle due amiche sorprese per istrada la mattina all'ora tutta femminile delle *commissioni*,

> Vogliono andar sole, strette
> braccio a braccio, così, fuggitive,
> gioir di sè nitide, vive,
> ridersi le lor parolette,

a questo interno dal parrucchiere:

> «Passata malinconia?»
> «Anzi cresciuta. Mi sembra di avere,
> qui al posto del cuore
> stanco di far rumore
> un giocattolo infranto.
> Questa mattina — voi ridete — ho pianto
> anche dal parrucchiere».
> «Povera amica mia!
> E lui? lui che diceva?»
> «Nulla. Mi pettinava: e io piangeva».

Pastelli mondani di questo gusto e di questo taglio (che sarebbero piaciuti a François Coppée) ce n' è qui una piccola galleria : « Fragilità », « L'arte », « Gli ospiti », « La nutrice », « Oblìo », « L'attesa », « La finestra », « Incontro »....

Ma ci sono modelli anche più alla moda, modelli proprio 1931, e che forse piaceranno di più, perchè più avventano (anche se poi dicono meno). Donne *ultimo grido*, che non conoscono più « soste opache, non visco di sogni », che hanno per sempre « congedato l'amante monodico, e il suo vecchio dramma ». Non belle,

> non bella forse. Ella inventa
> la sua bellezza nell'atto
> tra nette simmetrie di gesti ;

da quella che sta tutta piegata sulla tavola del gioielliere,

> gli offri per lo scollo inumano
> il fiore del tuo sen compatto,

all'altra che si fa la faccia,

> ti adergi e con rito d'automa
> inciprii il naso, le guance,

alla donna trampoliera del bar,

> rifiuti curve di lezii.
> Spianate palme, dita erte :
> le serri al ginocchio conserte,
> crei di te stessa trapezii.

Dove quelle « simmetrie », quello « scollo inumano », questi « trapezii » son bravure rubate, si direbbe, alle *affiches*. E credo davvero che Pastonchi, solo scegliendo motti e emistichi dai suoi volumi, potrebbe come nessun altro illustrare il variabile album della moda femminile ai nostri dì. Il poeta guarda queste donne e le ritrae talvolta gentile, pungente più spesso, ma sempre con una punta di galanteria staccata. Non ci si meraviglia troppo di vedere poi Pastonchi che applica la stessa industria, lo stesso nitore, e quasi gli stessi accenti, le stesse rime, a ritrarre campagne e nature e scene agresti. L'effetto è lo stesso. Qui e lì circola infine una stessa (un po' esterna) salute; un poeta come Pastonchi resterà sempre e ugualmente difeso dall' isolante della parola. « Primavera viene », « Messa prima », sono di questo Pastonchi agreste; e felici sulle altre, le strofe ottobrine del « Cacciatore »:

Mattini lieti di caccia
coi belli anelanti cani!
L'ultimo can s'accovaccia,
mi lecca muto le mani
non ha più fiuto alla traccia.

Quando s'andava alla pazza
per tempo chiaro e per fosco....
non teme nebbia nè guazza
il cacciatore del bosco:
or se n' è ita la razza.

Ottobre, chiari cammini,
poi che s' è riposto i fieni,
poi che s' è spillato i vini:
lascia che il sentier ti meni
così tra castagni e pini.

Certe arie nette di vento
che conti tutte le rame:
certi rii vivi, d'argento,
che mettono un'allegra fame:
fischi nel tuo pan contento.

Altre ore come sospese
in un silenzio stupito,
estatiche, senza più attese.
Temi di turbare un rito:
gli spari son quasi offese.

Nubi posate sui colli
in giro come un bucato :
si levano voli molli
da l'albero desolato,
solo che una foglia crolli.

E un sogno il mondo ti pare,
la mèliga sotto la loggia,
il vecchio sul limitare,
la donna curva alla roggia,
e i buoi nel campo a arare.

Come non restar presi dal piacere di alcune di queste strofe ? È da dire se mai che qui e altrove, nei *Versetti*, senti una rispondenza tale di parola e di suono, un incanto così studiato, una perfezione così chiusa in sè, che è quasi sazievole. Quando l'arte è tanto industre, finisce per accusare da sè un'ultima aridità, e il senso dell' inutile. Ma Pastonchi stesso lo sa, se ne duole e trae partito anche da questo sentimento ; qua e là nel libro si leggono ammonimenti quasi epigrammatici, spunti gnomici che lo riflettono. E questo è forse, nei *Versetti*, il Pastonchi più nuovo ; dove saluta l'ultima donna,

che è mai questa nostra vita
dopo te svanita ?
Un serrarsi e aprirsi di porte,
un'eco di fuggitivi passi
un silenzio.... e poi niente,

o dove riflette sulla sua brevità,

e il tempo è una spera che oscilla
senza nè dopo nè prima
mentre l'arrotino ti lima
la vita sotto la stilla.

E la lunare immagine della fortuna umana :

Prima un fatuo miraggio
poi un vacuo rimpianto
è l'umana fortuna

. . . .

Così talvolta la luna
dopo il notturno incanto
lascia una vacua spoglia
a languir sulla soglia
luminosa del dì.

Il poeta guarda ai giorni che gli avanzano:

Giorni miei! aride foglie
che al termine del cammino
scuoterà dal mantello il pellegrino.

E detta lui l'epigrafe ultima alla sua poesia:

Sono....
come un' inutile scolta
a un prigioniero già morto.

Purtroppo non tutti i *Versetti* suonano netti così. Neppure questa volta mancano le ridondanze dannunziane (« Pilota »), e magari di un D'Annunzio che accelera i tempi e le immagini sul gusto di Marinetti (« Luci »); e teneri-ironici dialoghi che sembrano ricalcati su Corazzini (« Amici »), e funambulerie (« La stella ») che avrebbe trattato meglio Palazzeschi. Anche peggio, in questa poesia, dotta sì ma moderna, suonano alcuni accenti illustri, allo scoperto: « son questi i cari luoghi ov' io ti amai? »; « or dove siete — care del viver mio fonti segrete? »; « ma l'anima dal chiostro che la serra ».... Che il taccuino segreto di Pastonchi sia nutrito di classici, sta bene; ma è male quando il taccuino si scopre. E, anche nella modernità, spesso la bravura è troppa: i cofani delle automobili che diventano *coffe* e rimano con *goffe*, le iridi *blave* che fan rima con *bave*, ecc., son giuochi. C' è qua e là una ingegnosità da acrostico che non piace; anzi, mette un po' in sospetto anche il resto.

Ma nelle loro parti buone, che sono le più, i *Versetti* hanno avuto il merito di ripresentarci Pastonchi (che da tempo sembrava traviato nell'eloquenza) in quella che è certo la luce sua più naturale e migliore: Pastonchi parnassiano.

Il nome, se non nuovo, è recente; ma la cosa è antica. Ci furono e ci saranno sempre poeti che traggono la loro spinta a dire, non proprio dalle cose e dai sentimenti in natura, ma in un secondo momento, dall'incontro, dall'urto dei sentimenti e delle cose con le parole. Piace loro e li eccita proprio quel misto di natura e di artificio, quella difficoltà che loro si propone per essere vinta. E si può amare l'espressione, il verso in sè, come si può amare in sè l'amore.

1931.

I versetti, Milano, Mondadori, 1931.

SEBASTIANO SATTA
(1867-1914)

Gli amici di Sebastiano Satta dovrebbero darci finalmente quel libro del loro poeta, libro unico della vita e dell'opera, che da tempo ci promettono. I letterati e i lettori sardi non perdono occasione per rivendicare a Sebastiano Satta il posto che da vivo ingiustamente non ebbe tra i poeti del tempo, per dolersi che anche oggi, fuori dell' isola, il Satta sia troppo poco noto. Gli amici possono avere ragione, però non tutta la ragione. Fuori dell' isola, neppure oggi è facile trovare le opere del Satta ; e un libro che riunisse una larga scelta delle poesie di lui, ci desse qualche notizia dell'uomo, e magari un'appendice di prose sue e di lettere ad amici e familiari, un libro così gioverebbe alla fama del Satta più di cento polemiche.

Sardo, il Satta uscì solo di rado e per poco dall' isola. (Da giovane era stato a Bologna a studiare le leggi ; e qualcosa del classicismo bolognese, tra il Carducci il Pascoli e Severino, gli rimase poi sempre ; anche quando i più suntuosi colori dannunziani l'attrassero di più). La vita della Sardegna, sulla fine del secolo, era vita di provincia, ma di un'avventurosa provincia : a Sassari, a Nuoro, dove il Satta visse studente prima e poi avvocato, (avvocato principe dell' isola), le idee mazziniane o repubblicane o socialistiche, l'antireligione e il progresso, la fiaccola e la scure, tutte le immagini e gli ideali democratici incrociandosi col costume secolare, con le fedeltà e le fierezze isolane, prendevano un colore più acceso, un tono più risentito e, diciamo, più pittoresco che altrove.

Guardo il Satta in un ritratto del tempo: la persona è addossata a un murello, contro uno sfondo lontano di monti: sotto il cappello di grande ala, gli occhi sono intenti, barba e cravatta al vento; il fianco è rilasciato al muro, la mano posata, lenta sulla pietra. È un tribuno o un poeta? In verità il giovane Sebastiano Satta trattava con impeto uguale oratoria e versi, folclore e polemica. Un episodio della sua prima attività di pubblicista fu celebre: l'intervista che egli e Gastone Chiesi ebbero con tre feroci banditi, il Derosas, il Delogu e l'Angius, che, tra il '93 e il '94, terrorizzavano il Logudoro. Il bandito Derosas così gli parlò del suo *coral nemico*: «— Badate, ho notato nel segargli la gola che non ne è uscita nemmeno una goccia di sangue, al punto che, messa la testa in un fazzoletto, questo non fu nemmeno sporcato. È la seconda volta che mi avviene....». (Agli scrittori del tempo che sospiravano lo «spontaneo», il «primitivo», le confessioni del Derosas dovettero piacere).

Una certa poetica nostalgia per la «legge degli avi» contro la «legge del re» restò poi sempre nel Satta, e sia pure come una nota di colore, un pennacchio. A chi gli scriveva che a lui sarebbe spettata la gloria vicino al D'Annunzio, vicino al Pascoli...., il Satta rispondeva: «I compagni di gloria che avrei voluto e dovuto avere non sono quelli.... ma i prodi re di strada della mia terra, maestri di giustizia sociale». Amava i feroci cani sardi da preda e disprezzava i *cani de isteriu* (i cani da piatto); si vantava ateo ed empio, non mandava i figli al battesimo, diceva di non voler preti intorno alla sua bara scarlatta; ma intanto cantava la Madonna, il Bambino, le più tenere leggende cristiane dell' isola. Si disse repubblicano «dell'antico stampo», socialista; ma adorò Garibaldi, scrisse un inno per Sciara-Sciat, più tardi polemizzò contro i neutralisti, volle la guerra.

Gli ultimi anni della sua breve vita furono tristi. Nel 1907 gli morì l'unica figlioletta: «Tu eri la mia ancora d'oro — che mi affidavi del porto....». L'anno dopo, egli stesso fu colpito da apoplessia. Gli nacque intanto un figlio, Vindice, «Vindice dell' infranto mio destino». Così stroncato, Sebastiano Satta visse ancora e poetò sei anni. Morì nel 1914, appena quarantasettenne. A uno che da lontano chiedeva di lui rispose fiero:

Il mio nido, voi dite? Ahimè, ormai non è che il nido di un corvo intristito che non può più volare nè gridare. Io però incomincio a star meglio e in questo giorno di San Silvestro, se fossi un buon cristiano, potrei anche ringraziare Iddio. Altri lo ringrazi! Non io. Già da molto tempo, con questo signore Iddio eravamo in molto freddi rapporti. Ma erano rapporti corretti, e uno non aveva da lagnarsi della condotta dell'altro. Ora non è più così. Ora siamo nemici personali. E non per colpa mia.

Negli atteggiamenti, negli scatti, nelle idee del Satta c' è molto colore del tempo; ma anche un piglio suo; il biografo ha davanti a sè una figura spiccata, viva. Il critico è anch'egli di fronte a una viva, a una vera poesia?

Nel Satta la poesia rispecchiò molto da vicino la vita. Sardo, — cantò spesso la natura, le leggende, le figure della Sardegna; libertario, e ribelle, scrisse inni e canzoni umanitarie. Soffrì negli affetti familiari, ebbe la vita troncata —, e allora si ripiegò su se stesso, trovò motivi di poesia nel suo dolore.

Di queste tre ispirazioni, la prima, la Sardegna, gli fu anche la più costante. Il suo libro maggiore, i *Canti barbaricini* con tre soli versi è dedicato al figlio, che sardo rimanga:

> Io ti veda calar dal Gennargentu
> con un cavallo innanzi e l'altro dopo
> e baldo con la tua pipa d'ottone.

Non c' è un motivo, un colore del folclore sardo che in lui non trovi un'eco. Dice il Satta presentando il libro:

> Questo libro canta o meglio narra il dolore della mia gente e della terra che si distende da Montespada a Montalbo, dalle rupi di Corasi fino al mare; e canta dolor di madri, odio di uomini, pianto di fanciulli.

I suoi, sono «accordi nati in Barbagia di Sardigna.... monodie delle Prefiche.... sciagure e odi nefandi». «Il poeta vide veramente quelle madri vagare sui monti.... e vide veramente arar la terra coi fucili legati all'aratro». Prima dunque dei critici, il poeta, egli stesso, proclamava la sua «sardità». Questa è la fonte prima delle sue ispirazioni, la sua maggiore attrattiva, ma anche il suo punto debole, la sua maniera. Non basta dire che il Satta è tutto sardo; bisogna aggiungere che egli ostenta questa qualità, se ne riveste, ci si atteggia dentro, troppo spesso con una compiacenza d'esteta. Per un'analogia, pensate al D'Annunzio; e ai due diversi offici che ebbe l'Abruzzo nell'opera sua: nelle novelle del primo D'Annunzio il color locale abruzzese, il folclore resta implicito, quasi inavvertito dallo scrittore che tratta di quella gente e di quei costumi con semplice verità. Più tardi, fattosi più potente artista, ma più vizioso, il D'Annunzio tornerà all'Abruzzo in due tragedie e in un romanzo, ma la passione della terra, il folclore, di naturale e necessario che era, si è fatto riflesso: è diventato uno dei suoi tanti estetismi. Anche la «sardità» del Satta oscilla tra questi due poli; e chi dicesse che l'elemento riflesso e compiaciuto purtroppo vi predomina, direbbe il vero.

E il Satta fu uno di quei poeti più fervidi di poeticità che ricchi di vere e proprie poesie. Variano in lui i soggetti, i metri, gli argomenti; eppure da una poesia all'altra il lettore passa spesso con animo uguale, quasi trasportato da una continuità d'onda melodica. Si direbbe spesso che le sue poesie non siano individuate, non abbiano ciascuna un centro d'ispirazione, un limite ben segnato; vi galleggiano tasselli di immagini, luccichii di colori che ti si compongono e scompongono davanti come in un caleidoscopio. Non c'è che da sfogliare: «Il padre antico, l'ospite che ai fonti — lontani bevve e prega nell'entrare»; «disperate voci — di vedovate madri lungo lidi — deserti, dietro le fuggenti vele»; «pendono uccise pecore e montoni — dai cavicchi di corno: nei canestri — olezzan fichi e pesche»; «in erme — tanche ed in salti inospiti dov'erra — triste l'armento brado e pendon ferme — nubi d'incendio a desolar la terra»; «venivan dagli sparsi olivi i fischi — dei pastori lontani, ed il gannire — dei cani»; «e nel silenzio delle valli — squillò un vario nitrito di cavalli — un ambiar gaio, un fremito sonoro».

Un figlio ucciso parla al padre suo: «Gli altri morti hanno pace: io sono un morto — con le pupille aperte». E il padre a lui: «Dimanda dunque a qualche morto amico — la medicina che ti faccia bene!». — «Padre, la medicina è nelle vene — del mio coral nemico». In un'altra poesia, un figlio, compiuta la vendetta, torna nella sua casa dalla montagna: «ecco, balzai tra loro: il limitare — vampò di gioia e di gioia nitrì — mia madre»; «ed il segreto pianto — delle madri davanti alle prigioni». Opere di pace, agresti serenità: «ardea per tutto il vicinato — l'allegria del vin novo e un'aura grata — salia dai sanguinacci con la menta»; «salia dai cilestrini — borghi un ronzio di pecchie e argute spole»; «un fremebondo suono di chitarra — sotto la luna». Il poeta piange il padre morto fuori dell'isola, lontano: «e tu che solo e lungi ai figli e al placido — tuo tetto, oltre le grandi acque riposi — tu padre....».

Le mosse felici, le belle immagini sono tante; eppure resta il dubbio che qui sia più il lusso che la vera ricchezza, più lo scialo che la sostanza.

Il gusto folcloristico e la vena romantica facevano naturalmente preferire al Satta le leggende, le ballate, le strofe a lunga serie; il *romancero* castigliano e le romanze tedesche devono avergli insegnato qualcosa; ma se dovessimo scegliere nell'opera sua, saremmo per i componimenti brevi e daremmo la palma ai sonetti. Il rigore metrico gli serve spesso a centrare, a mettere a fuoco una poesia che di per sè minaccerebbe di dilagare, di sciogliersi. Bello, specie nelle terzine, il sonetto delle «Api», dove il ronzio d'oro dello sciame sembra riassumere in sè ogni immagine dell'isola vista dal lontano mare.

Api ingegnose che sulla collina
disegnate con vaga architettura
i bei favi, se a voi nieghi la dura
terra il fiorrancio e la margheritina,
voi sciamate nell'aria aureee, all'altura
azzurra e ai fiori della selva elcina;
e lieta è della vostra ebbra divina
gioia, ogni fronda ed ogni creatura.
Oh lieta di tal gioia, nel lontano
mare, l'Isola antica, che s'inciela
dall'Ortobene a monte Atha sovrano,
arrida, quando fulgida si svela
a chi naviga ll mar meridïano
dolce sognando all'ombra della vela.

E fra i tanti banditi del Satta, preferiamo questi tre solitarî, una sera di Natale.

Incappucciati, foschi, a passo lento
tre banditi ascendevano la strada
deserta e grigia, tra la selva rada
dei sughereti, sotto il ciel d'argento.
Non rumori di mandre o voci, il vento
agitava per l'algida contrada.
Vasto silenzio. In fondo, Monte Spada
ridea bianco nel vespro sonnolento.
O vespro di Natale ! Dentro il core
ai banditi piangea la nostalgia
di te, pur senza udirne le campane :
e mesti eran, pensando al buon odore
del porchetto e del vino, e all'allegria
del ceppo nelle lor case lontane.

Dei canti sociali, libertarî, civili del Satta, forse si è detto tutto quando se ne son riconosciuti lo schietto sentimento e un quasi carducciano rigore di stile. Ma il gruppetto sparuto delle poesie in morte della figliuoletta vuole essere ricordato a sè. Nel dolore, sembra che questo spesso troppo eloquente poeta affini, fin quasi a perderli, respiro e parola. E piange con la povera madre :

Perchè oggi pieghi i ginocchi
sì pallida, e ancora quel pianto
ti scuote e ti brucia negli occhi ?
Lo so : sfaccendando in un canto
hai visto quel suo vestitino ;
quel nuovo a fioretti di lino.
E hai pianto ed hai pianto ed hai pianto.

Non serve indicare qui un'eco del Pascoli ; c'è qui una verità che nessuna eco può turbare.

Tu eri la mia ancora d'oro
che mi affidavi del porto ;
per te ho riamato il lavoro,
sereno felice risorto.

Ed ora !... Deserta la culla
tua breve, in un ciel di bufera
io vo, verso l'ultima sera,
sperduto, o mia figlia, nel nulla.

Torna così l' immagine viva dell'uomo, la sventura che lo colpì, la morte che lo colse ancora giovane e il suo destino mancato.

1929.

Canti barbaricini, Canti del salto e della tanca, Versi ribelli, Cagliari, edizioni del Nuraghe, 1929. — V. Soro, *S. Satta,* Il Nuraghe, Cagliari. — A. Scano, *La poesia di Sebastiano Satta,* Cagliari, Tip. Ledda.

IV

IL CENTENARIO DI GIOSUÈ CARDUCCI: I. I « PRIMI VERSI ». II. ANTOLOGIA DELLA PROSA. III. GLI AUTOGRAFI DEL POETA. IV. LE PRIME LETTERE. V. INCONTRO COL SAINTE-BEUVE. — SEVERINO FERRARI. — RICORDI D'UNO SCOLARO (MANARA VALGIMIGLI). — NASCITA DELLE « NOTERELLE » DI G. C. ABBA. — CENTENARIO DI PANZACCHI (16 DICEMBRE 1840). — LA « VECCHIA ITALIA » DEL CROCE.

IL CENTENARIO DI GIOSUE CARDUCCI

I.

I « PRIMI VERSI »

I *Primi versi*, inediti, del Carducci (con cui si è voluta cominciare l' Edizione Nazionale, nell'anno centenario della nascita del poeta) vanno dal 1848 al '59, dai tredici ai ventiquattr'anni del poeta, e per la massima parte rispecchiano un periodo finora inesplorato, e che poteva ritenersi inesplorabile, della sua formazione. Oltre alle « Rime » di San Miniato del '57, non mai prima ristampate intere, il volume comprende, del tutto inediti, una novella in versi, « Amore e morte », un carme sulla *Gerusalemme liberata*, tre lunghi poemetti in ottave, (« Una gita a San Francesco di Fiesole », che il giovane Carducci definì « poema meditativo » : ottantacinque ottave, « Dante al monastero del Corvo » e « Il 2 agosto 1492 », poemetto su Colombo). Seguono quaranta brevi poesie erotiche o affettuose, tutte o la più parte ispirate dalla cugina Elvira, che sarà poi la moglie del Carducci. Sotto il titolo « Scherzi e invettive », sono venti componimenti giocosi o satirici ; sotto « Poesie varie », vanno una sessantina di poesie familiari, autobiografiche, storiche, ritratti di sè o di paesi. Chiude il volume un gruppetto di poesie, « Per la Patria », alcune ispirate dagli avvenimenti stessi di quegli anni verso il '59. E la maggior parte di queste poesie portano una data tra il '51 e il '53, cioè tra i sedici e i diciannove anni del Carducci.

Questi componimenti erano stati conservati dal Carducci con cura minuta; molti furono da lui ripresi e mutati più volte e datati alle varie correzioni; alcuni li raggruppò egli stesso, sotto un titolo comune, in quadernetti, anche con una prefazione e una dedica. E molte poesie, il Carducci stesso le commentò in prosa, in calce agli stessi fogli, con un'autocritica pungente, spesso anche troppo severa. Queste prosette autocritiche che appaiono qui, come il Carducci le scrisse, intercalate al testo, oppure relegate in nota, a molti piaceranno più delle poesie; e certo aiutano a conferire al libro il suo più vero carattere.

Perchè è probabile che questi *Primi versi* del Carducci (come già i versi giovanili o puerili, che pure abbiamo, del Monti, del Foscolo, del Leopardi, del Manzoni) non aggiungano nulla a quella che per noi ormai è e rimane la sua poesia, e certamente, piuttosto che alle opere, essi appartengono all'archivio poetico e critico del Carducci. Ma d'ora in avanti, chi vorrà studiare da vicino il primo formarsi dell'anima e della poesia carducciana, troverà qui molto più che critici e biografi, fino ad oggi avessero potuto dire. Ci sono aspetti della poesia carducciana, anche dell'età matura o tarda, che nei versi dei primissimi anni trovano un' inaspettata premessa. Il libro vuol esser letto così: un'esigenza soltanto estetica, un occhio tutto nuovo non servirebbero. Per usare un aggettivo che al Carducci piacque, chi può lo legga con occhio e cuore *memori*. Ai critici, invece di una sintesi o di idee generali, il libro offrirà qualche richiamo concreto, qualche utile raffronto o commento.

E intanto questo: come scriveva bene il Carducci anche a quindici o sedici anni! L'originalità poetica, proprio la poesia sua, nel Carducci cominciò tardi; ma il letterato, il verseggiatore, l'artista furono precocissimi. All'Albini, che studiò per primo queste carte, la precocità artistica del Carducci sembrò superiore anche a quella del Foscolo, del Manzoni e del Leopardi: « Dai quindici anni almeno, cominciano i versi e le prose, dove è già l' impronta dello scrittore, e a tratti, e non sempre brevi tratti, maturo. Pensa, ragiona, sa, scrive di vena e di scuola, ha intimi impulsi e convinzioni già radicate.... Corretti e canori i suoi versi, schietto il suo bell' italiano, con tutt'al più qualche ingenua compiacenza dai libri, lo assiste il buon gusto, la nativa toscanità lo aiuta a proprietà e schiettezza.... ». Cosa che meraviglia di più, il Carducci anche ragazzo ebbe il senso della proporzione, che nei più è tardo: scrivesse un'odicina di tre strofe o un lungo poemetto in ottave, le misure sono prese subito bene, l'argomento è centrato. Poesia può non esserci, ma il sillogismo poetico è rispettato. E quando si avvede di sbandare (che doveva pure succedergli), allora il Carducci smette: come gli avvenne nel poemetto colombiano, nel carme del Tasso, nella « Piccarda » e altrove. Nel Carducci di sedici anni senti già la testa quadra.

Singolare, (almeno in confronto dei poeti che vennero dopo), è anche la posizione che il giovanissimo Carducci subito prese di fronte alla tradizione poetica. Più tardi, poeti come il Pascoli e come il D'Annunzio, trovarono nel Carducci stesso una specie di scorciatoia verso la tradizione; per un momento più o meno breve, agli inizî, furono tutt'e due carducciani. Poeti o scrittori più vicini a noi, questa scorciatoia al classicismo l' han trovata nel Leopardi o in altri. Ma il Carducci no: il Carducci ragazzo si pose davanti alla tradizione che va da Dante al Manzoni, come a una grande tastiera da tentare tutta. Sorprende la grande varietà di argomenti, di versi, di metri, di rime nel Carducci di quei primissimi anni; e dove non senti soltanto quei grandi, l'Alfieri il Parini il Foscolo il Leopardi, dai quali egli più tardi disse di «essersi mosso», di «onorarsene», e di esser risalito «per loro e con loro agli antichi»; ma anche sentì i minori, «i buoni lirici secentisti e settecentisti», e il Fantoni, il Frugoni, il Savioli, il Vittorelli. E che bella mano aveva allora il ragazzo Carducci a scrivere le ottave (che poi da uomo non scrisse più); e già lo tentava la saffica fantoniana (che è più d'un presentimento dei metri barbari). Più tardi, il poeta maturo sceglierà: solo alcuni rimarranno i suoi argomenti, i suoi versi, i suoi metri; il resto resterà fuori; ma intanto quel vario esercizio giovanile gli ha già dato, e per sempre, il senso vivo e tecnico della grande e della piccola tradizione. Anche per questa sua prima formazione, il Carducci, confrontato ai poeti che seguirono, ci sembra l'ultimo della grande famiglia dei classici.

Come i classici, anche lui prima mirò a coltivare la vocazione letteraria, la buona scuola, il mestiere sicuro, che l'originalità. Alcuni dei suoi primi componimenti d'occasione (ce n'è anche di soggetto sacro) sembrano o furono fatti addirittura per incarico, «in persona di....». Curiose, per il misto sentimento che le anima, alcune delle poesie «Per Elvira»: dove senti veramente il ragazzo innamorato, con tutti i desiderî, le sensualità, le gelosie vere dell'amore, «servo tremante di donzella instabile»; ma anche più presente senti lo studio di Orazio, e degli erotici italiani, «volo ai baci, agli amplessi — e amore spronami....».

Un altro e più ricco spunto alla critica l'offrono le molte e moltissime poesie romantiche dei primi anni. Ai più questo Carducci riuscirà nuovo. Tutti ricordano che il Carducci, giunto alla pienezza della vita, e riandando col pensiero alla sua gioventù di poeta, la riassunse così: «Nei *Juvenilia* sono lo scudiero dei classici; nei *Levia-Gravia* faccio la mia vigilia d'armi....». Quello scudiero dei classici è rimasto nella fantasia di tutti; difficile ormai immaginare il giovane Carducci diversamente da un giovane guerriero che esce già armato dalla testa di Giove. Per la verità, il Carducci stesso non riuscì a restare tutto riparato dietro quello scudo classico, e, una volta almeno, un poco si scoperse; e raccontò allora di aver avuto il coraggio, a sedici anni, in una giornata di luglio, di mettere insieme, in tutti i metri che gli corsero per la testa, una novella romantica, « Amore e morte ». « Finita che ebbi la novella, verso le quattro di sera, e il caldo era grande (come dicevano i vecchi cronisti), pensai a farla stampare ». L'*Arpa* o il *Liuto* o il *Trovatore* o il *Menestrello* che fosse, non glie l'accettò. Di ciò, più tardi il Carducci, celiando, si rallegrava. « Immaginatevi se i critici italiani avessero poi scoperto che a sedici anni feci una poesia romantica ». Altro che *una* poesia romantica! Ora vediamo che, per alcuni anni, le poesie di soggetto, di ispirazione e di tono scopertamente romantiche, furono parecchie. Il giovanissimo poeta aveva persino intitolato un suo gruppo *I lai di un Trovatore*! E sappiamo che il ragazzo prodigioso che « a dodici anni spiegava Virgilio e sapeva a mente i primi quattro libri delle *Metamorfosi* », e che a quindici aveva già pratica di Livio, di Cicerone, di Tacito, e Orazio gli era familiare, e aveva letto più volte l'Ariosto il Tasso e il Manzoni, e affermava di voler « credere nelle Muse e in Apollo sempre, e quando sarò per morire mi farò leggere Omero », aveva passato anche lui più inquiete letture e passioni più romantiche. Non soltanto sapeva il Berchet a memoria, e le prose di Mazzini lo « facevano ruggire », ma aveva letto e leggeva l'Ossian tradotto dal Cesarotti, e il Pellico, il Grossi, il D'Azeglio, il Guerrazzi, il Prati e persino il Rosini. E leggeva il Sue. Sono nomi che ce l'avvicinano di più, quello scarduffato ragazzo.

E lasciamo stare il trovatore, e le poesie romantiche in costume, che sono quello che potevano essere; ma le poesie che psicologicamente più ci attraggono di questi *Primi versi* sono proprio gli amori, le preghiere, i ricordi, le solitudini, le malinconie, le visioni...., dove senti il flusso alterno «dell'amore e del disamore della vita», e dove l'accento romantico è più scoperto. Ecco il Carducci ragazzo che si domanda: «Sei bene o male, o dubbia vita? È nulla — l'eterno sillogismo de' mortali»; e già si sente romanticamente attratto dal passato, «Con me ragiona l'età passata — con me l'immensa beltà creata»; e si ispira alla storia, «Tiranni e schiavi aborrirò: m'inspira — Clio che non mente». Si crede nato alla Sventura e a lei si rivolge in un sonetto:

.... Se tu l'ira mi desti ed il feroce
Disio di libertate onde m'incendo
Tutto, ed intatto core e franca voce;
Altri ti accusi; a te le palme io stendo,

O madre, a te me stringo; e del precoce
Dolor che m'educò grazie ti rendo....

A quindici anni! E, sempre a quell'età, egli sente e dice che, per la Sventura, sarà poeta, «Rompendo in canto — l'ira del pianto». C'è già un uomo in quel ragazzo.

Queste sono le zone psicologicamente più sensibili e promettenti dei *Primi versi*; e dove già s'incontrano principî di poesie più musicali: «Un'immagin di donna dolorosa....», «Sfumano i sogni e il Disinganno resta», e già s'affaccia uno spunto petrarchesco che ancora gli piacerà «Passa la nave mia colma di pianto»; sono tutti motivi che torneranno nelle poesie mature.

Ecco: sarà successo a tutti, in quel passaggio dai *Giambi* alle *Rime nuove*, imbattendosi nelle prime più meliche e affettuose poesie carducciane, di chiedersi un po' stupiti: o questo nuovo Carducci di dove vien fuori? Ora lo sappiamo: prima dello scudiero dei classici, c'era stato anche un ragazzo romantico.... Chi l'avrebbe detto che, tanti anni prima di cantare Jaufré Rudel, il Carducci aveva pianto i lai del trovatore in persona propria?

Le prose o prosette critiche che il Carducci stesso intercalò alle poesie, o che le seguono in nota, e rendono conto del vario tono, dei progressi e anche dei supposti regressi di quel suo giovanile poetare, sono lì a dimostrare che se, in quegli anni, il Carducci poeta era ancora a scuola, il prosatore era già fatto. Molto più tardi, il Carducci scriverà che la prosa gli « fa paura »; ma la verità è ch'egli nella prosa (almeno in quella familiare e segreta; per la prosa accademica sarà diverso) trovò, di primo acchito, il piglio che resterà il suo. E lo scrittore, ancora ragazzo, fu subito, di sè, buon giudice. Eccolo a giudicarsi, tra un componimento poetico e l'altro:

Metamorfosi. Da trovatore, poeta anacreontico che si burla de' lai trovadorici.... In quegli anni io scrivevo sempre: ammiravo il bello da per tutto, cioè non capivo nulla.

E si dà spesso del ragazzo, e (riconoscendosi un difetto ch'è frequente nei ragazzi studiosi) si dà del pedante:

Ci si vede il pedante frugoniano che si rode l'unghie e mastica la penna, mentre col naso appuntato all' in su, cerca quasi per l'aria una parola strana, nuova, inusitata.

Una volta che si trovò ad aver imitato troppo da vicino il Prati:

Inedia di facili immagini senza pensieri. Così avrei seguitato, così dimenticato l'Allighieri e il Petrarca se non venivano i poeti latini e specialmente Orazio a riscuotermi.... Pure era fato che sul più bello della mia conversione dovessi ricadere nella maniera del Prati.

E anche:

A 15 anni avevo fuoco e robustezza da reggere alla canzone; a 16 e 17 no, perchè volli immiserirmi nelle cosucce; ora, verso i 19, no, perchè dispero nella riuscita.

Buon giudice di se stesso, ma una volta almeno sbagliò: dopo aver ricopiato in un quadernetto il sonetto «Apollo e io» (scritto a 15 anni):

Voglio che questo sia ricopiato in cima dei miei sonetti burleschi, perchè fu veramente il primo ch' io scrivessi in questo genere, e perchè attesta le mie precoci disposizioni alla satira.

E invece la satira (che è altra cosa dall' invettiva) restò sempre un suo amore infelice.

In quel tempo, il Carducci nei suoi quaderni apriva e chiudeva spesso le epoche della sua vita, per stimolo di coscienza. A diciott'anni, dedicando un quadernetto di poesie al Nencioni:

Or questa carriera è chiusa con l'anno diciottesimo. Un'altra m'alletta magnificamente; ma la vita è lunga e aspra. Iddio m'aiuti e la memoria d' Italia.

E scriveva, scriveva sempre. Più tardi confessò perchè allora scriveva sempre; e disse che veramente a quel tempo.... gli «dispiaceva di finire».

Perchè? A pensarci un po', queste parole commuovono. Dietro i primi versi del Carducci c' è anche il povero ragazzo che il Carducci era allora. Ci sono le residenze sempre più solitarie dove il padre, il fiero dottor Michele, sospettato politico, era costretto a riparare, i lunghi inverni, le case fredde di Bolgheri, di Castagneto, di Piancastagnaio, di Celle sull'Amiata....; le ristrettezze della famiglia, a volte l'umore nero di tutti. Giosuè, anzi Giosuè Alessandro (come allora, a quindici, sedici anni si chiamava il salvatico ragazzo), per sè, proprio per sè, aveva soltanto quei fuocherelli di parole. Perciò non gli dava il cuore abbandonarli, «*gli* dispiaceva di finire».

Che cosa ancora manca (e mancherà per varî anni) a quel primo mondo poetico del Carducci per diventare poesia, ce lo disse più tardi il Carducci stesso. Nelle sue cose giovanili c' è una «leggerezza pesante», ci senti l'uomo che ancora «scambia la materia per l'arte o le mette in urto fra loro», che «si balocca facendo sul serio». Sinceri moti dell'animo, ci sono; ci sono singole virtù d'artista; ma tutto a mosaico, senza un centro vitale cui riferirsi. Nonostante i molti brillamenti parziali (o anche per cagione di quelli) tutto resta un po' opaco. Anche ci senti (come il Carducci riconobbe più tardi) certa strettezza e chiuso provinciale, «un ragazzo cresciuto in paese piccolo e non libero, da sè solo e sui libri».

La poesia proprio del Carducci nascerà quando le aspirazioni, che son ancora vaghe, la materia poetica, che finora è dispersa, troveranno al centro un' idea. Dovrà essere un progresso prima dell'uomo, poi del poeta. Avvenne cogli anni; e quando il Carducci, non più giovinetto, conobbe per la prima volta il Barbier, l' Hugo, Enrico Heine, e, con la poesia loro, gli si rivelò anche una parte rimastagli oscura di sè. Con quei poeti conobbe anche i liberi scrittori politici della contro-reazione del '30, Michelet, Proudhon, Quinet...., che offrirono una dialettica e anche una polemica al suo classicismo rimasto ancora tutto e troppo di scuola. Egli era preparato ad accoglierli: già vigeva in lui una così certa e insieme plastica tradizione, da poterli senza alcun danno, e anzi con molto vantaggio, ricevere e intonare. A questo era servita la sua vigilia d'armi coi classici. E come il Carducci lo sapeva e come lo disse bene!

Quanto piacqui a me stesso (perdonatemi) quando mi accorsi che la mia ostinazione classica era giusta avversione alla reazione letteraria e filosofica del 1815, e potei ragionarla con le dottrine e gli esempi di tanti illustri pensatori ed artisti! quando sentii che i miei peccati di paganesimo li avevano già commessi, ma di quale altra splendida guisa!, molti de' più nobili ingegni ed animi d' Europa; che questo paganesimo, questo culto della forma, altro infine non era che lo amore della nobile natura da cui la solitaria astrazione semitica aveva sì a lungo e con sì feroce dissidio alienato lo spirito dell' uomo! Allora, quel primo e mal distinto sentimento di opposizione quasi scettica divenne concetto, ragione, affermazione: l' inno a Febo Apolline diventò l' inno a Satana.... Allora i solenni tumulti del pensiero passarono sull'anima mia come i tuoni di maggio ai quali succede la pioggia feconda e il sereno scintillante.

Allora nacque veramente la poesia del Carducci; e contemporaneamente le prime prove, i tanti e faticati versi della prima giovinezza, si ritirarono e allontanarono da lui, divennero quasi la sua preistoria poetica. Tuttavia il Carducci li conservò con affetto, tratto tratto ci tornò su, negli anni li rilesse, ordinò. Forse con lo stesso sentimento con cui la fantasia, allora e sempre, gli tornava a quei dolorosi paesi di Versilia e di Maremma, da lui visti attraverso «i sogni lacrimosi dell' infanzia», ai luoghi «ove fiorì la *sua* triste primavera», dove «la *sua* anima il mondo cominciò a sognare»; e dove, con quei primi versi, anche il primo desiderio della gloria gli s'era acceso nel cuore: «Ed obliai le vergini danzanti al sol di maggio»....

1935.

Primi versi, Bologna, Zanichelli, 1935.

II.

ANTOLOGIA DELLA PROSA

Ricordo bene la felicità che ci dette, al primo incontro, la prosa del Carducci. Fu agli anni del ginnasio e in un'antologia. Oh come strillavano, anche nel nostro entusiasmo, le cicale di San Miniato, e lustravano le acque e i cieli intorno le lavandaie di Desenzano, e il ragazzo ruzzava col cane su quell'aia del Valdarno!

Fu quasi una sorpresa: che si potessero dire così bene cose così belle, ancora non lo sapevamo. E non solo le altre prose dell'antologia scolorivano tutte vicino a quelle; ma anche le prime poesie del Carducci, lette allora, non ci piacquero così o non ci parvero così nuove.

Più tardi, prose più «sliricate», più logicamente ammagliate, prose che fossero più pianamente prosa, ci dissero altrettanto o di più. Ma la prosa del Carducci, nel nostro animo, non decadde per questo; restò per noi un tono, un modello, e talvolta la segreta pietra di paragone su cui saggiamo qualche scrittore.

Ora un'antologia della prosa, dei professori Bianchi e Nediani, e un bel saggio di Antonio Baldini,[1]

---

[1] Antologie della prosa carducciana, ne conosciamo tre. La prima ce la dettero il Mazzoni e il Picciola, insieme a una scelta delle poesie, nel 1907, l'anno stesso della morte del Carducci. La seconda, Giuseppe Lipparini nel 1921, in due volumi: uno di «pagine autobiografiche», l'altro di «pagine critiche e storiche». La terza, è questa dei professori Lo-

ci ripropongono il tema del *Carducci prosatore*. È un bel tema che un' idea o spunto d' idea lo regala a tutti....

Non è sempre vero l'adagio che poeti si nasce e oratori (o prosatori) si diventa. Il Carducci fu originale, e quindi artista, prima in prosa che in poesia. Abbiamo visto nei *Primi versi* che, a diventar poeta, a trovare un tono un accento e una stabilità sua in poesia, il Carducci ci mise anni parecchi: in poesia, restò imitatore o studiante fin oltre i trenta. Il prosatore invece fu subito, perfetto non dico, ma originale: a sedici o diciott'anni il Carducci, quando scriveva per sè, scriveva già la *sua* prosa. Molte pagine di quei *Primi versi*, sono specchio di ciò: i versi, sopra, faticano; e i commenti in prosa, sotto, vanno rapidi al segno.

Esagerando un po', si potrebbe aggiungere che il Carducci giovane, e per vario tempo, mantenne due modi distinti di prosa: una prosa privata, via via inventiva dei suoi modi, estrosa, libera; e una prosa pubblica, un po' composta e curiale. (Si confrontino quei primi commenti, le lettere familiari, e i diarî del Carducci giovane, con le prefazioni che, a quegli anni stessi, egli scriveva per il Barbèra, e con le sue prime lezioni a Pistoia e a Bologna). Poi, un po' per volta, le due prose conversero, mutuarono e si rinfrancarono fra loro e fecero la prosa del Carducci.

Qualcuno chiese una volta al Carducci come per-

---

renzo Bianchi e Paolo Nediani, scelta su tutti i gradi della gamma carducciana. Peccato che i due antologisti, nelle note, nei commenti e sopra tutto nella introduzione (di ben centoventisei pagine!), abbiano troppo peccato d' incontinenza, difetto tanto più sensibile di fronte a un maestro come il Carducci. In compenso, tutt'altro che incontinente, anzi stringato, è il saggio del Baldini sul *Carducci prosatore*; col quale concordano parecchie nostre osservazioni e richiami.

venisse a scrivere in prosa. «Ci vuol poco: coi classici. Premetto che, in prosa specialmente, io sono, come dicono i pedanti innovatori, autodidattico. E confesso che mi giovò di molto l'essere cresciuto e ingiovanito alla campagna, dove il popolo toscano parla meglio....». E venendo propriamente ai classici, disse che, più di tutto, gli giovò lo studio dei trecentisti «testimoni dell'uso vivo d'un popolo giovine, forte, libero»; poi, la pratica coi buoni dell' Ottocento: i *Promessi sposi* letti sette volte da ragazzo, e il Botta, il Foscolo, il Giordani, il Leopardi, il Tommaseo. Solo più tardi si addomesticò con i cinquecentisti. E qui il Carducci fece punto.... Ma il lettore questa volta è tentato di continuar lui. La prosa, specie polemica, del Carducci non trae partito più di qualche volta anche dalle volute, dalle grottesche e dalle fitte aggettivazioni secentesche? E nel Settecento («la più vil prosa che schiavi abbiano scritto al mondo»), l'Alfieri autobiografico un po', e parecchio il Baretti critico, non contano tra i suoi antenati? L' ideale che il Carducci ebbe della prosa, lo si può vedere poi in atto nella scelta ch'egli fece dei prosatori, nelle *Letture italiane*, e dove dette, più che poteva, del Tre e del Cinquecento. E quando, più tardi, Ferdinando Martini pubblicò le sue antologie, ricorrendo, per il suo ideale di «prosa viva», di preferenza al Settecento e all' Ottocento (e avvertiva che in quei libri i letterati all'occorrenza s'erano stretti «per far posto a viaggiatori, a mercanti, a soldati, a diaristi, ad ambasciatori, i quali tutti, perchè avevano qualche cosa d' importante da dire, stimarono il meglio fosse dirla rapidamente e semplicemente»), il Carducci non se ne mostrò punto contento, e ne nacque tra i due qualche malumore.[1]

---

[1] In una lettera del Martini (16 ottobre 1894) al Carducci, infatti si legge: «Un amico mi scrive: il Carducci ha detto;

Tra gli stranieri, il Carducci rese assai grazie ai francesi; e veramente non c'è prosatore moderno che non debba qualcosa o molto a Voltaire. Ma Heine che, ormai è risaputo, non giovò al poeta, non dette qualche felice mossa alla prosa carducciana? Certo, le prose heiniane che il Carducci tradusse, sono così di casa nell'opera sua, che ora ti paiono sue.

Si potrebbe concludere che i precedenti in prosa del Carducci furono, come quelli d'ogni prosatore colto, parecchi. E nessuno. Perchè, tutto del Carducci restò il modo di risolverli: quel piglio personale, per cui la sua prosa dotta ha il calore e la convinzione della parlata; e il parlato, appena entra nella sua prosa, pare già classico. Da avvertire che il parlato del Carducci, restò sempre quello dell'alta tradizione, un parlato come potevano intenderlo il Machiavelli e il Leopardi; più su d'un grado, di quello comune.

I contemporanei si avvidero presto di quella prosa. Certi colleghi bolognesi, ostili per un pezzo alla sua poesia, dicevano che le prose erano «le sole cose passabili *sue*». Ma gli ingegni più fini videro, di quella prosa, proprio il punto nuovo, l'inedito. Erano appena uscite dal Sommaruga le *Confessioni e battaglie*,

---

— Con questa sua antologia il Martini vuole insegnare a sgrammaticare ai ragazzi. — È egli vero? Se è vero, non me ne ho per male. Ma io sono tanto convinto, caro Giosuè, che a *coloro i quali si fermano ai corsi delle tecniche e delle normali, che non studiano se non tre anni d'italiano,* non si può mettere in mano scrittori antichi». In fatto di antologie scolastiche, se n'è fatta della strada! Le antologie del Martini che allora al Carducci e ad altri sembravano forse leggiere e rivoluzionarie, oggi parrebbero a tutti troppo severe. Vero è che molte antologie scolastiche d'oggi sono veri e propri «musei degli orrori». [Così scrivevo nel 1935. Di poi le cose andarono ancora peggiorando. E le antologie scolastiche di quel tempo resteranno come singolare documento di aberrazione del gusto e di malcostume non soltanto letterario].

e il Panzacchi scriveva: «Notevole è nel Carducci la tendenza a descrivere in iscorcio a tocchi brevi e gagliardi, che pongono il fatto, la scena, il paesaggio vivi e palpitanti sotto i sensi»; e, più da vicino, notava che certi accozzamenti di parole di frasi e di immagini carducciane «fan colpo», proprio «sul sistema nervoso dei lettori». Press'a poco così diceva anche il giovane D'Annunzio (il Duca Minimo della *Tribuna*), destinato a riuscire prosatore tanto diverso: «Certi suoi periodi freschi e vividi sono pieni di una sola parola direi quasi centrale.... Ben sa egli eleggere e adoprare il vocabolo che per la positura sua nella frase, per la speciale sua sonorità, per la vibrazione che comunica ai vocaboli prossimi, ed anche per il suo stesso aspetto grafico esprime tutte le qualità dell'oggetto rappresentato». Critica forse troppo sensuale per il Carducci (ci senti piuttosto nascere la maniera dannunziana); ma rende bene il piacere che dette all'apparire quella prosa.

Fu tanto, che qualche amico sollecito pensò di dover disincagliare il Carducci dalle secche erudite o polemiche. «Vuoi tu fare una specie di *Reisebilder*?» gli scriveva Ferdinando Martini direttore del *Fanfulla*. «La tua Maremma, l'Umbria verde; descrivi quella parte d'Italia che meglio conosci: prosa e versi: dodici o quattordici capitoli alternati da liriche. Ho citato *Reisebilder* apposta: racconta, divaga, fa' quello che vuoi: purchè alla divagazione e a' racconti tu pigli occasione dalla tua gita». In verità, tutti abbiamo pensato che il Carducci quel libro doveva farlo. Meno cauto, il Panzacchi, lette le prime *Confessioni e battaglie*, «non *potè tenersi* dallo scrivergli: — Per carità, Carducci! Continua su questo genere; scrivi racconti e romanzi. — Il Carducci mi rispose che infatti da tempo gli giravano per il cervello manipoli volanti di narrazioni in questa e in quella forma».

Le narrazioni, e cioè i romanzi e le novelle del Carducci, come si sa, restarono volanti. Anzi il Carducci sempre taroccò volentieri contro romanzieri e novellieri. Ma, a parte ciò, e le idee che il Carducci ebbe o non ebbe sulla sorte del romanzo e della novella nella letteratura italiana, nella prosa del Carducci c'erano davvero quegli elementi narrativi che allora vi si videro, c'erano quei toni piani e discorsivi che sono necessarî al romanzo ? Oggi non ci sembra. Con la prosa del Carducci si esamina, si discute, si esorta, anche e assai bene si rappresenta ; ma propriamente non si racconta. E chi aggiungesse che la prosa illustre del Carducci fu storicamente reazionaria e, dopo l'esempio manzoniano, ritardò il formarsi della nostra prosa narrativa, sarebbe probabilmente nel vero. (Una certa antipatia dei narratori di ieri e di oggi verso il Carducci, ha pure, storicamente, la sua ragione : il Carducci resta il letterato, il poeta e il prosatore dell'altra riva).

Certo, nè allora nè più tardi si ebbero romanzieri e novellieri di ceppo carducciano. Qualche caso che sembra in contrario, non prova ; poichè il carducciano Panzini in realtà si svincolò assai presto da quella scuola, e il carducciano Albertazzi, che pure aveva assai numeri alla narrativa, ne restò sempre alquanto indurito o inceppato. Tutti sappiamo che i prosatori carducciani sono da cercare altrove. Baldini ci dice dove : « Non sarà inopportuno notare che questo deliberato essere rimasto a mezzo del Carducci tra la prosa narrativa e la descrittiva, tra l'espositiva e la polemica, ha dato il tono, più che comunemente non si dica, a molta letteratura venuta dopo, e della migliore, segnatamente di Toscana ». Poi vennero anche i frammentisti e i frammenti carducciani, « un certo genere di prosa parecchio incrociata, fra scucita e preziosa, ch'era proprio quella che il Carducci poteva meno digerire ». Giovanni Zi.

bordi ha anche ricordato che tutta una generazione di giornalisti e polemisti, da Scarfoglio a Morello, derivò largamente dal Carducci. Ma si potrebbe osservare che la prosa, proprio la prosa, del Carducci, chi voleva farne suo pro, non era da cercare e imitare tanto o soltanto nelle aperture e divagazioni paesistiche e liriche, che nel complesso dell'opera sua restano eccezioni; quanto nel suo ordinato tessuto, nel convincente e anche minuto addurre ragioni, memorie ed esempi al discorso logico. È stato più facile imitare il Carducci in volata, che il Carducci al passo.

Tutti qui i carducciani?

Ripetere o risentire le sue forme e i suoi modi, non è nè il solo nè il miglior modo di fedeltà ad uno scrittore. E la prosa del Carducci infine era a quel modo, soltanto perchè l'animo suo era così. In quella stessa risposta a chi gli domandava la formazione del suo scrivere in prosa, il Carducci aggiungeva: «Sentire, del resto, volli sempre a modo mio; e il sentimento curai esprimere con la più decente schiettezza; intiero ed integro, qual mi si era formato dentro, il pensiero, non dimezzato e a un di presso, e, per poltroneria o impotenza o paura, di profilo». Appunto; anche in prosatori assai diversi da lui, d'altra formazione, o d'altra scuola, succede a volte di trovare un pensiero meglio definito o più deciso, di sentire a un momento più viva la tradizione, oppure d'incontrare un tratto del carattere più galantuomo, un coraggio più di faccia; e di pensare allora al Carducci. Forse, il migliore carduccianesimo è ancora quello.

1935.

Prose scelte, a cura di L. Bianchi e P. Nediani, Bologna, Zanichelli, 1935. — A. BALDINI, *Carducci prosatore*, in *Carducci, discorsi nel centenario della nascita*, a cura della R. Università di Bologna, Bologna, Zanichelli, 1935.

III.

GLI AUTOGRAFI DEL POETA

Vi siete mai chiesti qual' è l'ultimo perchè, la ragione vera dell' interesse che vi ferma la prima volta davanti al foglio autografo di un grand'uomo? È uno di quei sentimenti assai comuni, di cui quasi tutti trascurano poi di rendersi conto. Non parlo naturalmente degli archivisti di professione, dei paleografi, dei dotti nell'ermeneutica calligrafica, e neppure (scusate la parola e un poco la cosa) dei chirogrammatomantici. Costoro hanno già pronti in testa i loro schemi, le loro regole, i loro raffronti, per cui bene s' intende che ogni nuova grafia, e specie di un grand'uomo, a loro debba dire molto o qualcosa. Ma noi ignorantelli che pure ci fermiamo un momento davanti all'autografo di un grand'uomo, con un tacito rispetto, quasi una sospensione dell'animo, come se fossimo lì lì per scoprire un segreto.... : perchè? Per qualcosa ci devono entrare gli stimoli subcoscienti di quelle già nominate scienze occulte e palesi che non conosciamo (l' ignoranza è anch'essa uno stimolo), poi c'entra dicerto il sentimento, perchè, assai più degli altri, ci attraggono gli autografi dei grand'uomini che amiamo o che possiamo meglio apprezzare; poi c'entra la fantasia, la matta di casa, che viene sempre in ballo quando le altre facoltà dell'animo restano sospese.... Ma sono tre motivi incerti che non ne fanno uno certo.

Meno male che anche i dotti, su questo punto, non ne sanno molto di più. Ecco Albano Sorbelli, un principe degli archivi, che presentandoci, con tutte le illustrazioni desiderabili, un bellissimo albo di autografi carducciani, non regge alla tentazione, e tenta anche lui il segreto degli autografi. «E però non sono da deridere, come taluni fanno, coloro che raccolgono con cura e amore gli autografi degli uomini insigni; perchè allora dovremmo quasi ugualmente trascurare o biasimare gli amatori dei disegni e delle pitture, le quali, attraverso la mano e il pennello dell'artista, ci rendono il suo modo di sentire, la sua concezione, e molte delle stesse sue qualità sentimentali. È vero che la scrittura non ha per sè un contenuto d'arte o di pensiero mentre l'hanno i disegni e le pitture; ma la parte strumentale, che pur qualcosa rappresenta, esiste in modo uguale». Eh no, il conto questa volta non torna. Gli «amatori dei disegni e delle pitture», in quelle cercano per l'appunto l'arte e il pensiero dell'artista, tutto l'artista, senza pensare alla sua grafia pittorica. La «mano», il «pennello», la «parte strumentale», la tecnica del pittore saranno se mai paragonabili al vocabolario, alla sintassi, alla filologia di uno scrittore, ma non alla sua grafia, che è così poca cosa nell'esecuzione dell'arte letteraria. Si possono scrivere bellissime poesie «a macchina», non dipingere a macchina bellissimi quadri.... Così, il problema estetico, o piuttosto affettivo degli autografi resta aperto.

Provvisoriamente si potrebbe forse chiuderlo dicendo che questa curiosità o rispetto o amore degli autografi è una specie di superstizione che accompagna il culto dei grandi uomini. (Superstizione, è parola che a qualcuno non piace? Eppure di superstizioni piccole e grandi la vita nostra è piena. Pare, anzi, che la superstizione più grossa, e sempre ritornante, sia il pensare che le superstizioni possano un giorno finire. Tutto al più, le superstizioni cambiano). Poi, la piccola superstizione delle parole scritte dalla mano dell'uomo ha, su molte altre, il vantaggio di essere innocua e persino poetica. Rientra in qualche modo nel culto delle lettere, che, tra tanti culti feroci o stupidi che accompagnano la nostra vita, è il più gentile culto e il più umano.

E il Carducci in che conto teneva lui i manoscritti e gli autografi? Dalle notizie che il Sorbelli ci dà, appare chiaro che il Carducci non fu mai quello che si dice un collezionista di autografi letterari. Era troppo interessato alla sostanza della letteratura, per concedere all'ozio, sempre un po' dilettantesco, degli autografi. Preferiva, se mai, le belle rare edizioni. Pure, glielo regalassero o l'acquistasse, qualche bell'autografo lo possedè: del Goldoni, del Parini, del Monti, del Foscolo, del Leopardi, del Botta, del Cattaneo, del Guerrazzi, del Michelet.... Tra gli autografi suoi, si conserva anche la poesia di Garibaldi a lui (Garibaldi che tutto fece per l'Italia, il Carducci diceva, e anche dei versi!); e di mano della regina Margherita, la trascrizione del sonetto carducciano *Il sole tardo ne l'invernale....* (che nella copia della Regina porta il titolo *Rêverie* e, nel volume delle poesie, *Visione*). Qui si può anche osservare un piccolo aspetto della coerenza carducciana; il Carducci non ricercò autografi di grandi o soltanto celebri uomini, a caso (come i più fanno): il Carducci, nel suo archivio, non accolse che gli autografi dei *suoi* autori....

Ma la più gran fonte di autografi, nell'archivio carducciano, resta sempre il carteggio stesso del poeta: trentamila lettere mandate a lui da novemila corrispondenti; e dove sono presenti Garibaldi, Tommaseo, De Sanctis, Victor Hugo, Sainte-Beuve, Mommsen, Verdi.... E i suoi più vicini e contemporanei, e i giovani che allora venivano su, ci sono tutti. Il più bel carteggio che esista, per la letteratura italiana nella seconda metà del secolo XIX! E il Carducci non usò preferenze, conservò sempre tutto di tutti: la lettera del re come la supplica di un poveretto.

S' intende, che il Carducci ponesse gran cura nel conservare anche gli autografi propri. Quelli delle prose talvolta subirono la sorte frequente degli autografi, che è di andar distrutti o di non tornare all'autore; ma, delle poesie, il Carducci, fin dai primi anni, fu gelosissimo. A ciascuna poesia dedicò, si può dire, un incartamento: con l'ultima redazione, ne conservò anche le precedenti stesure, anche i primi talvolta lontani abbozzi (*Miramar*, per esempio, fu portata avanti, negli autografi, dieci anni), datandoli del luogo, del giorno e sin dell'ora della composizione. Viene fatto anche di pensare che il Carducci, che in vita si fece talvolta editore di epistolari e di versi altrui, abbia voluto lasciarci lui i propri versi e il suo carteggio, con quelle cure e in quell'ordine che gli sarebbe piaciuto trovare negli altri.

Il Sorbelli osserva che anche la scrittura lo aiutava: così riconoscibile e sua, ma altrettanto normale e chiara. (Non era cominciata ancora la pacchianeria delle calligrafie estetiche!). Coi facsimili sotto gli occhi, il Sorbelli ci illustra poi le diverse fasi della scrittura carducciana. Curioso è vedere, già nel Carducci giovane, quasi una seconda calligrafia, più diretta, abbreviata e come allusiva, per il primo getto delle poesie. E questa sua calligrafia (diciamo così) ispirata, è quella che poi muterà meno, che resterà più costante attraverso gli anni. Ogni volta che il Carducci tornava in quello stato d'animo, in quella commozione, riscriveva graficamente a quel modo. Anche soltanto dalla grafia, a distanza, sugli autografi, si può quasi distinguere il Carducci poeta, dal Carducci di tutti i giorni.

La scienza dell'autografo isolato è un po' arcana, ma il confronto dei varî autografi d'uno stesso autore, parla anche a noi profani.

E adesso, dimenticate le chiacchiere e aprite l'albo. Vi stanno sott'occhio cinquantadue grandi tavole che riproducono in facsimile altrettante pagine di diverse poesie carducciane. Improvvisamente alcune delle più belle *Rime nuove* e delle più famose *Odi barbare*, con tutti gli umili e gloriosi segni della fatica, cancellature, pentimenti, correzioni, vi nascono lì sotto gli occhi: impressione quasi di stupore, per chi fin dall' infanzia aveva familiari queste poesie, ma già definite, ferme; e qui, sotto la mano del poeta, ancora si muovono.

Poi, anche nelle varianti è facile trovare una riprova dell'estetica e sin della morale del Carducci. Più spesso le sue correzioni scorciano, concentrano; e sempre mirano al più chiaro, al più concreto, e (talora anche troppo) al plastico. Evidentemente, siamo agli antipodi dell'estetica romantica e decadente per cui, trovata un' immagine, le si dovrà aggiungere subito fumo o belletto. Anche si vede che il nucleo delle migliori poesie, i versi liricamente iniziali (non sempre quelli che vengono materialmente per primi) d'una poesia, restano per lo più immutati: e le correzioni, le varianti si fanno sempre più frequenti, più ci si allontana dall' ispirazione e ci si avvia alla periferia poetica.

E ora, chi penserebbe che il primo verso dell'ode a Roma, *Roma, ne l'aer tuo lancio l'anima altera volante* (anche un po' alto, per il gusto carducciano), in un primo momento fosse nato basso così: *A l'aer tuo, Roma, commetto l'anima mia*? E più giù, che il verso citato ormai come un proverbio: *Chi le farfalle cerca sotto l'arco di Tito?* fosse soltanto.... *rumor di vespe a torno l'arco di Tito*, che proverbio non sarebbe diventato mai? Altro principio famoso, fu quello dell'ode alla chiesa di Polenta: *Agile e solo vien di colle in colle — quasi accennando l'ardüo cipresso. — Forse Francesca temprò qui li ardenti —*

occhi al sorriso? E s'era affacciato prima, nella mente del Carducci, con così poca poesia: *Alto e solingo tu di clivo in clivo — guidi e ne accenni o memore cipresso. — No: qui Francesca non temprò....*

Certi versi, nessuno ormai se li sa immaginare differenti: *T'amo, o pio bove, e mite un sentimento....* E invece prima era stato: *Amo, o solenne bue...*, poi: *T'amo, o placido bove....*

Ho scelto di proposito alcuni esempî più evidenti, e per ciò stesso un po' grossi. Ma il piac re vero delle varianti rivelate da questi autografi (per chi ancora ha di questi piaceri), sta nelle cose piccole e dove sembra di scorgere più da vicino il nascere proprio del fantasma o della parola poetica. In « Pianto antico » *la piccoletta mano* che diventa *la pargoletta mano*; poi *nell'orto poveretto....* (*piccoletto*).... (*a te diletto*), che si cambia, com'è ora, *nel muto orto solingo*. E quell'omerico fratellino del « Sogno d'estate »: *Andava il fanciullo con piccolo passo solenne — superbo dell'amore materno, tremante nel core...*, no, non è ancora lui. Lui eccolo: *Andava il fanciulletto con piccolo passo di gloria — superbo de l'amore materno percosso ne 'l core....* Di gloria, invece di solenne; percosso invece di tremante; viene un momento che alla poesia, per essere, questo poco basta.

1935.

Poesie di Giosuè Carducci nei loro autografi. A cura di ALBANO SORBELLI, Bologna, Zanichelli, 1935.

IV.

LE PRIME LETTERE

Il primo volume delle *Lettere* del Carducci, che va dal 1850 al 1858, e cioè dai quindici ai ventitrè anni di lui, può essere visto e considerato sotto due aspetti diversi. Per letteratura: come documento, non diremo dell'arte e della poesia, ma degli studî di poesia e d'arte che il giovinetto Carducci allora veniva facendo. E per umanità e psicologia: per vedervi il formarsi e temprarsi del sentimento e del carattere, nelle prime dure prove della vita. Sono due modi diversi, ma ugualmente fruttuosi di considerare il libro.

E questo si può dire subito: che se il Carducci poetante e affannatamente studioso dei primi anni è molto (ma molto) lontano dal poeta e dal maestro che verranno poi; il Carducci uomo, invece, il carattere, è già sostanzialmente quello che resterà. I termini della psicologia carducciana, gli amori e gli odî, le occasioni che lo attraggono o che lo respingono, le reazioni sue e il modo di quelle, già si scoprono allora.

Non è constatazione generica, non si potrebbe dire altrettanto d'ogni poeta; poeti maggiori, ma anche poeti molto minori del Carducci, ebbero più svolgimento, più travaglio psicologico di lui. Nel Carducci, il temperamento molto presto fece blocco col carattere, ed egli vi trovò insieme il suo accento, quel suo piglio, e i suoi limiti. E, come spesso succede agli uomini che furono uomini molto o troppo presto, soltanto molto più tardi, quasi alle soglie della vecchiezza, il Carducci entrò in una temperie più dolce. Ma è un altro discorso....

Qui si voleva dire che le lettere che trattano di studî libri programmi e polemiche letterarie, sono ancora irretite spesso in uno stile animoso sì, ma di scuola e un po' vieto; quelle invece che più direttamente rappresentano lui, i suoi affetti e la vita, sono già nella viva prosa del Carducci.

Chi voglia studiare questo primo libro delle *Lettere* per letteratura, deve confrontarlo al volume dei *Primi versi*: le date combaciano: le lettere sono esattamente il contrappunto privato di quelle poesie. E qualche aspetto ne resta illuminato o chiarito. Ne toccherò due.

Abbiamo visto già che nei *Primi versi* s' incontrano interi gruppi e quadernetti di poesie di intonazione e colore scopertamente romantici: sul gusto, non pure del primo Prati, ma del Pellico e del Carrer. Le leggemmo, al loro apparire, tre anni fa, con qualche meraviglia.

Ora, le lettere ci mostrano chiaro che il Carducci romantico (o meglio: romantico di quel tipo) non fu nemmeno da ragazzo. Non solo nelle lettere di quegli anni o di quei giorni cerchereste invano il tremulo, il languido o lo sfumato che le poesie in qualche modo fingevano; ma le lettere anzi provano che quelle poesie romantiche e *lai* del Trovatore..., erano piuttosto gli esercizi letterari di un giovane deciso a classicamente impossessarsi di tutta la tradizione della sua letteratura. Poetando a quel modo il ragazzo poco concedeva dell'animo suo: o solo quel tanto che è sempre insito già nella scelta d'un soggetto, nel metro e nella forma. Ma bastava che un amico (mettiamo il Gargani) gli inviasse un saggio di poesia classicistica, e subito il Carducci ci si riconosceva e, buttata all'aria l'arpa romantica, inneggiava a Febo e al sacro coro.

E il classicismo carducciano che ne seguì, di stretta e per alcuni anni sempre più stretta osservanza, intransigente, xenofobo, a volte anche un tantino ridicolo.... ebbe (da alcune lettere ora si vede) una ragione polemica più precisa, e più urgente a lui, che non paresse. Polemica esterna e scoperta verso i poetini romantici, e gli *amici* meno o punto *pedanti*, come il Nencioni; ma, e soprattutto, polemica interna, e per forza segreta, verso le scuole granducali da cui il Carducci appena usciva. Al Chiarini in procinto di iscriversi alla Scuola Normale di Pisa scrive:

> Apprenderai il gergo convenzionale grammatico rettorico filosofico: la lingua in cui scrissero Dante, Machiavelli, Leopardi, fa paura a questi vili oppressori e castratori degli ingegni giovanili: chi studii davvero cotesta lingua, bisogna che studii gli scrittori repubblicani del Trecento, nazionalissimi del Cinquecento, e i pensatori tremendi del secolo nostro: bisogna che, studiando cotesta lingua, studii la nazione e s' imprima come suggello, nell'anima, il carattere italiano puro. E nella Scuola Normale, guai guai, tre volte guai a costui.

Visto così, l' intransigente classicismo giovanile del Carducci ha un altro colore, o altro spicco. È la polemica del classicismo italiano integro, contro quello che fu detto il classicismo dei Gesuiti (e che fiorì, e può fiorire, anche senza i Gesuiti). Probabilmente il Carducci esagerava nel giudicare a quel modo i suoi maestri di Pisa; ma, uscito dagli Scolopi e dalla Scuola Normale, istituzioni allora molto toscane e che intoscanivano molti, egli sentiva il bisogno di richiamarsi a tradizione nazionale più grande. Non era uomo da dare nelle secche del Giusti....

E queste prime lettere (dicevo) si possono più piacevolmente leggere avendo l'occhio al formarsi della prosa carducciana originale. La quale di preferenza si mostra, qui, in due occasioni. Quando il giovanissimo Carducci improvvisamente soffre e accusa «il tedio del vivere» e si dice «nato a campare male su questa terra»; oppure, e al contrario, in certi suoi rapidi fuochi di gioia. Allora il moto dell'animo vince la scuola, e il Carducci giovinetto scrive già nei modi originali del Carducci uomo, e a volte direi con più levità, un più felice trascorrere.

Specie i primi anni, vedi le letterine squallide, scritte alcune da paesetti sull'Amiata, dove si sente il freddo e l'uggia delle povere case del padre, il dottor Michele ramingo per le condotte; e il ragazzo Giosuè che, appena data giù la caldana dei versi, dubita di sè e del lavoro di domani e del pane. E quelle lettere povere sembrano poi riassunte tutte nella lettera del 15 agosto 1858, dove il Carducci annuncia all'amico Chiarini la morte del padre.

Mercoledì, benchè non si sentisse di peggio, chiese e volle i sacramenti. Ieri, sabato, a mezzanotte, cominciò a peggiorare: e si alzò da letto, e volle star seduto verso la finestra, e dettò a mia madre la ricetta per un calmante. Stamane, domenica, ha voluto l'estrema unzione; e ha detto alla mamma che ci facesse scrivere, e l' ha detto con premura grande. E stava sempre peggio, e soffriva terribilmente, e non poteva respirare. Poi ha detto: — A che ora avranno la lettera quei ragazzi? in tempo di desinare: tutta quella gente si turberà: non possono venire se non con l'ultimo treno, non faranno a tempo. — Poi ha mandato a chiamare il proposto e gli ha domandato: — Avete da farmi altro? — Vi posso dare la benedizione *in articulo mortis*. — Datemela. — Al tocco è risalito da sè in letto (chè era levato): e si è addormentato: svegliatosi, ha cominciato a sudare, e ha detto: 'Ildegonda, questo è il sudore della morte'. Ed è entrato in agonia, e moltissimo ha sofferto senza mai lamentarsi, e da sè si è acconciato i guanciali e da sè si asciugava il sudore. Pover uomo.... Ed io non l' ho visto prima di morire, ed egli non ha visto me....

Una lettera sulla quale non vorremmo dir nulla; o soltanto che il Carducci (come talvolta accade ai poeti) sembra averla scritta e per sè, e per tanti figlioli.

L'altro tono, opposto, sta in una certa giovane baldanza e quasi sfida alla vita. E di qui verrà poi fuori il Carducci.

Ieri mi godei tutto il giorno la amica (*l'Elvira, fidanzata*) e misi da parte le lettere. Solamente a sera — e aquilone fischiava serenissimo per i lucidi lastricati di Firenze.... —, a sera Giosuè Carducci rimpiattato in uno scialle a quattro doppi che aveva strappato dal seno dell'amica, gittando nuvoli di fumo, di mezzo a una sciarpa che lo imbacuccava fino al naso, brandendo la sua mazza quasi a minaccia dell'aquilone, si avviava per verso un caffè di Via Larga....

Si pensa ai Macchiaioli, alle caricature del Tricca, e ai pittori del caffè Michelangelo ripitturati in prosa dal Signorini. Della stessa tavolozza, è la descrizione che il Carducci fa di sè, la sera della laurea, quando lung'Arno «in giubba e con grandissima cravatta bianca al collo e con i solinoni bianchi secondo il costume del Tasso», improvvisò un'epopea etrusca.

E c'entravano di mezzo Tarconte, Porsena, la vergine Camilla e Turno i quali andavano a spegnere i lumi a gaz e portavano fuori le vecchie lucerne sepolcrali di Tarquinia e dei sepolcreti di Ceri. Eroe dell'epopea, ch' io un po' cantava e un po' declamava, era anche un vaso etrusco personificato il quale entrava nell' Ussero e spaccava le tazze, i gotti e simili buggeratelle moderne....

È una sbornia studentesca delle tante; ma il vino di solito piglia il colore dell'uomo dov'entra: balordo nel balordo, è intelligente nell' intelligente. Certo è che quegli Etruschi così balzati fuori lung' Arno, qualcosa annunziano del più bel Carducci.

A me piacciono altrettanto certe letterine meno apparenti, ma tutte sul carattere. Il Carducci d'allora, a chi poco l'accostava, dava certamente impressione di molto forastico. «Di poche parole e modestissimo», «rozzo ma buono», «rozzo e modesto»; così (raccomandandolo) lo dipingevano allora Augusto Conti il filosofo, e il Thouar, il *suo* buono e generoso signor Pietro.

Rozzo? Per qualcosa dovevano entrarci cravatte, scialli, e le chiome. Ma nelle brevi lettere che manda ai maggiori e diversi da lui, al Mamiani, al Guerrazzi, al Tommaseo, alla Paolina Leopardi, vedete come, d'istinto, egli sa porsi sempre alla distanza e nella luce giusta: che è proprio di quelle gentilezze dell'animo che non s'imparano. «Mi ardisco a mandarle (*al Tommaseo*) un libretto di rime pensate e distese in gran parte o senza o contro certi principii filosofici e letterarii propugnati dalla Signoria Vostra: e glie le mando come a darLe un segno di quanto io La stimi, pur dissentendo da Lei». E una volta che un suo vecchio condiscepolo agli Scolopi, Ranieri Samminiatelli (figlio del feroce Balì del Giusti), gli aveva scritto, con troppe cerimonie, per dedicargli un sonetto, scherzò così:

Una cosa non avrei voluto vedere nella Sua lettera: ed è la maniera ossequiosa che Ella usa verso un antico suo condiscepolo. Io per gli amici miei sono sempre il Carducci di sette anni fa: e di ciò desidero ch' Ella si persuada. Del resto mi continui, ne la prego, la Sua benevolenza: e mi creda con rispetto e amore altissimo della S. V. Ill.ma sig. Balì Samminiatelli ossequiosissimo servitore ed amico.

Sono cosine da nulla; ma chi nacque rozzo (diventi anche un grand'uomo), non le scrive nè a vent'anni nè dopo.

1938.

Lettere. Vol. I (1850-1858), Bologna, Zanichelli.

V.

INCONTRO COL SAINTE-BEUVE

Nel volume quinto dell'*Epistolario* di Giosuè Carducci che raccoglie le lettere degli anni 1866-1868, si è visto comparire tra i corrispondenti del poeta il Sainte-Beuve.

Credo, con meraviglia di molti. La diversità di patria e di età tra i due (nato il Sainte-Beuve nel 1804 e il Carducci nei '35), e più la distanza della fama (quando il Sainte-Beuve morì nel '69, il Carducci era critico e poeta quasi soltanto di scuola, *scudiero dei classici*, autore appena dei *Levia Gravia*), e più ancora il ritroso o addirittura forastico carattere del Carducci a quegli anni, tutto lasciava supporre che il grande scrittore francese e il giovane scrittore italiano non avessero fatto in tempo a incontrarsi. E invece l' incontro ideale c'era stato; incontro fugace, ma non convenzionale.

Il Carducci aveva fatto al maestro l'omaggio di alcuni scritti e versi suoi, e il maestro (cui dovevan pur giungere valanghe di « omaggi » da ogni paese) aveva subito, come si dice, fiutato l' ingegno. Due lettere del Carducci e due lettere del Sainte-Beuve; ammirato e riverente l'uno, grato e intelligentemente grato l'altro. Purtroppo il carteggio si arrestò lì, chè il Sainte-Beuve morì nell'ottobre del '69, pochi mesi dopo la seconda lettera inviata al Carducci. Ma quelle quattro lettere bastano per dire che il grande francese e il giovane italiano alle prime armi s'erano intesi.

Il Carducci e il Sainte-Beuve, entrambi e poeti e critici, furono certamente assai diversi tra loro e nella critica e nella poesia. C' è nell'opera del Sainte-Beuve tutta una grande zona di investigazione morale e di analisi psicologica, una pur virile ricerca del sottile e del morbido, che è zona preclusa, non dico all' intelligenza, ma all'esercizio critico del Carducci. E c' è nel Carducci una potenza a rilevare, plasticare e atteggiare artisticamente, non solo le figure, ma i fantasmi e le idee, insomma un vigore classico che il Sainte-Beuve non ebbe. E molte altre differenze corrono tra i due, che ora non importa dire. Ma in un punto i due s' incontrarono e si somigliarono: nel culto fermo e non vago, sostanziale e non occasionale, della tradizione; nella fedeltà alla loro letteratura nazionale e insieme a quella universale, classica, e alle regole costituite dell'arte: furono l'uno e l'altro i più grandi *rhétoriciens* del loro tempo.[1] E se nelle opere del Carducci ricercate ora il

[1] Quando scrivevo non ricordavo che sul Carducci e il Sainte-Beuve, Renato Serra aveva detto assai bene in una pagina che ora mi piace riportare: « Che parte ha avuto nella sua novità di ritratti, colti sull'uomo vivo e coloriti con ricchezza di aneddoti e particolari pittoreschi, il Sainte-Beuve ? Nomino costui perchè nei discorsi sul Settecento si sente ben l'uomo fresco di quella lettura e che ricorda e cita con compiacenza; ma poi, fin dove arriva la somiglianza tra i due, donde comincia e perchè si rileva il contrasto ? Han pare tante cose comuni: erudizione e lettura universale — ambedue hanno *letto tutto*, per usurpare il motto, acuto come una definizione, del Renan —, religione delle lettere, profondità e tenacia nella tradizione, insieme con la indipendenza assoluta dello spirito; ma al fatto, e fuor che quando il francese ha informato il nostro, come riescon diversi ! L'uno, per accennarne appena qualche cosa, si può dir che non abbia stile, tanto è rotto e molle nel prender forma e qualità dagli spiriti con cui ha che fare; l'altro non mostra nulla così rilevato e vivo e gagliardo come lo stile: in faccia a ogni persona e a ogni opera egli accampa diritta e fiera la persona sua, giudice a volta a volta reverente ap-

nome del Sainte-Beuve lo troverete ricordato quasi sempre, non in funzione di critico psicologico, ma come *rhétoricien* e maestro di classicismo. « Il Sainte-Beuve che era il Sainte-Beuve soleva dire che molto in letteratura dipende dall'aver fatto un buon corso di rettorica ». E vi incontrerete il Sainte-Beuve amante, come il Carducci, della prosa prosa (Diderot, Voltaire), e poco sofferente della prosa poetica (Chateaubriand, Lamartine); e il Sainte-Beuve, come il Carducci, adoratore costante del Petrarca e di Virgilio. In poesia, due volte il Carducci risente più direttamente il Sainte-Beuve poeta: nel sonetto « Il sonetto » e nell'anacreontica « Alla rima »; che sono appunto due poesie ispirate all'arte poetica, alla nobile rettorica.

Certo è che il Carducci (a parte la riconoscenza ch'egli sentiva dovuta a un così squisito *italianisant*) amò nel Sainte-Beuve e il duttile sperimentale poeta e il critico, « un sommo critico »; il Sainte-Beuve fu degli scrittori contemporanei che più vivamente entrassero nella circolazione del suo pensiero. E nella

---

passionato brusco, ma sempre, per dir così, staccato e superiore al suo soggetto, con interessi morali e ideali che il soggetto trascendono. L'uno ha l' intelligenza infinitamente aperta e sottile, la curiosità che trova tutte le vie, la malizia che s' insinua per tutte le crepe; l'altro ha il potere e l'autorità, la franchezza della linea e la bravura del colore e la vigoria delle grandi composizioni serrate. Il suo interesse spirituale non si adempie nei termini di un uomo frugato nella carne viva o di un'arte o di una maniera, realizzata nella sua qualità; egli ha bisogno non meno di giudicare che di penetrare e rappresentare; e nel giudizio osserva alcuna legge, che non nasce solo dal temperamento e dall'occasione, ma già era posta come regola ferma, vorrei dire ch'egli sottopone volentieri la parte del gusto, che ha finissimo, e della intuizione e penetrazione psicologica, alla parte della classificazione, dell'opera nel genere e dell'uomo nel mezzo storico » (*Scritti di R. S.*, a cura di G. De Robertis e A. Grilli, vol. II, pp. 236-37, Firenze, 1938).

famosa pagina dove il Carducci riconosce il debito suo e di tutti alla grande letteratura di Francia, « O letteratura di Voltaire e di Rousseau, di Diderot e di Condorcet, liberatrice del genere umano, rivoluzionatrice del mondo, sciagurato chi ti rinnega.... » ; un po' inaspettatamente (o forse anche in grazia della giovanile febbre girondina di Giuseppe Delorme), troviamo ricordato il cauto Sainte-Beuve, tra l' Hugo, il Michelet e il Proudhon, (e qui, non fosse la reverenza, noi quasi si penserebbe a un gattone soriano tra i leoncelli).

Ma veniamo alle lettere (le quali furono offerte a noi dalla cortesia di Albano Sorbelli, direttore della Biblioteca carducciana a Bologna).

Nell'aprile del 1867, il Carducci mandò al Sainte-Beuve a Parigi l'omaggio di due sue edizioni e studi letterari *Delle rime di Dante*, e *Le stanze, l'Orfeo e le rime del Poliziano* (dove il Sainte-Beuve è ricordato di sfuggita). E li accompagnava così :

Bologna, 1° aprile 1867.

Mio Signore. A ogni vostro nuovo libro che leggo (e ne leggo e rileggo quanti ne manda Parigi) io sento come un bisogno di ringraziarvi del tanto che ho imparato da voi, del bene che voi fate al mio spirito ; sento poi, come italiano, quasi il debito speciale di ringraziarvi del perfetto, sereno e simpatico giudizio che voi portate nelle cose della nostra letteratura e del nostro paese ; tanto più che noi non siamo avvezzi a essere trattati così bene, particolarmente per quel che attiene alla letteratura, dagli stranieri. Più volte dunque ho avuto il pensiero di scrivervi, per isfogarmi significandovi la mia ammirazione, per dirvi grazie, Signore illustrissimo, per tante e tante cose, ma segnatamente poi per quel che avete detto della morte del nostro Leopardi. Più volte mi è venuta la tentazione di mandarvi qualche mio piccolo saggio di critica, come omaggio d'uno scorridore a chi è signore diretto e legittimo del bellissimo regno : sempre me ne ha ritenuto il rispetto.

Alla fine, leggendo l'ultimo volume dei *Nouveaux*

Lundis, e sempre più persuadendomi che voi siete fra i grandi critici anche il meglio simpatico ed amabile, io rompo il ghiaccio e mi attento a scrivervi tutto questo e pregarvi ad accettare un qualche mio lavoro.

Due argomenti m' imagino o mi lusingo che v'abbiano a riuscir non discari ed eventualmente attrattivi ; Dante (il Dante giovane della *Vita Nuova* e delle *Rime*), il Poliziano (come poeta toscano del Risorgimento). Sapete come in Italia siamo in generale poveri di critici....

A questo punto la lettera del Carducci (o meglio la minuta della lettera che si conserva nell'archivio carducciano) resta in tronco. Ma dalla risposta del Sainte-Beuve se ne può in qualche modo arguire il seguito. Il Carducci dovette fare al critico francese un quadro molto buio della critica letteraria in Italia a quegli anni ; che secondo il pensier suo altrove espresso era o di troppo minuta e inutile erudizione, o troppo astratta e leggiera, o giornalistica e arbitraria. Veramente, proprio l'anno prima, il nuovo e grande critico in Italia era nato. Francesco De Sanctis aveva pubblicato nel '66 i suoi primi *Saggi critici*. Ma il Carducci allora e per troppo tempo dopo ebbe il critico napoletano in sospetto. (E forse questa volta fu proprio lo spirito di tradizione e *rhétoricien* a fargli velo all' intendere il nuovo).

Il Sainte-Beuve così rispose al Carducci :

Il Signor Professore Giosuè Carducci alla Regia Università di Bologna – Italia.

Paris le 9 Avril 1867
(11, rue Montparnasse)

Cher Monsieur,

Rien ne saurait m'être plus agréable que de voir mon nom et quelques-uns de mes écrits connus et appréciés par de là les monts et dans ce beau pays d'où est revenue la lumière aux XVe et XVIe siècles. Bien des causes ont dû contribuer à l'affaiblissement critique dont vous vous plaignez aujourd'hui : mais une nation qui a encore Manzoni vivant, dernière colonne de la grande époque, et qui a eu un Leopardi pour souffrir, chanter et mourir avant l'heure dans un si beau et si noble désespoir, n'est pas déshéritée du côté de la Poésie. Quand les grandes distractions politiques auront fait place à de studieux loisirs, je ne doute pas que la critique italienne ne se relève et ne se fortifie par quelqu'une de ces combinaisons que vous appelez de vos voeux et où la tradition dans sa part légitime s'unirait à un esprit nouveau, à une science nouvelle : la patrie de Dante et de Vico a fait ses preuves en fait d'originalité. En attendant, de bonnes études critiques, des descriptions d'époques, et des tableaux comme celui dont vous avez environné la figure de l'illustre Politien, sont des préparations excellentes. Je voudrais moins bégayer que je ne le fais la belle langue du *Si* afin de m'y instruire plus aisément : votre Essai sur Politien est de ces travaux que j'aime et dont j'aurais voulu ici en France présenter quelque idée comme j'ai essayé de le faire à l'occasion de Leopardi. Je suis très-flatté de rencontrer mon nom dans cet Essai de votre plume. Que n'ai-je quelques années de moins ! j'aimerais aller me tremper à ces belles sources de Littérature sous le ciel même qui les a vues naître. — Veuillez agréer, cher Monsieur, avec mes remerciements, l'assurance de l'intérêt que je prends à ces précieuses communications littéraires, et l'expression de mes sentiments les plus distingués.

SAINTE BEUVE.

P. S. — Je n'ai pas parlé du poëte en vous : tout vrai critique au XIXe siècle doit être, à quelque degré, poëte. Un critique purement prosaïque manque de la clé d'or.

Non si sa che il Sainte-Beuve conoscesse i *Saggi critici* del De Sanctis. Li avesse conosciuti, si direbbe che li avrebbe ricordati lui al Carducci, tanto alcune frasi della sua lettera (« où la tradition dans sa parte légitime s'unirait à un esprit nouveau, à une science nouvelle : la patrie de Dante et de Vico a fait ses preuves en fait d'originalité ») ce ne danno (o a noi sembra) quasi il presentimento e l'annuncio.

E nella bella lettera del Sainte-Beuve, come è

prontamente riconosciuta, già in quei primi saggi, la tecnica storica (« le tableau dont vous avez environné la figure de l'illustre Politien »), e l'alito poetico (« la clé d'or ») della critica del Carducci!

Due anni dopo, il Carducci manda al Sainte-Beuve il volumetto dei *Poeti erotici del secolo XVIII*, dove il critico francese è ricordato:

> Ma di ciò [della greca musicalità della *piccola poesia* francese] han parlato abbastanza gli odierni critici francesi, e soprattutti, da critico e da poeta, il Sainte-Beuve....

E gli manda i *Levia Gravia* usciti allora, dove a pagina 121 c'è il sonetto « Al sonetto », *Breve e amplissimo carme, o lievemente...*, ispirato al Carducci dal Nencioni, ma che attraverso il Nencioni riecheggiava il Sainte-Beuve e il Wordsworth.

Bologna, gennaio 1869.

Illustre Signore. Se vi riesco importuno, mia non è la colpa: voi, rispondendo troppo benignamente a una mia prima improntitudine, m'incoraggiaste per questa via. Vi prego dunque ad accogliere come omaggio di sudditanza liberamente eletta un libretto nella cui prefazione osai parlare un tantino di cose francesi in paragone alle nostre, naturalmente dietro la vostra scorta. E se vorrete gettar l'occhio su la pagina 121 d'un altro libro che vi spedii vedrete che anche in Italia rimane qualche adoratore del vecchio sonetto; del vecchio sonetto dell'arte e del Petrarca, per cui Giuseppe Delorme *sarebbe andato a piedi a Roma*, e più lontano ancora.

A proposito del sonetto, ho messo mano a una edizione nuova del Petrarca con commento in cui si riordina il canzoniere secondo le epoche della *vita* e dell'*anima*. Avreste, insigne maestro, da suggerirmi qualcosa o da indicarmi qualche buon lavoro francese di cui potessi giovarmi? Ho letto il libro del sig. Mézières. Oh che non avete scritto voi su 'l poeta che pur vi è prediletto, e del quale sì insignemente avete di fuga toccato qua e là i lineamenti!

Gradite, vi prego, i sensi di alta estimazione coi quali mi profferisco devotiss. vostro

GIOSUÈ CARDUCCI

P. S. — Sarei troppo da vero sfrontato, se vi pregassi a mandarmi un vostro ritratto ? In Italia non ne trovo : potrei ordinarlo a Parigi. Ma che consolazione per me averlo da voi ! Agli ammiratori, agli amanti, bisogna perdonar di molto.[1]

Il Sainte-Beuve gli rispose :

Paris le 14 février 1869
(11, rue Montparnasse)

Cher Monsieur,

Je suis sensible comme je le dois à tant d'aimables et sympathiques témoignages. Je vois au premier coup d'oeil combien cet *Enotrio* est un de nos frères et je dégusterai plus d'un de ses sonnets. L'édition *bijou* de vos *Erotici* avec l'Introduction est un miel des plus agréables. — Je ne sais rien en français de mieux sur Pétrarque que ce qu'en a écrit M. Mézières. Notre vieux Ginguené dans son *Histoire de la Littérature Italienne* est ce qu'il y a de plus exact et de mieux etudié avant Mézières. Vous trouveriez aussi, je crois, dans le *Cours familier de Littérature* de M. de Lamartine un Entretien ou deux sur Pétrarque. Même dans ce qu'il a de plus lâché, Lamartine a des traits qui peignent, surtout de poète à poète.

Veuillez agréer, cher Monsieur, l'hommage de mes sentiments dévoués,

SAINTE BEUVE.

È una letterina breve (il Sainte-Beuve era vecchio e già malato) ma non certo una lettera di fredda circostanza. Le indicazioni sulla critica del Petrarca in Francia non riuscirono certamente nuove al Carducci. Ma l'edizione sua degli *Erotici* definita « un miel des plus agréables » e quella battuta « cet Enotrio est un de nos frères », e il ritratto e la dedica

---

[1] Il Sainte-Beuve mandò il ritratto, così dedicato « à M. G. Carducci, hommage affectueux. St. Beuve ».

che il Sainte-Beuve gli mandò, come dovettero andare al cuore del giovane Carducci!

Il Sainte-Beuve morì appena otto mesi dopo, il primo ottobre 1869. Ma è probabile che quando più tardi il Carducci, e nella poesia e nella critica, divenne più interamente il Carducci, più di una volta il pensiero, memore di quel primo riconoscimento, gli sia ricorso al Sainte-Beuve: ecco un uomo di cui egli avrebbe, e sempre più, ambito l'approvazione e il giudizio.

E un altro pensiero si affaccia ora a noi: come ci appare ormai lontana questa Europa dove, pure tra Sadowa e Sedan, gli uomini nobili e gli ingegni d'ogni paese potevano incontrarsi e riconoscersi nel nome di un poeta!

1941.

SEVERINO FERRARI

I

Ogni volta che torna un'occasione a parlare di Severino Ferrari, per una data, una ristampa, un discorso..., qualcosa dentro noi si rallegra. Pochi poeti e scrittori, pur essendo, come lui fu, piccoli poeti e scrittori, ci sembrano tanto suggestivi. È che ci piace l'uomo e il tempo.

Ci fu un ventennio, quando il Carducci in Parnaso era re, che nominar Severino era come dir «la poesia». Non che Severino Ferrari, tra i giovani poeti intorno al maestro, fosse allora il più bravo, o quello di più ricca vena, o il più ispirato. Questo no. Ma era il più innamorato, a un tempo fervido e candido, il fidanzato della poesia. E gli altri volontieri, a cominciare dal maestro, lo salutavano e lo confortavano in quella sua vigilia. *O Severino, dei tuoi canti il nido...*, intonò a lui il Carducci. *O Severino dalla barba arguta...*, lo dipinse il Marradi. Il Pascoli (almeno al tempo delle prime *Myricae*) gli fu vicino, e quasi simile ; e il Biagi, il Brilli, lo Straccali, il Trezza, il Mazzoni, tutti quelli che allora amavano di un pari amore la candida poesia e le buone lettere, lo tenevano per fratello. Fu il prediletto della covata, il solo scolaro che il Carducci chiamasse per nome ; bastava allora dire Severino, e c'era nell'aria un desiderio di libertà, un gusto, un odore di poesia.

E quando il liberissimo Severino, (anche un po' libertario ; chè, un momento, non volle diventare professore, per non dover «servire il governo»), si fu anche lui un poco rassegnato, e incominciò a passare di scuola in scuola, prima soltanto coi suoi libri e i suoi sogni, poi avendo con sè la sua sposa, «questa soave giovinetta amante», ecco che da Firenze, da Reggio, da Modena, da Spezia, da Palermo, quante furono le sedi di Severino professore, partono i suoi richiami, le sue arguzie, motti, belle rime agli amici lontani, e degli amici a lui; quasi rinnovando l'uso delle liete e cortesi tenzoni. Nelle brigate, con che felicità egli ripeteva o inventava serenate e strambotti, con che gusto diceva il Boccaccio, rifaceva con la voce Chichibio cuoco o Calandrino.

Poi il Carducci volle Severino con sè a Bologna e lo avviava egli stesso a succedergli nella cattedra. Ma fu per poco; a questo gentile era preparata la sorte più dura; l'immaginazione serena, la lucida mente furono a un tratto travolte nel buio: Severino impazzì. Quando, nel 1904, Savino Varazzani, ignaro, gli scrisse chiedendogli una pagina per un numero unico da dedicarsi al Carducci, da Severino, ricoverato allora nel manicomio di Colle Gigliato, ebbe questa risposta:

Caro Savino, tu non sai dunque? Io non posso più scrivere e non posso neanche più pensare. Informati. Non oso dirti altro. Voglimi bene, voglimi bene.

Fu la sua ultima voce. L'anno di poi, la vigilia del Natale 1905, Severino morì. Quando ne dettero notizia al Carducci, il vecchio poeta raccolse la faccia tra le mani: e più tardi, per ricordarlo scrisse soltanto: «Severino Ferrari, 25 marzo 1856 - 24 dicembre 1905, sovra tutti diletto, con verità pianto».

A nominar Severino, anche oggi alcuni ricordano quella gentilezza e questa pietà. Ma i versi di Severino chi li legge più? Veramente, si trovò anche di recente un editore volenteroso che raccolse in un volume tutte le poesie di Severino; ma che cosa possono dire queste poesie ai lettori nuovi, fuori degli studi, dell'amicizia, dell'aria onde nacquero?

L' impressione prima, chi legga oggi, è mista di grazia e di asprezza: candida poesia familiare, e molto studio, molta filologia. Diceva Severino di sè dedicando al Pascoli le prime tele caserecce del suo telaio, i suoi «bordatini»:

> Giovanni, come sai, questi bordati
> da vaghe antiche tele ho ritessuti
> e con drappi moderni ho variati.
> Tessere in stil moderno antiche cose,
> in stile antico nuovi sensi arguti
> tentai con fila morbide e manose.

Basta il giro di questa strofa a fare intendere il gusto del poeta: che è raffinato e popolaresco insieme (due caratteri che spesso si accordano). Se badiamo ai tèmi, alle occasioni delle poesie, il vagante poeta-professore Severino canta con nostalgia la vita semplice del paesello lontano, il suo Alberino, disegna ridenti immagini d'amore, invoca la diletta che sarà poi la sua sposa, saluta l'umile gente che incontra per la sua strada, e i cieli, le campagne, il mare che vede. Un mondo vicino, vero, suo, da far pensare, (salvo gli accenti di amore), al Pascoli: e con un gusto sano a viverlo, un piacere della verità, e nella stessa umiltà una fermezza e baldanza virile, che il Pascoli non ebbe mai. Questa, la natura dell'uomo. Ma il buon letterato intanto era tutto preso d'amore, oltre che per il Petrarca, anche per la poesia popolare, gli strambotti, gli stornelli, le canzoni del Trecento e del Quattrocento. Il Petrarca era, sì, e restava il suo gran nume protettore, ma da un cielo non attingibile; mentre quei poeti popolari, spesso quei candidi anonimi, sembrava a Severino che più facilmente potessero dargli loro i modi e i toni adatti alla poesia sua. (Aveva pure poetato così il Poliziano; un esempio che, senza dirlo, Severino doveva tenere nel cuore).

Ma fin dove la poesia proprio di Severino poteva giovarsi della letteratura di Severino? O diciamo: i due affetti di lui, il poetico sentire e le buone lettere, quanto e quando s'intonarono in lui? Chi legge, sa pure che ciò gli accadde di rado; e che spesso in Severino o il poeta mancò, o il letterato fu di troppo....

Ma chi legge anche sa che pochi moderni, come Severino, hanno lo spunto schietto, il verso sano:

> La bianca neve ride in vetta ai monti....
>
> Testina d'oro, cantano già i galli....
>
> Pensando un dolce suo canto, il Petrarca....

Pochi come lui ebbero il gusto d'incastrare la parola d'oro, la rima felice; di chiudere, in una sola strofa, una voluta alterna di assonanze e di rime come in un anello....

> .... senti i galli
> che sognando fulgor gialli
> metton gridi all'albe d'oro.

I tèmi e motivi della poesia familiare, Severino li atteggia nel verso con una grazia che è insieme moderna e arcaica; e, in quel contrasto, sorride. Ecco un'Annunciazione tutta domestica:

> La sorella era presso alla banchina
> di marmo, fresca ed ilare cianciando.
> Sola pensavi, l'aurea testa inchina.
>
> Un fior dall'alto, lambendoti le flave
> chiome, ti venne ai piedi. Un po' voltando
> a dietro il capo, un «grazie» sì soave
> t'era nei labbri, che non mai la pia
> fede tal pinse la dolce «Ave Maria».

(È veramente una madonnina vestita di rigatino). Se egli dice della sposa giovinetta,

Sul collo fino inchina il dolce fiore
del capo, e prega le sia mite amore.
Pace con gli occhi, o trepida colomba,
chiedi, se il mio desire
come falco grifagno su te piomba....

anche qui un che di reminiscente, di letterario non sciupa la verità del sentire, anzi le dà grazia e pudore. Così, in altri tèmi di amore, un'andatura popolaresca dà il tono.

Spesse volte rivedo nella mente
quel dì che sarai mia, pura viola.
Scendi alla casa ove cortesemente
due vecchi stanno per dirti figliola:
ti abbraccian sulla soglia lietamente
e il pianto a lor fa groppo nella gola:
ei ti vedon sì bella e sì fiorente
ei bisbiglian fra lor qualche parola.

(Come vivi i due vecchi, per quel bisbigliare!). Ed ecco, còlti a una sola rima, un sentimento e un paese:

Se la rondine rade bassa bassa
per côrre il fango, l'acquidoso lido,
nuvola di tristezza in cuor mi passa....

Poesia che sembra tutta volta al passato, legata tutta ai buoni esempi; eppure, come ogni poesia vera, anche questa chiude in sè qualche novità e qualche ardire. Se si dicesse che in Severino (meglio anche che nel Pascoli) si presente il realismo minuto, e un po' del gusto che sarà poi dei poeti piccolo-borghesi che vennero dopo? Sempre però, pur nel piccolo e nell'umile, con un piacere di lettere e di vita che quelli non trovarono più....

io mesco e canta allegro, mentre che casca, il vino.

Il poeta è lontano, fa il professore a Palermo; e di laggiù sospira il suo paesello, l'Alberino.

> Mite qua giù è il novembre come da noi l'aprile,
> e m'offrono i ragazzi il fior delle viole;
> ma se nell'aria un palpito trema primaverile,
> ma se lucente e biondo sorge e riscalda il sole,
> là su, di là dai monti alta la neve scende:
> al fuoco la salsiccia odora e il vino splende.
>
> Spunta il mattino, e il sole te spia tra le persiane,
> ti trova in pianelline discinta e in cuffia bianca....

(Come non pensare qui a Gaeta o a Gozzano?), ma Severino, continuando, canta più largo:

> E se Palermo è bella, e da per tutto suona
> che quattro strade in croce partono la città,
> e un giro d'alti monti le fa real corona
> formando l'aurea conca fiorita d'ubertà;
> il cuor che in picciol borgo nacque, pur là rimase,
> ove non è che un argine, cinque olmi e quattro case.

Il difetto della poesia di Severino sta in una sorta di debolezza. Egli sarebbe stato piccolo ma compiuto poeta, se tanti suoi inizii di poesia, e moti e spunti avessero poi retto. Più spesso invece si annunciavano e cadevano. Allora, quando il poeta si smorzava, il letterato continuava lui a trovare suoni, parole, bei modi: ma ciò che prima era grazia, diveniva ora soltanto studio, quel che prima luceva si faceva opaco. Troppo spesso nella poesia di Severino il letterato resta scoperto. Tuttavia, quale candido e amabile letterato! Non c'è pagina di lui, anche quelle dove il poeta è assente, che non dia diletto a un lettore educato: basta, dal mosaico un po' stanco, scalfire e levar su a tempo la pietruzza viva.

Anche nel poemetto ironico e satirico *Il Mago*, certamente il meno felice (benchè allora il più famoso) dei tentativi di Severino, quando il poeta mette da parte le pedantesche ironie e gli scherzi un po' gravi, e non dà più la caccia a manzoniani e a veristi, e la fatata selva lunare dove il mago corre o passeggia torna ad essere soltanto una campagna, romagnola o toscana, anche nel *Mago* allora sorridono raggi e immagini di poesia. E suonano lì i due versi più famosi di lui:

O Biancofiore i tuoi riccioli d'oro
come belli dormian sopra il tuo sen.

Sono versi belli? Non saprei nemmeno dirlo: certo, per tutti noi, da tanti anni, quei versi dicono Severino.

II

Il fatto capitale della sua vita, e che poi la regolò e informò tutta, fu l'incontro col Carducci nel 1875. Il Carducci aveva quarant'anni, era alle soglie delle *Odi barbare*, poeta e maestro già celebre; Severino non aveva ancora vent'anni ed era nessuno.

Da Firenze, dove studiava all'Istituto Superiore, era andato, per conoscere il Carducci, a Bologna, con una lettera del Marradi. Il Carducci lo accolse sorridente, sbirciandolo da capo a piedi, e gli chiese di che paese egli fosse; non altro. Dovette però piacergli; perchè l'anno di poi, mentre Severino era in vacanza nel suo paese dell'Alberino, gli giunse una lettera del Brilli: « Vieni, il Carducci ti vuol vedere; diremo male del Giusti ». Il giorno dopo Severino era a Bologna. Il Carducci stava scrivendo allora l'ode sul Clitumno e a mano a mano la leggeva la sera al caffè. (Ricordò poi Severino: « Oh nube di entusiasmo, oh felicità! Poi, nota, il Carducci capiva il Petrarca. È l'unico uomo (chiedo perdono) di quanti n'ho conosciuti, col quale si possa parlare del Petrarca »).

Così s'erano intesi: con un'intesa e un affetto, anche di maestro e scolaro, anche di padre e figlio;

ma sopra tutto, di fedeli a una stessa fede. Da allora, per quasi trent'anni, dal '76 al 1905, corse tra i due, non frequente perchè spesso furono vicini, ma costante, un carteggio che soltanto ora abbiamo intero.[1]

Nel carteggio che il Carducci e Severino si scambiavano, prima di tutto senti la religione della poesia e delle lettere. L'argomento del loro scrivere può anche essere un altro; e spesso corrono tra loro soltanto notizie o notiziole della loro vita; ma il sapore, è quello, perchè il cuore e l'ingegno dei due sono vòlti lì. Più belle (e s'intende facilmente) sono le lettere di Severino; perchè il Carducci era già il Carducci di tutti, ma l'oscuro Severino aveva per sè quasi soltanto, o preziosissima sopra tutte, quell'amicizia del maestro. *Severino! Ferrarino! Severino serenissimo ingegno! Caro figlio!* Così intitolava a lui il Carducci. E Severino, sempre: *Illustre e adorato maestro! Mio signore! Molto reverendo mio maestro! Signor Giosuè!* E congedandosi: «nel nome di Dante, la saluto», «Con tutta l'affezione e il rispetto che, se li avessi conosciuti vivi, avrei portato a Giacomo Leopardi, a Ugo Foscolo, me le dico suo Severino», «Spero che Ella crederà che io, più d'ogni altra cosa al mondo, desidero la sua affezione», «Le disuguaglianze non contano, anche i *novelli* a piè del castagno muoiono spesso tisici: ciò non toglie che non siano figli dell'albero gigante», «Ella che mi conosce e mi legge dentro nell'animo che non ha ripostigli e rughe....».

---

[1] Le lettere del Carducci al Ferrari sono nel volume carducciano delle *Lettere alla famiglia* (1913); *Le lettere di Severino Ferrari a Giosuè Carducci* videro la luce nel '34, sempre presso lo Zanichelli, a cura di DANTE MANETTI. «A cura», questa volta è eufemistico: perchè l'incuria dell'edizione è grande, la prefazione e le note molto spesso inutili o stonate; e manca del tutto quell'attenzione letteraria che l'argomento chiedeva.

Ma, pure nel grande e reverente amore, poi scrivendo, Severino restava sè. Come nelle sue poesie migliori, così nelle lettere di Severino c' è veramente poco di carducciano. Nelle lettere, anzi, senti molto spesso un estro ch' è tutto e soltanto di Severino: «Dentro al lago del cuore riverbera una stella: non so che cosa sia: forse è una nuova religione che raggia dall'alto, o forse è un raggio di pazzia». E Severino spessissimo adopra, scrivendo, un'arguzia, una punta di giuoco sue proprie; così quando l'estate invita il maestro nella sua casa dell'Alberino, o gli manda, dall'Alberino, doni di caccia, o tortellini, o tartufi, con certe letterine aguzze come epigrammi; o quando l'autunno, riaperte appena le scuole, il vagante Severino saluta il suo maestro dalla nuova *residenza*:

Bei colli, aria limpida e mite, e il mare in lontananza; ma un vino così cattivo, ma una cittadella meschina, ma la mancanza di libri o di uomini che valgano un libro; sono le doti e i biasimi di Macerata oggi mia residenza, anzi mia reggia.

(E il Carducci subito a dirgli di no; e che anche lì, a Macerata, si può studiare).

Buon paese è Spezia, ma più buono Bengodi, ottimo peraltro quello presso il quale rumoreggia il Mugnone abbandonando al greto qualche pezzetto di Elitropia, dove le donne parlano la lingua di monna Tessa e dove vigila il San Giorgio di Donatello. *Ars longa, vita brevis, mors certa.*

Oppure Severino informa il maestro dei testi che prepara, dei corsi che farà e senza accorgersene dà intanto rapidi giudizi, definizioni sue: «Il Petrarca e Dante sono animali troppo voraci. Mi diverto più con quegli sciacalli fiorentini che sono i minori cinquecentisti e quattrocentisti». «Senta: io, per passatempo, mi copio il Pulci e il Boiardo: interi: poi ne distendo i rimari». «A luglio spero di poterle dire a mente tutto il *Paradiso*. Andrò poi a dirlo a Roma al capo divisione dell' istruzione classica per le scuole secondarie, e credo mi gioverà un mondo ».

Severino era nato a vivere poeticamente non solo la poesia, ma anche la filologia, anche la scuola. Certe sue scelte e prefazioni a volumi della collezione Sansoniana, il suo Casa, il suo Redi, il suo Gelli..., non sono soltanto le solite antologie per le scuole ; sono prima, e lo senti dalla cura e dal gusto che le informa, fioretti della sua religione.

Anche più del Carducci, egli sdegna lo stile democratico : « Bisognerebbe pure fare per un'antologia anche il D'Azeglio, ma che cosa di questo sciattone debbo lodare ? », « Già, lo stile epistolare non c' è ; se c' è, è vilissimo », « Ella che ha tanta *influenza* col Baccelli, lo preghi di fare in modo che i giovani abbiano una grammatica ben fatta. Così non si va avanti, è un orrore. Altro che le cattedre di danteria del professore Bovio ! Una grammatica fatta logicamente, filologicamente se si vuole. Lo creda, tra vent'anni se una grammatica non ci soccorre a tempo, sarà uno sfacelo delle teste italiane ». E Severino ha le antipatie sue e della sua scuola : « Spiegando i *Promessi*, trovo l'altro giorno che un popolano (da Brescia, forse, o Gorgonzola) dice in una sommossa : — Oh che bel cecino ! — *Mi sun tuscan !* Se i *Promessi Sposi* sono in fiorentino, allora la *Vita* di Benvenuto è in milanese ». E una volta che il Carducci era andato lontano a presiedere certi esami : « Mi schiacci tutti quelli che sanno far versi, che non mi riuscissero un giorno un D'Annunzio ».

E nelle lettere di Severino, tornano spesso spesso inviti e richiami ai suoi studi di poesia musicale e popolare : testi e codici di ballatine, contrasti, romanelle, rispetti : « le ballate mi rombano intorno raggruppandosi in ischiere » ; « potessi riavere quei codici e lavorare sulle ballatine ». Il piacere di questi ritrovamenti e delle forme e modi poetici rari, lo spinse a volte a scrivere anche lui quasi in cifra: «non dovrei mai parlare e scrivere che a centoni e nei miei centoni dovrei far larga parte al furbesco e al jonadattico». L'immaginazione gli correva da sè facilmente al grottesco; una volta che per ammenda del già bevuto, aveva deciso diventare astemio, il desiderio del bere gli giocò un buffo tiro:

Vedo un uomo grasso e dico quello è un barile; ne vedo uno magro e penso quello è una spina; vado in biblioteca e penso a una cantina; e guardando alle donne ripeto ancora con Pier delle Vigne: *Una vigna ho piantà.*

Ogni tanto Severino manda in lettura al Carducci i versi suoi: «un mese fa la matta di casa (come svegliatamente lei dice) mi suggerì un pigolio di rime....». Spesso erano versi non destinati al pubblico, e anche *pazzarellissimi*; come quest'*Alba* (dotta e strana) mandata da Domodossola:

Cantò il gallo! andò la voce
a percuotere la valle.
Vi risposero sul Toce
strisce bianche e strisce gialle
fischi fruste bussi e crocchi.
Il fringuello per l'adorna
fronda andò saltando in vetta.
Ritirarono le corna
le pie stelle! la civetta
tornò al tufo e velò gli occhi.

Di questi estri, di quelle uscite il Carducci era lieto.... e anche un po' sorpreso. A volte rispondeva a Severino: «Ella minaccia di sorgere lo scrittore più proprio e preciso e più matto che abbia l' Italia venuta a man degli inimici sui». A volte invece il Carducci guardava Severino come incuriosito e scuoteva la testa:

Lei è un bel matto. Farebbe meglio a pensare alle cose sue...., Pensi un po' a qualcosa di serio. Che vuol fare nel mondo ? Sempre madriali e centiloqui di letterature popolari e donne ? Mi scriva e mi parli dei suoi propositi savi, se può averne.

(Anche questo si pensa, leggendo certe lettere : che a tratti il Carducci, già incatenato al suo destino di lavoratore e alla gloria, si fermasse un momento a guardare, stupito e quasi smemorato, Severino, come un' immagine più libera e troppo presto sparita, di sè).

Severino non si peritava perciò ; e rivolgeva al Carducci domande più difficili :

Alla fine del mese voglio andare a Livorno per chiedere al Tirreno se Dio c' è. Io comincio a confondermi. Lei che ha in sè più gran parte di Dio che noi, che ne pensa di Dio ?

A Dio, Severino pensava più del Carducci ; e ne trovava per sè prove letterarie, valide :

Dissi male di Dante e dell'Ariosto perchè campeggiasse meglio il Petrarca ; lui solo divino, lui avere creata l' Italia e noi tutti dovere credere in Dio perchè se Dio fosse una fandonia non ci avrebbe creduto Francesco.

Carducciano, ma a suo modo. E quando, nel marzo del '91, un gruppo di studenti democratici « dimostrò », in quel malo modo che sappiamo, contro il Carducci monarchico o convertito, Severino gli scrisse :

Al primo annunzio, io rimasi come attonito e percosso. Non mai avrei creduto che dei giovani prenderebbero ardimento di giudicare con offesa lei. *Ancora da Lei discordando,* chi può erigersi a suo giudice ?... Noi suoi vecchi scolari, *pure se in altro partito ci possiamo trovare,* terremo sempre vivo nei cuori l'amore e la devozione per lei.

Non altro : ma poco bastava a quei galantuomini per far chiaro il loro sentimento.

Avveniva così che anche il Carducci confidasse

a Severino qualcosa di più. Pur nel pieno della vita, nell' '82, gli scriveva : « Il mio cuore è triste ; ormai si può morire ». E anche : « Non si stanchi di volermi bene.... L'anima mia è triste : i buoni se ne vanno ; e i cialtroni fioriscono e puzzano come i sambuchi ». Nell' '84 : « Mi brucerete proprio sul mar toscano, o sotto la torre di San Vincenzo o presso Orbetello ; e poi le ceneri gitterete nel mare ». Nel '93, ormai stanco : « Severino, caro amico e figlio. Tu hai l'anima buona e profonda l' intuizione della poesia. Ti ringrazio e ti amo ».

Qualche amico di Severino, compagno suo a quegli anni, e che lo udì dalla cattedra sostituire il Carducci, si chiese se all' ingegno proprio di Severino non avrebbe giovato più libertà e meno studio, meno filologia, meno metodo carducciano. E può darsi. Il Carducci che lo invitava a metter la testa a partito, a far sul serio, e gli indicava stampe e carte, « .... mettivi per entro l'occhiolino tuo e se trovi qualcosa che non ti approdi, segna e rimanda », il Carducci stesso scriveva poi a Severino : « Io sento il rimorso che con me tu ci rimetti ». Certo, chi legge oggi le lettere al Carducci assiste come al graduale ritirarsi e rinchiudersi di Severino. A volte con ritrosie o resistenze improvvise ; come quando scrive al maestro :

è vero sì che Severino pensa a iattanze o pazzie, questo purtroppo è vero : ma per buona fortuna di Severino, ci sono qua io che lo tempero, lo correggo, lo raddrizzo : ma altre volte mi scappa via sui tetti e allora buona notte ; lo lasci un po' fare.

Poi la scuola, i codici, le stampe, le ristampe, le edizioni, le bozze, un po' alla volta finirono per portarselo via tutto....

Eppure, anche in quelle letterine più minute e bigliettini e cartigli degli ultimi anni tra Severino e il

Carducci, solo per correggere una loro bozza o concordare una lezione del comune loro commento al Petrarca, senti che Severino è contento e gode a quel lavoro più del maestro.

Egli sentiva di servire, anche così, l'arte, « la più morale cosa che sia al mondo ». Più del Carducci, egli poeta piccolo, godeva l'onesta fatica quasi anonima data alla letteratura altrui, e la parnassiana sottile poesia della tecnica letteraria. Anche questo si sente nei versi e nelle lettere di Severino ; e sempre quel particolare piacere che nasce da una qualità ch'è più rara anche dell'eleganza : la grazia.

1933.

Versi – Il Mago, a cura di L. DE MAURI, Milano, Sonzogno, 1929. – *Lettere a Giosuè Carducci,* a cura di D. MANETTI, Bologna, Zanichelli, 1933.

I RICORDI D'UNO SCOLARO

(MANARA VALGIMIGLI)

A prima vista, tutti gli scrittori di ricordi li dividerei in due famiglie. Quelli che sollecitano la memoria, vanno loro incontro ai ricordi, e ne catturano e ordinano più che possono ; e quelli che invece se ne stanno, e lasciano che i ricordi, quando e come vogliono, vengano a loro. Si possono scrivere, e si sono scritte, belle pagine di ricordo, con tutt'e due i metodi. Ma direi che il metodo dello star fermo, dello aspettare, è il solo favorevole al nascere delle memorie e ricordi veramente poetici. Solo in una memoria involontaria e magari un po' pigra, il passato s' indora e, quando poi nascono, i ricordi cantano.

Manara Valgimigli appartiene di certo ai secondi ricordatori. Nel libretto, parco, dov'egli raccoglie i ricordi letterarii della sua giovinezza, *Il nostro Carducci*, si sente subito una poetica necessità, una spinta, che i commentatori, gli aneddotisti, anche buoni, solitamente non hanno.

Già, tutto quanto Valgimigli scrisse (e non è troppo), portò sempre questo accento personale. Nel suo volumetto *La mia scuola* (1924), più che la pedagogia idealistica che vi si vuol difendere, contano le sue esperienze di lettore e traduttore di classici, e le amicizie, i paesi, le figure della sua vita di professore errante. Valgimigli ha tradotto dal greco non poco ; ma non è egli certo di quei traduttori che tutto ingollano come lo struzzolo. I suoi classici, se li sceglie ; e in quello che egli ci ha dato dei greci, e specie nel suo Platone, la luce casta, il ritmo, avvertono subito che Valgimigli è scrittore (e traduttore) che non scrive se prima qualcosa non gli canta dentro.

Dirò anche che, come i migliori che vennero dal Carducci, come Severino, l'Albertazzi, Panzini, Serra..., anche Valgimigli scrittore non è carducciano punto. O solo quel tanto che attesti un più letterato rispetto alle lettere, che sono la religione comune. Ma anche quando l'occasione c'è, e l'animo quasi assentirebbe a riprendere modi o scatti del maestro, altri abboccano, ma questi più fini scolari si astengono.

Il titolo promette «maestri e scolari».... Ma sono poi gli scolari, ossia è proprio lo scolarino Manara Valgimigli, venuto di Lucca a Bologna in quel novembre del 1894, a dare al libretto il suo sapore.

Com'è naturale, parlandoci dei suoi maestri, Carducci, Acri, Gandino.... succede a Valgimigli di vederli e rappresentarli *anche* coi suoi occhi di oggi; e allora sono riflessioni, giudizi da letterato a letterato, da uomo a uomo, e anche ci si impara. Ma ci piace molto di più quando Valgimigli torna ragazzo, si rincantona in quel banco che fu il suo nella prim'aula a sinistra entrando, e di lì rivede i maestri d'allora col suo occhio di allora.

Per esempio, il Carducci. Nel ritratto grande, con molti tratti felici sul maestro e uomo Carducci, si sente anche un certo difetto: fossero troppe o troppo diverse le cose da dire, o l'affetto vivo (anche questo succede) impedisse un po' lo scrittore, nel ritratto grande e troppo composito del Carducci, non tutte le luci concorrono *alla luce* del quadro, non tutti i toni vanno *al tono*; qualcosa c'è, che non finisce. Ma dietro e in fondo, il ritrattino piccolo del Carducci (come il ragazzo lo vide e fermò allora, che entrava nell'aula) è perfetto.

Ed ecco lui. Entrò col suo passo breve, un poco impacciato e strascicato, che più pareva un vezzo che un difetto ; tanto più guardando la persona non grande, anzi piccola, ma eretta, gagliarda, quadrata, e il mobilissimo capo ch'egli volgeva intorno, a scatti fermi e improvvisi. Il cappello a staio pareva calcato a forza su quella chioma riccia e grigia che prorompeva da ogni parte ; e la barba, piuttosto ispida e sulle guance assai rada, pareva indicare le tracce di una mano tormentatrice. Si tolse il cappello e il pastrano ; e mentre Monti (*il bidello*) ritornava indietro indicando ai vicini, con segni e ammiccamenti speciali, l'umore della giornata, il Carducci si fermò, con le mani nei due taschini del gilè, come gli vidi fare tante altre volte, specie se era maltempo, davanti alla finestra, a guardare il cielo, e poi, d' impeto, con un suo mugolio tra corrucciato e giocondo, e battendo forte de' piedi sui due gradini, salì sulla cattedra.

Ogni volta che Valgimigli ritrova l'occhiolino dello scolaro, lì nasce il meglio del ritratto :

.... Come lo vedevamo esaltarsi al richiamo di un nome o di un verso, anche lo vedevamo battere le mani e pestare i piedi in tripudi di allegrezza e atteggiare volto e occhi in espressioni mimiche diverse, se leggeva di Bruno e Buffalmacco e di Calandrino.... Del resto, le sue scolare, le sue bravissime gatte, come diceva, avevano in genere gran potere su lui, perchè lo divertivano....

Il cristiano e platonico Francesco Acri, in vita e dopo morte, esercitò sui suoi critici e biografi e ricordatori, Gentile, Emery, Ambrosini, Panzini.... questa singolare virtù, o carità che fosse : fece sì che ciascuno (pure per l'esempio) scrivesse anche meglio, o addirittura benissimo. Anche nel libretto di Valgimigli il ritratto e ricordo di Acri mi sembra il più bello.

Valgimigli attacca a ritrarlo così (con, nello stile, appena una sfumatura mimetica) :

Uno degli ultimi anni che Acri faceva ancora lezione, ed era vecchio assai e poche lezioni faceva, un gruppo di scolari, preoccupati di quel che avessero da portare all'esame, perchè scarsi fuori dell'ordinario erano i così detti appunti di storia della filosofia, ordinariamente scarsi anche gli anni precedenti, un giorno andarono da lui a domandare. Sedeva nello studio dinanzi al suo tavolo da lavoro: grosso e greve della persona ma tuttavia eretto e di aspetto florido; gli accolse benigno e sorridente come soleva. Dissero quelli, non senza timore e impaccio, la loro domanda. Acri li guardò uno per uno, più sorridendo; e, aprendo indietro le braccia, e traendosi sulla spalliera della sedia, con quel suo accento calabrese lento, di vocali distinte e larghe, rispose: — *Njènte.* — L'amico mio che era del gruppo e mi narrò l'episodio non ricorda se poi, e come, maestro e scolari si accordarono: solo ricorda quel gesto, quel sorriso, quella parola. La quale forse voleva significare assai più che quei giovani allora intendessero....

E Valgimigli mette a frutto quel *nïènte* e su su studia il platonico Acri un po' col metodo delle graduali esclusioni ed ammissioni, del dialogo platonico. Acri fu un mistico? fu un filosofo? fu un purista beatosi della «parola in sè»? Anche questo. Ma, dietro questo, sempre un senso di quel *nïènte* restava. Dalla sua lontana infanzia a Catanzaro, il credente Acri s'era portato dentro quell'ombra: «lo sgomento della morte e del nulla». «C' è in lui qualche cosa del cattolico medioevale; aggiungerei, paesano». Riguardando certi scritti e ricordi di Acri, Valgimigli scopre: «Di questi amici ch'egli ricorda, egli ricorda sopra tutto lo insorgere del male, descrive sopra tutto i modi e gli atti dell'agonia e della morte; e con espressioni così incise e precise e fredde che paiono come immerse in un'acqua limpida nel punto che si concreti in gelo». Dietro l'ellenista Acri, vedi l'ombra dell' insaccato; ed è un tratto rivelatore non pure del calabrese Acri, ma di altri meridionali, dentro i quali senti pesare spesso un lutto greve.

Poi, nel libretto ci sono capitoli dedicati, non più ai maestri, ma proprio agli amici e compagni dello scolarato bolognese, all'eteroclito geniale Annibale Beggi, al candido Gandiglio («con quella sua capparella e quel suo cappelluccio tondo e quel suo faccione e quella sua grossa pipa aveva pur l'aria di Belacqua»); e dove Valgimigli si abbandona a un più vario e lieve ricordare. Qui si mostra anche un'altra qualità di lui. Gli scrittori di gusto classico spesso sfuggono, anche negli altri, gli aspetti o sentimenti meno composti. Valgimigli no; anzi, allora egli si fa più intelligente e curioso. Come fruga, anche nelle pieghe più segrete, la pigrizia del Gandiglio; e come si gode, proprio si gode, le stranezze del Beggi! Questi sono anche i capitoli più affettuosi, con tanti volti e nomi di perduti compagni che tornano.

L'aula era colma quasi sempre.... Or ecco, alle quattro, i giorni d'inverno e bui ch'erano i più, nel breve intervallo, veniva dentro l'uomo del gas con una sua pertica e accendeva i becchi del lampadario centrale; si sentivano gli scoppi a uno a uno; e poi il lume ch'era presso la cattedra. E su la cattedra più luceva quella testa nuda e rosea del Gandino. ...La sera, da una botteguccia davanti alla Biblioteca Universitaria si aveva per un soldo o due una scodella di castagne secche lessate, e io rammento la gioia, certe nebbie invernali, di quel brodo rosso e dolce e caldo. Dopo ci si rintanava in biblioteca. Quell'ora di biblioteca non era piacevole. Già, era uno stanzone immondo.... con grandi panconi vecchi e tarmati, mezzi vuoti, illuminazione a gas che buttava giallo su tutti e su tutto. Non restava che spiare, a rallegrarci, la visita serale di Olindo Guerrini, con quella sua barba a doppia punta, la berretta di traverso, una lanterna, e una grossa e bianca pipa tirolese; o tormentare i compagni....

Ecco qui un involontario, e tanto più riuscito, ritratto della Bologna goliardica fine secolo.

Qualcuno ora dirà: — Come va che uno scrittore tutto proprietà e sapore come Valgimigli, e con questa sua schietta vena di dire, bisogna andarlo a cercare in qualche introduzione o commento ai classici o in questi scarsi libretti d'occasione? — Eh, i *perchè* un bravo scrittore preferisce piuttosto non scrivere, sono mille e tutti buoni. Poi, chi scrive a quel modo, trova anche più difficile l'accordo tra l'animo suo e le cose da dire: e ci sono scrittori di apparente nitore classico (così uggiosi) che li vediamo spesso restare con la loro bella frase sospesa nel vuoto, come la zampa araldica e vacua del gallo. Ma l'umbratile Valgimigli non scrive le sue nitide parole se prima non le sente piene del suo sentimento. Di che lo ringraziamo; e così preghiamo Dio gli conservi quella penna cent'anni (e magari glie la faccia intingere un po' più spesso).

1936.

Il nostro Carducci, maestri e scolari della scuola bolognese, Bologna, Zanichelli, 1936.

NASCITA DELLE «NOTERELLE» DI G. C. ABBA

Quelle forme di autobiografia letteraria che comunemente si dicono *diarii, giornali, taccuini, quaderni, viaggi, ricordi, note della mia vita...*, suggeriscono sempre a qualcuno l'idea che si tratti davvero di pagine scritte lì per lì, sotto quella data, in quel luogo e nelle circostanze descritte. Anche quando le circostanze o i fatti narrati siano poi tali da escludere nello scrittore l'agio o la voglia di scrivere in quel momento, quella data e quel paese in testa alla pagina traggono molti in inganno. E ci sarà sempre chi pensa che le pagine italiane di Montaigne, o le lettere del presidente De Brosses o il viaggio di Goethe o le lettere calabresi di P. L. Courier..., quali noi le leggiamo, siano state scritte allora e alla giornata. E che i diarii, anche i grandi diarii, siano una forma letteraria improvvisa e privilegiata, che può fare a meno del tempo e della fatica che pure occorrono a ogni altra letteratura.

E non dico : un diario, per essere davvero un bel diario, forse deve dare anche quella impressione a chi lo legge (ma quanti pochi diarii la dànno !) ; e l'inganno del lettore sarà un'altra riprova che il diario è riuscito bene. Ma ogni scrittore poi, per suo conto, sa che il diario, se vuol durare, vuol essere anch'esso elaborato al pari di ogni altra letteratura ; e che la stessa spontaneità o immediatezza che gli si chiede è spesso un resultato laborioso ; press'a poco come la spontaneità o « l' improvviso » che si vuol sentire nel dialogo d'una commedia.

Le *Noterelle d'uno dei Mille* di G. C. Abba (uno dei più riusciti diarii della nostra letteratura) si dissero anch'esse scritte dall'autore ventiduenne e garibaldino, là per là, durante la campagna di Sicilia, e ritrovate e pubblicate da lui dopo vent'anni, quasi per caso ; perchè il Carducci, che le aveva lette e ne aveva dato, come lui poteva, grande giudizio, glie le aveva quasi « tolte di mano ».

Questa fu la prima leggenda delle *Noterelle* ; e durò un pezzo. « Schizzi e frammenti che paiono messi giù con un mozzicone di matita, sul tamburo, sera per sera, al fuoco dei bivacchi » ; *paiono*, avvertiva prudentemente Dino Mantovani ; ma l' immagine del tamburo fu poi la sola che restò.

Solo di recente s'ebbe il sospetto che la verità fosse un'altra. E i critici più vicini, il Russo e con più metodo il Bulferetti, confrontando le varie edizioni delle *Noterelle* stampate in vita dall'autore, si avvidero come per trent'anni (l'edizione definitiva ne fu data dallo Zanichelli nel '95), esse erano nate e su su cresciute con grande studio, e diciamo pure con dolce pena, sotto la mano dell'Abba. Con più vivo intuito, Emilio Cecchi concluse che le *Noterelle*, « nella loro illusoria ingenuità sono uno dei prodotti più laboriosi della nostra letteratura ». Altro che tamburo !

Ora s' è fatto un altro passo, quello che restava da fare : un passo indietro. Tra le carte lasciate dall'Abba all'amicissimo suo Mario Pratesi, Gino Bandini ha trovato il *Taccuino del 1860*, quello che davvero fu scritto sera per sera al fuoco dei bivacchi. È un rozzo quadernetto 11 × 16 rimasto mezzo in bianco. Il caporal furiere Abba vi aveva trascritto il « ruolino » della sua compagnia, la sesta dei Mille, comandata da Giacinto Carini ; e poi dal 5 al 26 maggio, da Quarto alla marcia su Palermo, brevissime note, tutte col lapis : appena ventidue paginette (l'editore ce ne offre anche il facsimile). A Palermo le note s' interrompono, e l'Abba ne avverte il perchè ; da quel punto al « povero cacciatore delle Alpi » era sembrato superfluo lo scrivere di cose che, nell'atto stesso che nascevano, già eran famose in Europa : « Tutta l' Europa conosce ormai gli avvenimenti ». E aggiungeva : « Ma io non parlerò di quel che m'avvenne perchè lo porto scritto nel cuore.... ». Quel portare nel cuore fu poi il segreto vero dell'Abba ; e di lì nacquero le *Noterelle* quali oggi le conosciamo.

Ma dal *ruolino del '60*, per vent'anni, quanta strada prima di arrivare alle nostre *Noterelle* ! Le tappe più segrete di quel cammino Gino Bandini le ha scoperte nel fitto e lungo carteggio che corse dal 1860 al 1910 (e sono più di quattrocento lettere) tra l'Abba e Mario Pratesi. Subito dopo la campagna di Sicilia, i due giovani s'erano incontrati alla scuola di Pisa ; e con uno di quei pronti riconoscimenti così facili in quell'età, s'eran legati presto di tanta amicizia da diventar poi quasi necessari l'uno all'altro. Nature restie, spesso ombrose e sfiduciate, più candido e romantico l'Abba, più maschio e d'un più solido pessimismo il toscano, i due amici si sostennero poi in tutta la vita. (E se oggi Mario Pratesi è un dimenticato e nessuno ricorda più di lui neppure *Il mondo di Dolcetta*, un romanzo che sta tra i migliori di quel tempo e di dopo, vuol dire ch'egli era nato davvero, come scrisse il Del Lungo, « piuttosto a meritare che a procacciarsi la fama »). L'amico Pratesi più di tutti aiutò dunque al nascere delle *Noterelle*.

A Pisa, prima di partire di nuovo con Garibaldi nel '66, l'Abba aveva pubblicato l' « *Arrigo*, da Quarto al Volturno », un romantico poemetto aleardiano in cinque canti che, a rincalzo di qualche passo, portava in nota, (e l'autore quasi se ne scusava), alcuni brani

« dal diario di uno dei Mille ». È il *ruolino del '60* che si affaccia lì la prima volta; poi non se ne sa più niente.

Dopo Bezzecca, dove si meritò una medaglia, scontento tuttavia di sè e della piega delle cose italiane, l'Abba si ritirò a Cairo Montenotte, a occuparsi delle sue terre e a tentare, quasi in segreto, l'arte. Lavorò allora a un romanzo storico, *Le rive della Bormida nel 1794* (un po' sul gusto del Nievo), e a una tragedia, *Spartaco*. E il *ruolino* o *Diario dei Mille* continuò a restar nascosto.

Scriveva però al Pratesi il 23 aprile del '70: « Vorrei scrivere un romanzo nel quale innesterei, per così dire, il mio *Diario di uno dei Mille*. Ma mi manca la voglia e perdo la lena ». Non ne fece niente e fu fortuna. Per essere come sono, le *Noterelle* dovevano camminare per altra strada. Forse il Pratesi già sapeva quale, se due anni dopo, nel '72, gli scriveva: « Tu sei giunto a un'età dalla quale con più sapienza e quindi con più ispirazione, puoi fissarti in quelle grandi memorie che ora ti si trovano a una giusta distanza e le puoi tutte abbracciare e puoi leggere in esse più altamente e più chiaramente ».

Nel '74 qualche foglio del *Diario* fu mandato come saggio a Carlo Hildebrand che in Germania pubblicava un giornale di cose italiane. (Il *Diario* sarebbe uscito, così, la prima volta in tedesco). Ma il saggio non piacque, e non se ne fece nulla. Altri appunti, nel '77, andarono al Carducci in procinto allora di scrivere una vita di Garibaldi. E il Carducci: « Mi sono preziosissimi.... Vi prego d'altri.... li riferirò a lettera, o quasi, col vostro nome ».

Ma siamo ancora tra gli abbozzi e le prove, nel limbo delle *Noterelle*. E l'Abba è anzi così sfiduciato del suo lavoro, che un anno più tardi, nel '78, scrive al Pratesi: « Io non ho studii sufficienti, sono un empirico; talvolta mi caccio le mani nei capelli e mi vergogno e do a me stesso dell' imbecille per aver creduto un tempo di esser buono a qualcosa nell'arte dello scrivere ». (Ma sono poi questi scoramenti a preparare le migliori riprese). E l'amico Pratesi, subito : « Tu non lavori e ti disperdi in querele vane ».

Le *Noterelle* come noi le conosciamo nacquero l'anno dopo. C' è subito un'altr'aria nelle lettere dell'Abba in quel tempo : « Mi sono rimesso al *Diario*. Questa volta ho dato una scossa agli scrupoli. Il tono sarà conservato, ma lo scritto sarà diverso da quel che fu ». E l'amico toscano a lui : « Non hai che da riaccendere in te quei ricordi, ritrovarli là nel lago del cuore e scriverli con genuina naturalezza.... Scarta però ogni cosa che ti sembri declamazione, ostentazione o digressione, o accessorio troppo lungo ; fai che le cose, dirò così, soverchino le parole ». Da allora, di settimana in settimana, i due amici presero a scambiarsi di lontano i fogli appena scritti e i commenti. Il Pratesi : « Guarda se, lasciando qualche particolare un po' minuzioso, il tutto non ne acquistasse : procedi largo e spedito come le onde del mare che portavano quelle due navicelle leggendarie ». E l'Abba : « Leverò via il troppo, sfronderò allegramente, perchè resti l' impressione del momento ». E il Pratesi, agli ultimi fogli : « Credo che il tuo manoscritto piacerà grandemente, sarà rubato. Vai avanti dunque.... ».

Sono queste finalmente le *Noterelle* che il Carducci nella primavera dell' '80 salutò « bellissime per l' impronta della verità freschissima che serbano nell'espressione. Del contenuto non dico, che è il meraviglioso storico » ; si disse onorato della dedica a lui, e poichè l'Abba voleva le *Noterelle* uscissero con le sole sue iniziali : « mutate, vi prego, il frontespizio e metteteci il vostro onorato nome ».

Il lavoro dell'Abba non si fermò lì : negli anni che seguirono e nelle sue successive edizioni le *Note-*

relle crebbero, anzi raddoppiarono: prima si fermavano a Palermo, arrivarono poi « al Faro » e infine « al Volturno ». Le centosessantasei pagine dell' '80, nell'edizione definitiva del '91 sono così salite a trecentotrentatrè.

Il lontano *ruolino del '60* stette dunque nella vita dell'Abba come il lievito sta nella madia: che pare niente, e tutto il pane della casa nasce di lì.

E piacerebbe ora seguire e confrontare qualche passo dal *ruolino* al *Diario* dell'*Arrigo* e poi alle *Noterelle*. E vedere, per esempio, come via via si coresse nelle redazioni quel comandante il forte di Talamone che, nel primo ruolino, a data 7 maggio, « viene a complimentare i due vapori. Bello e caratteristico per grande allura e spalline. Pareva Ciro o il Maresciallo Suchet »; e nell'ultima stesura, soltanto: « il valentuomo era mezzo sepolto sotto due spalline enormi, e aveva in capo una lucerna tutta galloni ». O come i nove versi che nell'*Arrigo* dipingono i paesani sulle alture alla battaglia di Calatafimi, diventano nelle *Noterelle* un rigo solo: « di tanto in tanto mandavano urli che mettevano spavento ai comuni nemici ». E una sola immagine diventa quel lungo brano che nel *ruolino* commenta con indignazione lo scempio fatto da quei di Partinico sui cadaveri dei borbonici: a quella vista, « il Generale spronò tirando via e calandosi il cappello sugli occhi ». E perchè l'Abba avrà lasciato fuori dalle *Noterelle* quel bel passo che nel *Diario* si legge sotto la data del 1º ottobre? « A Ponte della Valle, sull'ultima falda del monte, scendendo da Villa Gualtieri, un giovinetto ferito a morte cantava cantava cantava e moriva ». Forse perchè un po' troppo bello, e l'Abba sapeva che l'arte a volte sta nell'evitare il troppo bello....

Ma la maturità vera, la perfezione più alta delle

Noterelle, se si confrontano coi testi che le prepararono, è un'altra : e tiene dello spirito prima che dello stile. Certamente in quei vent'anni la memoria riportò all'Abba tanti fatti, persone, figure ch'egli aveva creduti perduti ; e il sentimento ci lavorò su, le scene si allargarono, gli episodi presero corpo, si distesero e si compensarono tra loro, secondo il ritmo dell'arte. Ma l'Abba non era soltanto una memoria ; era un uomo vivo che in quei vent'anni della sua maturità, (e anni così fortunosi nella vita d' Italia, da Bezzecca a Mentana e a Roma), accolse vivi affetti e pensieri nuovi, studiò la storia e l'arte, si accostò alla politica e, come ogni uomo, soffrì delusioni e rimpianti. Questa maggior pienezza di vita divenne anch'essa sostanza delle *Noterelle* ; dove non c' è solo l'azione di Garibaldi, ma tanto pensiero politico e ideale etico di Mazzini ; e, rievocate vicino ai Mille, vi s' incontrano tante eroiche figure della lunga e nobile vita italiana, dagli esempi classici di Virgilio, alle figure più gentili dei nostri poemi e ai recenti fantasmi di Byron. Così, dietro e a raffronto di quei magri e neri *picciotti* incontrati dai Garibalbini nel '66, vengono e salgono anche i greci, gli arabi, i normanni....

Virtù rara dell'artista fu di consumare e quasi di abolire i tempi diversi, suoi e delle cose, nella luce di un solo sentimento e delle più semplici parole ; e di ricondurre quella così varia vita, quei vicini e lontani ideali e ricordi, nel fuoco unico di un diario. E scrisse così le *Noterelle* che sono proprio del '60, dei Mille e di Garibaldi, — e di sempre. Alcuni passi se ne rileggono oggi come se fossero andati già al di là dell'occasione e della storia che li produsse, in una più lontana e classica letteratura.

E proprio questo era quel « contenuto », quel « meraviglioso storico » che il Carducci, avendolo perseguito forse invano tutta la vita, riconobbe subito nell'Abba, e poi nel poeta che più lo somiglia, nel Pascarella.

1932.

Maggio 1860. Pagine di un «taccuino» inedito, pubblicate e illustrate con la scorta di un carteggio inedito tra G. C. Abba e Mario Pratesi, da Gino Bandini, Milano, Mondadori, 1932.

CENTENARIO DI PANZACCHI

(16 dicembre 1940)

Enrico Panzacchi sortì da natura uno dei doni più grandi, il dono senza cui tutti gli altri valgono meno, quello che in qualche modo può tutti sostituirli : il dono di piacere. Piacque a tutti. Provate anche oggi a fare il nome di Panzacchi in una vecchia casa bolognese, e tutte le facce si rischiarano. L'oratore, il poeta, l' intenditore di musica, il critico d'arte, l'uomo di mondo e, che non guasta, il bell'uomo, per ogni aspetto di Panzacchi, per ogni sua attività, e ne ebbe tante, c' è ancora un aneddoto vivo che lo descrive, un tratto vivace che lo dipinge. Dite Panzacchi, e molti, per il nome solo di lui, rivedono la grassa Bologna di fine secolo, tra l' '80 e il '900.

In quei vent'anni, Bologna la *rossa*, la *porticata*, la *dotta*, la *musicale* Bologna, console il Carducci, bibliopola Cesarino Zanichelli, fu per gli intelligenti la capitale d' Italia. Vi nasceva la nuova poesia, vi trovavano cittadinanza le musiche nuove, vi facevano le loro prove l'arte restauratrice e, ahimè, l'architettura e l'edilizia umbertina ; l'economia e la politica di domani manovravano già nella valle del Po.... Veramente grassa Bologna ! Nell'aneddotica cittadina del ventennio, Panzacchi fu il re ; lo Stecchetti, l'Oriani, e in qualche modo lo stesso Carducci, vengon secondi. Panzacchi soltanto seppe conciliare a sè le belle dame e le Belle Arti, la musica e l'accademia, la politica e le lettere ; deputato prima, poi segretario di Stato a Roma, fu l'ambasciatore ideale tra le due capitali: Bologna e Roma se lo contendevano.

In questa diffusa simpatia, la figura maschia di lui, la bella voce, la prestanza, dovevano esserci per qualcosa. La fortuna è dea che ha spesso per ministri le donne. Nato nel contado, anche quando divenne arbitro di eleganze intellettuali e cittadine, Panzacchi conservò la pacatezza, il piglio franco, il sano appetito dell'origine. «A tavola Panzacchi era un dio bonario e gioviale», dice Ojetti. Certa cronaca di amori e di pettegolezzi bolognesi (rievocata, anni fa, dalla signora Evangelisti) di fronte all'«impacciato» Carducci ci descrive il Panzacchi «grosso, bellissimo, brillantissimo». E intanto il Carducci confessava in pubblico: «Devo molto al senso acuto e retto di Enrico Panzacchi che mi ha emendato....». Per lui anche il corrusco Oriani disarmò:

> Ingegno alato, si posò dappertutto per involarsi appena posatosi; nato oratore come pochi, poeta che potrebbe tradurre nel verso più di una musica gentile, mentre tutti gli storpiano in musica le sue delicate romanze, critico pel quale nessuna musica ha molti misteri, quella dei colori e delle note, della poesia, della prosa. Egli è celebre, e avrebbe potuto esser glorioso se la pagana serenità del suo spirito e l'ateniese indolenza del suo temperamento fosse stata guasta da un solo vizio: la vanità....

è un madrigale, tagliato però e appuntito a modo di epigramma.

Questa fu la fortuna di allora. Oggi che cosa resta a noi di Panzacchi e dell'arte sua?

Con molta apparenza di verità, Panzacchi fu anche detto poeta e letterato professionale: tutti i temi infatti gli erano buoni, tutte le occasioni, i motivi, i pretesti potevano fare per lui. La prima impressione è questa, e chi abbia l'occhio soltanto agli argomenti, ai titoli, ai metri, resta stupito di tanta e così facile versatilità. Più che una raccolta di poesie, il suo libro sembra un giornale, un diario poetico. I fasti civili vi si alternano agli intimi anniversari; aneddoti e figure della storia, donne belle, attrici celebri, scienziati, guerrieri, amici che partono, che si sposano, che scompaiono, voci intime, languori, speranze, nostalgie d'amore, aspetti della città e della villa, Sarah Bernhardt e Leopardi, Carmen e Pio IX, Aida e Mazzini, D'Azeglio e Beethoven, il fioretto di frate Leone e la tragedia di Mayerling, le strofette brevi e cantate e i lunghi discorsivi racconti, i settenari, i sonetti e i martelliani, le rime facili e quelle rare, i toni popolareschi e quelli aulici, ogni argomento poetico, ogni ispirazione, ogni metro, tutto può ispirare o soltanto stimolare Panzacchi; a tutto egli sa dare un suono, una voce. Ne può venire al lettore qualche sazietà. Chi però si fermasse a questa impressione avrebbe torto.

Panzacchi fu poeta d'occasione; non proprio nel senso superiore goethiano, per cui occasione è l'intima mossa, accordo dell'uomo col mondo; ma neppure nel senso freddo e letterario dell'arcade che indifferentemente tratta ogni tema senza impegno, e se ne libera senza esserne pure toccato. Panzacchi è l'opposto di costui; egli è anzi sempre pronto (e troppo pronto) a commuoversi.

Nei suoi anni maturi, ricordava volontieri di avere studiato da giovane per professore di filosofia; ma aggiungeva, e con qualche compiacimento, di aver dovuto presto smettere perchè non gli era riuscito mai di decidersi tra le diverse opinioni. (Pare che allora fosse necessario «decidersi»). È un aneddoto che lo dipinge, non soltanto nel pensiero ma anche e soprattutto nel sentimento:

Ahi, siamo una raminga
progenie! A noi le ipotesi
strani sorrisi alternano
con ambigua lusinga.

Ieri uscimmo dai candidi
alberghi della fede ;
or ci vacilla il piede
e il cuor ci piange e sanguina.

Quello che nel suo pensiero fu il tramutare delle ipotesi, fu nella fantasia il trascorrere troppo rapido e il commutarsi delle ispirazioni e delle immagini. E di Panzacchi si può dire ch'egli fu, nella accezione più delicata e calda della parola, *anche* un dilettante. Del dilettante ebbe la curiosità viva, l'emozione pronta, il suono e la parola seguaci ; e un istintivo bisogno di non impegnarsi troppo, di sciogliersi, di cambiare : un amore e disamore rapido delle cose.

Il poeta che ha una sua fede (la sua *costante* poetica) può più facilmente aspettare e stare ; il dilettante è stimolato a riempire ogni giorno quel certo suo intimo vuoto, con nuove immagini o inganni. Di molte poesie di Panzacchi si ha l' impressione come di cose variate ma ritornanti : quasi che il poeta trascorresse tanti temi, poetasse tante poesie, perchè non poteva afferrare il tema più veramente suo. E nelle singole poesie, spesso il poeta non regge fino in fondo la sua emozione. Perciò il primo moto poetico, il primo impulso spesso furono il meglio di lui ; e molte poesie sue non felici hanno però l'attacco straordinariamente felice :

Occhi lucenti, pieni di sorriso,
Chi vi nasconde ? chi vi tolse a me ?

Eccolo in treno verso Bologna ; e lo prende un improvviso impulso a evadere, a fuggire (una sortita proprio da ragazzo) :

Vorrei balzar dal treno
che va verso Bologna
e salir su, salire
per la via rampicante
e abbrancarmi alle piante
e perdermi e sparire.

Un altro aspetto caratteristico egli ebbe del dilettante. Poichè era buon intenditore d'arte, e assai versato nella musica, (diceva di scriver versi per non saper scriver note), spesso voltò idealmente la poesia in musica e tradusse la musica in poesia, e, in senso più *figurativo* che non si possa dire d'altri poeti, colorì e plasticò figure con le parole. Gli scambi tra le varie arti in lui furono continui, più connaturali che in ogni altro artista del tempo (D'Annunzio compreso). Invoca una volta Cimarosa «o Perugino della melodia»; un'altra volta, in un curioso e quasi programmatico sonetto, coglie e distingue la musica strumentale dei fiori:

A notte alta, nel parco solitario
la nova sinfonia piena d' incanti
si leva. I bei garofani fiammanti
hanno le note dello stradivario.
Hanno accenti di teneri liuti
gli anemoni, i mughetti e le viole;
e i gigli bianchi, sospirando il sole,
vibran lamenti d'ottavino acuti....

Anche alcuni dei suoi racconti in prosa, i più personali, forse i migliori («Primo ricordo», «Cantores», «Filomela») ripetono questo struggente desiderio e languore di musica.

E prima di D'Annunzio egli plasticò in poesia il centauro:

Così le reni e il petto ampio e possente
inalberando sul gran dorso equino
e d'un riso ridente
tra l'umano bellissimo e il ferino
. . . .
Vorrei vederti ancora ir per la valle
scalpitando e ferir col fischio l'etra
giù per le aduste spalle
sonando i dardi della tua faretra.

Queste animazioni statuarie ritornano anche in prosa: in uno dei suoi racconti, Pigmalione narra come la donna sua, Galatea, di statua che era si tramutasse per lui in corpo vivo: il marmo si anima.

Sì, quando i suoi occhi tremolarono improvvisamente per il primo senso della vita e subito fissandosi in me parvero che mi vedessero prima della stessa luce, o Mercurio! io non credo che in terra e in cielo una felicità più grande sia stata provata mai. Allora io non vidi il rimanente del suo bel corpo colorarsi, palpitare e muoversi, non vidi che gli occhi, quei suoi due occhi innamorati, i quali mi tenevano tutto....

In un altro racconto, gli occhi di due innamorati, nel languore di guardarsi, si scambiano, tramutano il colore.

Questo fu il dilettantismo di Panzacchi: il primo e più evidente volto suo.

Ma c'era poi un altro, alquanto maggiore Panzacchi. E nasceva quando un moto più intimo, un sentimento più vivo, una più vera e fonda malinconia entravano nel suo colore e nella sua musica, e li infrenavano e sostanziavano. Allora la poesia melica si fa lirica. E nascono i suoi delicati idilli soffusi di una grazia dolorosa (« L'ombra della bambina », « Nella neve ») ; i suoi colloqui e ricordi d'amore dove è misteriosamente presente la morte (« Ascolti o cara anima? », « Dolce colloquio ») ; e ricordi, desiderî, improvvisi trasalimenti (« Sub galli cantum », « Per la notte andavam.... », « Costantino dell'Argine »). Poesie sempre di nitido disegno esterno, ma di molto intimo sentimento ; e che si richiamano e rispondono tra loro e formano insieme il suo più delicato canzoniere.

E questo Panzacchi lirico cresce ancora, quando, senza pure alzare il tono, si accosta a certe figure e miti della storia, e dà una sua poetica originale voce a Carmen, a Ofelia, a Aminta, al vecchio Don Giovanni, e rappresenta Nerone morto, obbrobrio del mondo, e Atte piangente su lui. Poesia storica o mitica, ma non miticamente atteggiata, anzi tutta affidata al solo sentimento delle cose, *lacrimae rerum*. E la poesia forse più completa di Panzacchi è quella che s' intitola a «Omero», dove il sentimento presente e l'antico mito s' incontrano in un'unica figurazione. Piaceva al Pascoli che certamente vi riconosceva, con atteggiamento così diverso dal suo, un' ispirazione *conviviale* e ne scriveva:

Un malato a morte legge nel suo giaciglio di dolore l'*Iliade*, vive con Omero i suoi ultimi giorni, nel suo gelido languore sente tremar l' Olimpo al cenno di Giove, fuggir le Dee ai colpi di Diomede, Ettore lanciare l' incendio nelle navi, le Nereidi ululare per il mare purpureo ; e si spenge a poco a poco in questo mondo di Eroi e di Numi, in questo elemento divino di luce e di forza : e nel tramonto sente cader sul capo suo le lagrime della madre, di quella il cui figlio è così bello, grande, forte, e deve morir così presto ! La madre del divino Achille calma il cuore anche del povero tisico....

Poesia tanto più commossa e vera quanto meno lo vuol sembrare :

Solo talvolta, mentre d'un fuggitivo lume
colorava il tramonto quelle nude pareti,
egli, sempre con gli occhi fissi al divin volume,
credea sentir sul capo le lagrime di Teti ;
e il suo cuor si calmava sotto le die pupille
come il cuore di Achille.

Nel grosso volume, sono forse soltanto quindici o venti poesie, ma che, lette, poi si rileggono e poi cantano dentro. E se a qualcuno venti poesie, a ricordare un piccolo ma vero poeta, sembrano poche, di poesia costui non se ne intende.

Si potrebbe forse concludere che il poeta Panzacchi, per tanti suoi aspetti, fu, (come diversamente Adolfo De Bosis), un esteta. Ma un gentile esteta : prima che a questa parola si apprendesse il senso meno buono, e talvolta crudele (e spesso pacchiano) che presto ebbe tra noi. Panzacchi fu un innamorato della bellezza, ma che nella bellezza comprendeva anche il dolore e la bontà e la sana malinconia del vivere. Anche negli anni tardi, al declino dell'età, caduti gli inganni, alla inutile tristezza egli opponeva questo suo molto umano estetismo. Canta in uno dei suoi sonetti ultimi e più belli:

Nell'aria fredda, contro un ciel di latta,
la boscaglia diffusa, ignuda e nera
par falange di picche in cui s'avvera
il primo tramestio d'una disfatta.
Ma il cicaleccio allegro della sera
vien su d'ogni cespuglio e d'ogni fratta:
par che gli uccelli cantino con matta
gioia i gorgheggi appresi in primavera....
Così noi nella vita. Ad una ad una
fuggon via le speranze, invecchia il core,
l'orizzonte dell'anima s' imbruna;
ma noi restiam poeti; e sulle spente
larve della letizia e dell'amore
seguitiamo a cantar serenamente.

Questo poeta spesso e virilmente pensò e ricordò la morte; ma sempre

cantando ai soli occidui
le gioie della vita.

Il Panzacchi critico e letterato ripetè, in altra sede, quella varia intelligenza di vita e di poesia, quel freno d'arte. Leggete le sue pagine sull'umanità dell'Aretino, quelle sul Tommaseo poeta; e quelle dove riconosce, per primo, la novità della prosa del Carducci. Degli scrittori nuovi, dei fatti letterari del giorno trattò con una chiarezza e una intelligente discrezione che sono doti sempre più rare.

La prosa critica di Panzacchi non è arguta come quella dello Stecchetti, non è epigrammatica, pungente come quella del Martini, non è *dévouée* come quella del Nencioni; ma Panzacchi ha occhio più vario, orecchio più modulato, gusto più largo e conciliante. Poichè egli aveva dell'arte questo senso umano ed euforico, quasi una linfa che circoli tra gli uomini e le cose, a renderci migliori e a rallegrarci, anche perciò s'intende come l'uomo piacesse tanto e comunicasse intorno a sè il suo sano gusto di vivere.

1940.

LA « VECCHIA ITALIA » DEL CROCE

Scherzi del tempo. Dai banchi ancora del liceo, la prima immagine che avemmo di Benedetto Croce, fu tinta di color polemico. Come il filosofo contro il positivismo, così il teorico dell'estetica, il saggista letterario della « nuova Italia », e fin il moralista, il postillatore, tutta insomma la figura del Croce ci parve allora in arme e battaglia contro le idee, le opere e gli uomini della così detta scuola storica. Da una parte i D'Ancona, i Bartoli, i Novati, i Rajna, i Renier, — e dall'altra lui ; da un lato la storia e la filologia coi due peggiorativi, lo storicismo e il filologismo —, e dall'altro l'analisi estetica e l'intuizione. Ci fu anche un momento che l'antinomia, per passione polemica, andò oltre ; e chi disse Carducci e chi disse Croce.

Non sono passati da allora vent'anni, e il prospetto è tutto cambiato. Può darsi che anche l'animo del Croce, verso cose e persone, non sia oggi in tutto più quello ; la vita insegna anche ai saggi ; e ad apprezzar meglio, non si dice i maestri, ma persino i pedanti della scuola storica, niente deve avergli giovato quanto lo spettacolo dei molti acchiappanuvole accodati alle ultime filosofie ed estetiche, compresa la sua. È regola della vita che il cattivo faccia apprezzare il men buono. Quanto a lui, al Croce, chi riassuma in uno sguardo l'opera sua di filologo, di storico e di editore, quale è venuta crescendo in questi anni, e conti i suoi volumi di storia, di ritratti, di saggi, e fin di cronache e di curiosità, dal

Regno di Napoli a quello d'Italia, dal Trecento al Cinquecento e Seicento, e dal Vico al Risorgimento e al De Sanctis, e i testi editi da lui d'ogni secolo, e le ricerche d'archivio compiute; chi abbracci e riassuma oggi questa non mai stanca fatica, vede che la sua figura s'inquadra senza sforzo, e anzi campeggia, nella buona filologia e nell'ottima storia. Nè importa adesso ricordare quali furono le accuse o gli appunti, anche giustissimi, che il Croce mosse allora alla «scuola»; e quali, in lui storico, sono oggi le diversità di temperamento e di gusto. Chiaro è che egli, erede dell'idealismo, ha ravvivato la tarda filologia del secolo con la passione, la dialettica delle idee, propria alla storiografia romantica del primo Ottocento; e che questo è il carattere più suo.

Di tale attività sua sono ora nuovo saggio i due ricchi volumi che trattano di *Uomini e cose della vecchia Italia*.

Premette il Croce:

> Nel lavorare ai miei due libri, sulla *Storia del Regno di Napoli* e sulla *Storia dell'età barocca in Italia*, mi sono sentito di volta in volta attirato a compiere ricerche, o mi è accaduto di fare osservazioni nuove e imbattermi in nuovi documenti intorno ad alcuni personaggi e alcuni aspetti particolari di quelle storie, per una o per altra ragione degni di esser conosciuti; senonchè non mi era dato di trattarne in quei libri, perchè uscivano fuori del loro disegno. Così hanno avuto origine, nella loro maggior parte, i saggi raccolti nelle due serie che ora pubblico.

L'apparenza è dunque di un'opera marginale e frammentaria; tuttavia vincoli unitarii, di tempo e di luogo, e legami spirituali tra i capitoli non mancano. Tutti i saggi hanno rapporto con la vita napoletana o del mezzogiorno; e, da l'uno all'altro, è la «vecchia Italia» o scettica o nobilmente conservatrice o ingenuamente reazionaria che, dall' illuminismo agli ultimi legittimisti, col suo stesso difendersi e resistere, dialetticamente prepara l' Italia nuova.

Molti sono qui i ritratti e i profili di poeti, di uomini politici, di prelati, di soldati, di avventurieri, e c' è persino una santa. Apre la serie quel giovane conte di Policastro che, implicato nella congiura e nella condanna dei Baroni, mentre aspetta la morte, s' innalza stoico sul suo destino e trova, un secolo prima, alcuni di quegli accenti patetici e filosofici che saran poi di Tommaso Campanella. Un saggio è dedicato all'umanista cinquecentesco Pietro Gravina, dotto epicureo che (disse il Giovio) « non scriveva già ogni dì nè ogni settimana, nè manco ogni mese, ma gli bastava il fare tutto un anno quattro epigrammi a onore delle quattro stagioni dell'anno ». Gli somiglia, due secoli dopo, l'ornatissimo arcivescovo di Taranto, monsignor Giuseppe Capecelatro, l' idolo elegante del tempo, che, in pieno Settecento, « attuava spontaneamente e semplicemente i precetti del pagano Orazio ». E s' incontrano altri retori o poeti, come il già troppo celebre Angelo di Costanzo, e il latinista Cantalicio ; viaggiatori e diplomatici, come il settecentesco marchese Caracciolo, e l'amico in Russia di Giuseppe de Maistre, il duca di Serracapriola.

Dall'uno all'altro ritratto o profilo, l'arte dello scrittore varia convenientemente ; è esterna, è tutta biografica e aneddotica, per gli uomini d'azione ; è intima invece, tutta citazioni e richiami, per gli uomini di penna o di pensiero. Si sente, leggendo, che il Croce di costoro sa tutto ; conosce lo stampato e i manoscritti, s' è procurato i codici e gli epistolari anche lontani ; occorrendo, ha sollecitato sui suoi soggetti anche le testimonianze private. Il Croce ama la sua gran libreria (dice del Gravina, con un sorriso : « il suo libro di poemi, del quale posseggo un bell'esemplare dell'unica e rara edizione del Sultzbach, e credo che mi piaccia sopratutto perchè bello e raro.... »), ma l'aver letto molto e il molto sapere dei suoi scrittori non gli pesa, e i loro profili o ritratti egli li traccia e colora sempre un po' staccato, a mano libera.

Su tutti, mi pare ricco e piacente il ritratto di Bernardo Tanucci, il toscano anzi casentinese ministro dei Re Carlo e Ferdinando di Borbone, ricavato in gran parte dalle lettere, tuttora inedite, ch'egli mandava all'amico suo Luigi Viviani, ministro di Toscana. La prosa epistolare di questo onnipotente e onnipresente ministro borbonico, che da giovane aveva tenuto cattedra in Pisa e aveva dimorato « nello spedale dei pazzi della letteratura », così argutamente dotta com' è, e compiaciuta di riavvicinamenti storici e di citazioni latine e d'ogni sorta di erudizioni, ha a tratti il buon sapore umano e libresco del Montaigne. Questo ministro di re, divenuto ipocondriaco alla corte (« il ministero non mi lascia nè vedere nè trattar uomini, perchè tutti gli uomini che mi presenta son maschere »), fa suo volentieri un motto di Federico di Prussia, che cioè vi sono « uomini stolidi al segno di aver dovuto la Provvidenza farli sovrani perchè non morissero di fame » ; rifiuta per sè il titolo di eccellenza, « complimento barbarico e riluttante », e quando il re lo crea marchese neppure lo ringrazia, tanto è in lui il timore che quel titolo, risaputo poi in Toscana, gli faccia perdere ogni « reputazione coi *suoi* paesani ». Il primo testo del suo operoso scetticismo è l'*Ecclesiaste* « a cui bisogna credere non solamente per dogma, ma per dialettica ». Quanto alla società : « apparenza, ipocrisia, inganno, puerilità, questi sono li quattro elementi della società.... Le nazioni sono differenti per li maschi, ma le femmine sono in tutti i paesi le medesime ». Quant'a sè, resta fedele al

« sillogismo » : e intende dire con questa parola la riflessione, il ben filato raziocinio, il saldo giudizio ; e, con Filippo Buonarroti, reputa che « il vero mal francese è la fretta ». La saggezza dov' è ? « Qualche cultura letteraria, forse questa è la base della verità e dell'umanità ». E se il mondo va male, che almeno non gli guastino con inutili innovazioni il caro e lontano suo Casentino ; terra che come Itaca e come Arpino, dà « ugne dure ai cavalli e sapore ai porci ». (« M'aspetto qualche gran guaio con quella macina d'olio di faggio a Stia.... »). Letto una volta questo ritratto del Tanucci, si torna volentieri a rileggerlo, e viene desiderio di cercare altro di lui, tanto queste sessanta pagine sprizzano immagini, aforismi e idee.

Alla venerabile Maria Cristina di Savoia, Regina delle Due Sicilie, moglie di Ferdinando II, il Croce dedica un saggio ch' è, da parte sua, grande prova di finezza. Non era certo facile aggirarsi tra gli elogi degli agiografi, le testimonianze dei politici e dei diplomatici, e trovare infine, tra questi opposti, un ragionevole accordo sul vero. Il Croce n' è uscito con un medaglioncino in bianco, delicato ma esatto, cui non potrebbe esser negato l'*imprimatur* ecclesiastico, e tuttavia uno storico non avrebbe che opporgli.

S' è toccato appena di qualche più suggestivo ritratto ; ma nei due volumi c' è altro. Ragguagli storici, come quelli sulla cultura spagnola nell' Italia del '600, sulla letteratura dialettale riflessa che nacque in quel secolo, sugli italiani in Europa nel '700, sul germanesimo durante il Risorgimento. E poi aneddoti e cronache meridionali di tre secoli, che si chiudono con un vivissimo ritratto di Alessandro Dumas garibaldino a Napoli, tutto esuberanza, ingenuità e commedia. Quando càpita, il Croce non lascia cader l'occasione di raddrizzare una stortura o un' ingiustizia di altri storici o critici : così fa per il grammatico e politico secentesco Ludovico Zuccolo, svisato dal Belloni e dal Foffano; così per quel principe di Canosa che restò infamato troppo presto dentro una parentesi del Giusti. Corollario: i giudizî bell'e fatti, anche o soprattutto quelli della Scuola storica, « sarà bene verificarli direttamente sui testi ».

Ma l'unità vera di questi libri frammentari è da cercare nell'animo, nel colore, nello stile dello scrittore. In questi saggi scritti gli ultimi anni, in margine alle sue maggiori Storie, par di vedere un Croce più esperto e più riposato, più indulgente e più divertito dalla sua stessa curiosità, un Croce, se di lui si potesse mai dire, più nobilmente ozioso. Non l'urgono qui le tesi e le dimostrazioni che altrove ha esaurite; e anzi, alcuni o molti di questi saggi, forse i più belli, si attardano a illustrare il rovescio della sua Storia, cioè proprio gli uomini e le idee retrive della Storia di Napoli. Diremo, un po' scherzando, che qui si affaccia un Croce *advocatus diaboli* di se stesso. In verità, dopo aver descritto il progredire della libertà, dell' idea unitaria, della storia che doveva compiersi, come negar poi giustizia e umana simpatia alle idee e agli uomini che la vita, per avanzare, dovette pure consumare e distruggere? Specie se il cervello va avanti, nel cuore resta sempre un angolo conservatore. Chi non sente ciò, è negato all'intima moralità, alla poesia della storia; e proprio da questa cordiale intelligenza deriva gran parte dell'autorità e della fiducia che a noi ispira il Croce storico.

Opere e saggi minori? È probabile che l'autore stesso così li pensi; e, a tratti almeno, questi capitoli possono sembrar sommarî e sfuggenti, contenti come spesso restano, alla cronaca, all'aneddotica, al quia. Certo, ad essere intesi appieno, almeno alcuni di questi saggi suppongono la conoscenza di altre e più vaste opere del Croce. Si escluda però da questa minorità ogni senso di diminuzione; talvolta, proprio le opere minori sono il traguardo più difficile e rivelatore d'uno scrittore. Riassumere un libro in una citazione, una polemica in una battuta, essere senza parere, sapere e aver dimenticato, è pure una sapienza difficile; e il saggio breve, l'opuscolo, come quelli che impegnano a ogni riga non soltanto la dottrina, ma e la discrezione e il gusto e lo stile, furono sempre difficili prove. Cercheremo altrove la potenza di uno scrittore, ma, in queste forme minori, spesso si può sorprenderne meglio quel delicato fiore che si chiama la civiltà. Dorrebbe al Croce se si dicesse ch'egli, scrittore di cose molto maggiori, ha dato adesso misura rara di sè in quel candido medaglioncino dedicato alla venerabile Maria Cristina, Regina di Napoli?

1927.

Uomini e cose della vecchia Italia, Bari, Laterza, 1927.

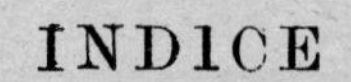

INDICE

I

II

III

IV